はじめての育児

生まれてから3才までの育児はこの1冊におまかせ!

監修 細谷亮太先生
聖路加国際病院 小児総合医療センター長

最新決定版 はじめての育児 CONTENTS

監修
聖路加国際病院
小児総合医療センター長
細谷亮太先生

ほそやりょうた●1948年山形県生まれ。アメリカの病院勤務を経て、現職に。専門は小児がん、ターミナルケア、育児学など。母親の気持ちに沿った温かいアドバイスで、子育て奮闘中のママを応援しています。3男1女の父。

PART 1 新生児（0カ月）の生活と発育・発達…19

月齢別　赤ちゃんのようす…16
赤ちゃんはどんなふうに成長するの？…18
新生児の体・心・運動と五感…20
　このころの赤ちゃん／体／心／運動／五感
新生児ちゃんの1日の過ごし方…22
新生児ちゃんを迎えるお部屋…24

PART 2 月齢別（1カ月〜3才）の発育・発達…25

1〜2カ月
ふっくらと丸みを帯び赤ちゃんらしい体つきに。授乳は頻繁です…26
　このころの赤ちゃん／体／心／運動

2〜3カ月
声を出したり、笑顔を見せたり。いっしょにいるのが、楽しくなります。…28
　このころの赤ちゃん／体／心／運動

3〜4カ月
体重は生まれたときの約2倍。首がすわり始め、しっかりした体つきに。…30
　このころの赤ちゃん／体／心／運動

4〜5カ月
あたりをキョロキョロ見回し、興味津々。何でもなめてチェックも大好き…32
　このころの赤ちゃん／体／心／運動

5〜6カ月
手を伸ばして、おもちゃを取ったり。ひとりで遊べる時間も増えます…34
　このころの赤ちゃん／体／心／運動

6〜7カ月
寝返りで移動を開始。知らない人をじっと見つめたりも…36
　このころの赤ちゃん／体／心／運動

7〜8カ月
腰がしっかりし、お座りができるように。笑ったり怒ったり感情も豊かに…38
　このころの赤ちゃん／体／心／運動

8〜9カ月
ハイハイが上達。お座りも安定し、両手を使って遊べるように…40
　このころの赤ちゃん／体／心／運動

9〜10カ月
何にでも興味を持ち、ハイハイで突進。いつも目が離せません。…42
　このころの赤ちゃん／体／心／運動

10〜11カ月
後追いでママを困らせる子も。大人のまねをし始めます…44
　このころの赤ちゃん／体／心／運動

11カ月〜1才
行動もおしゃべりも大人をまねっこ。立っちができる子もいます…46
　このころの赤ちゃん／体／心／運動

1才〜1才1カ月
発達の個人差が目だつ時期。意味のある言葉が出てくる赤ちゃんも…48
　このころの赤ちゃん／体／心／運動／いたずら

1才1カ月〜1才3カ月
何にでも挑戦するので目が離せません。誤飲や転倒などの事故に注意…50
　このころの赤ちゃん／体／心／運動／卒乳

1才3カ月〜1才6カ月
自我が芽生えて何でもやりたがり、ママを困らせることも…52
　このころの赤ちゃん／体／心／運動／お友だち

1才6カ月〜2才
跳んだり走ったり、動きがパワーアップ。自己主張も増えます…54
　このころの赤ちゃん／体／心／運動／かんしゃく

2〜3才
「これなに？」と知りたいことがいっぱい。自立心も旺盛です…56
　このころの赤ちゃん／体／心／運動／トイレトレーニング

とじ込み1 赤ちゃんの体の発育・発達早わかり表
赤ちゃんの心の発育・発達早わかり表

とじ込み2 予防接種スケジュールと健診ポイント
予防接種＆健診チェックシートA to Z

12

PART 3 お世話の基本 … 61

小さめ赤ちゃんの発育・発達 … 60

発育・発達リアルデータ … 58
後追いはした？ いつから？／人見知りはした？ いつから？／よくするクセは？／利き手はどっち？／好きないたずらは？／指しゃぶりはする？ どの指？／デビューはいつから？［あんよ・ひとり立っち・つかまり立ち・ハイハイ・お座り・寝返り・はっきり言葉を話した・歯の生え始め・おっぱいの卒業・大人のまねっこ・初めての発熱］

母乳・ミルク … 62
飲ませ方の基本／授乳時の抱き方／母乳トラブルQ&A／搾乳の仕方／ミルクの作り方／ミルクの飲ませ方／哺乳びんの洗い方・消毒の仕方／ミルクトラブルQ&A

抱っこ … 66
よこ抱き／たて抱き／抱き下ろす／抱き換えのポイント

おむつ替え … 68
紙おむつ・テープ型／紙おむつ・パンツ型／布おむつ／おしりのふき方ポイント

沐浴・おふろ … 70
沐浴／湯上がりのケア／入浴／おふろ上がりのケア

パーツ別お手入れ … 73
目／鼻／耳／つめ／おへそ／髪の毛

ねんね … 75
快適なねんね環境、ここがポイント／月齢別眠りのリズムの変化

着せ方 … 76
着せ方の基本／季節別 着るものの目安／肌着の主な種類／ウエアの主な種類

外気浴・外遊び … 78
外気浴［1カ月ごろ］／外遊び［2〜4カ月ごろ・5〜10カ月ごろ・11カ月過ぎごろ］

歯のケア … 79
月齢別 歯みがきの手順

赤ちゃん・子どもの行事 … 80
お七夜／お宮参り／お食い初め／初誕生／初節句／七五三

PART 4 赤ちゃんの食「母乳・ミルク」「離乳食」 … 81

母乳の力とミルクの役割 … 82
母乳パワー5／限りなく母乳に近い栄養源がミルク

離乳食の基本 … 84
このころの食のポイント／離乳食の役割6

離乳食の栄養バランスと進め方 … 86
大切な3つの栄養素／食物アレルギーの基礎知識／離乳食の見通し表／おかゆとだし汁とスープの作り方

STEP1 5〜6カ月ごろ … 90
いつごろ？ タイミングは？／どんなものをどれくらいあげる？／組み合わせてこんな献立に／タイムスケジュールの例／食べさせ方のヒント／前半＆後半のレシピと調理のポイント

STEP2 7〜8カ月ごろ … 92
いつごろ？ タイミングは？／どんなものをどれくらいあげる？／組み合わせてこんな献立に／タイムスケジュールの例／食べさせ方のヒント／前半＆後半のレシピと調理のポイント

STEP3 9〜11カ月ごろ … 94
いつごろ？ タイミングは？／どんなものをどれくらいあげる？／組み合わせてこんな献立に／タイムスケジュールの例／食べさせ方のヒント／前半＆後半のレシピと調理のポイント

STEP4 1才〜1才6カ月ごろ … 96
いつごろ？ タイミングは？／どんなものをどれくらいあげる？／組み合わせてこんな献立に／タイムスケジュールの例／食べさせ方のヒント／前半＆後半のレシピと調理のポイント

幼児食 1才6カ月ごろ〜 … 98
幼児食のポイント4

PART 5 生活リズムとしつけ …99

赤ちゃんの生活リズムの作り方 …100
赤ちゃんの生活リズム改善のコツ10／生活リズム見通しマップ／0〜1カ月／2〜4カ月／5〜6カ月／7〜8カ月／9〜11カ月／1才〜1才6カ月／1才7カ月〜2才／2才1カ月〜3才

赤ちゃんの生活習慣のしつけ …106
歯をみがく／手洗い・おふろ／トイレトレーニング／食事／着替え／叱り方知りたいQ&A

PART 6 赤ちゃんの心と脳の育て方 …109

赤ちゃんの心を育てるためにできること …110
やさしい心／キレない心／コミュニケーション力のある心／自立する心

赤ちゃんの脳を育てるためにできること …118
脳を育てる5つのポイント／脳を刺激！プチドリル

PART 7 月齢別 心と体の気がかりQ&A …123

0カ月の気がかり …124
1カ月の気がかり …127
2カ月の気がかり …130
3カ月の気がかり …133
4カ月の気がかり …136
5カ月の気がかり …139
6カ月の気がかり …142
7カ月の気がかり …145
8カ月の気がかり …148
9カ月の気がかり …151
10カ月の気がかり …154
11カ月の気がかり …157
1才の気がかり …160
1才1カ月〜1才3カ月の気がかり …163
1才4カ月〜1才6カ月の気がかり …166
1才7カ月〜2才の気がかり …169
2才1カ月〜3才の気がかり …170

PART 8 健診と予防接種 …171

健診の基本を知っておこう …172
健診を受けるまでの流れ／健診知りたいQ&A／どの月齢でも行う基本的な検査／1カ月健診／3〜4カ月健診／6〜7カ月健診／9〜10カ月健診／1才6カ月健診／3才健診

予防接種の基本を知っておこう …182
よくわかる！赤ちゃんが受けておきたい予防接種／ワクチンは3種類／予防接種を受けるまでの流れ／知っておきたい！予防接種の副反応／定期接種［四種混合Ⅰ期・BCG・麻疹風疹混合・日本脳炎Ⅰ期］／任意接種［Hib・小児用肺炎球菌・ロタウイルス・B型肝炎・水ぼうそう・おたふくかぜ・インフルエンザ］／予防接種知りたいQ&A

PART 9 病気のホームケアと事故の応急処置 …195

病気のホームケア …196
熱が出た／発疹が出た／吐いた／せきが出た／けいれんを起こした／下痢をした／鼻水・鼻詰まり／薬の扱い方

事故の応急処置 …200
異物を飲んだ／のどに異物が詰まった／転んだ、落ちた／やけどした／おぼれた／心肺蘇生法

PART 10 赤ちゃんの病気 …203

赤ちゃんのようすをチェックしよう …204

新生児の病気 …205
新生児黄疸／新生児メレナ／臍炎・臍周囲炎／臍肉芽腫／産瘤／頭血腫

熱が出る病気 … 207
かぜ症候群／急性咽頭炎／急性扁桃炎／慢性扁桃炎／インフルエンザ／尿路感染症／おたふくかぜ／ヘルパンギーナ／咽頭結膜熱／髄膜炎／急性脳炎・急性脳症／熱中症

発疹が出る病気 … 213
突発性発疹症／はしか／風疹／水ぼうそう／単純性疱疹／手足口病／りんご病／溶連菌感染症／とびひ／川崎病

吐く・下痢する病気 … 219
先天性肥厚性幽門狭窄症／噴門弛緩症／腸重積症／急性嘔吐・下痢症／ロタウイルス腸炎／食中毒／慢性の乳児下痢症／アセトン血性嘔吐症／胆道閉鎖症

せき・鼻水が出る病気 … 223
百日ぜき／クループ／急性気管支炎／細気管支炎／肺炎／[乳幼児突然死症候群（SIDS）]／小児結核／急性副鼻腔炎／急性鼻炎

けいれんが起きる病気 … 227
熱性けいれん／[けいれんのケア]／憤怒けいれん／てんかん

アレルギー性の病気 … 229
アトピー性皮膚炎／[ステロイド外用薬]／食物アレルギー／[アナフィラキシー]／気管支喘息／じんましん／アレルギー性鼻炎／[赤ちゃんの花粉症]／アレルギーの検査／アレルギー性結膜炎

皮膚の病気 … 233
乳児湿疹／新生児にきび／乳児脂漏性湿疹／あせも／接触性皮膚炎／おむつかぶれ／皮膚カンジダ症／いぼ／水いぼ／虫刺され／日焼け／あざ

目・耳・口の病気 … 238
先天性鼻涙管閉塞／睫毛内反症／斜視／弱視／先天白内障／先天緑内障／屈折異常［遠視・近視・乱視］／眼瞼下垂／結膜炎／急性外耳炎／急性中耳炎／慢性中耳炎／滲出性中耳炎／難聴／鵞口瘡／地図状舌／口内炎／先天歯／上皮真珠／むし歯

泌尿器・性器・おしりの病気 … 243
腎炎／ネフローゼ症候群／陰嚢水腫／停留睾丸／亀頭包皮炎／裂肛／鼠径ヘルニア／包茎／肛門周囲膿瘍／乳児痔瘻／上唇小帯強直症／臍ヘルニア／外陰部腟炎

骨・関節・筋肉の病気 … 246
筋性斜頸／先天性股関節脱臼／O脚・X脚／先天性内反足・内転足／小児外反扁平足／ばね指／肘内障／漏斗胸

小児がん・その他の病気 … 248
急性白血病／脳腫瘍／ウイルムス腫瘍／神経芽細胞腫／網膜芽細胞腫／悪性リンパ腫／紫斑病／貧血／脳性まひ／水頭症

PART 11 ママの心の悩み解決セラピー … 251

育児についての悩み … 252
育児の悩みスッキリ！3カ条／こんなときどうするQ&A

周りの人との関係についての悩み … 254
周りの人との関係の悩みスッキリ！3カ条／こんなときどうするQ&A

自分についての悩み … 256
自分についての悩みスッキリ！3カ条

PART 12 ワーキングママのための基礎知識 … 257

仕事を開始するまでの流れ … 258

子どもの預け先探し … 260

さくいん … 262

STAFF
●カバーデザイン　近江真佐彦（近江デザイン事務所）
●カバーイラスト　ウマカケバ クミコ
●本文デザイン　T-Borne
●本文イラスト　石田純子　入江めぐみ　中小路ムツヨ　藤本けいこ
●撮影　小板直樹　田辺エリ　布川航太
●企画・編集　（株）サラ・プラス

この本は学研発行の「最新版 はじめての育児」をベースに、「離乳食全百科」、「はじめての離乳食」に掲載した記事や新たな情報を加え、細谷亮太先生の監修により再編集したものです。ご協力いただいた先生方、体験談を寄せてくださった全国の読者のみなさんに心より感謝申し上げます。

●この本は2013年3月21日現在の情報で作成しました。

月齢別 赤ちゃんのようす

【0カ月から2才7カ月までの赤ちゃんが勢ぞろい！】

赤ちゃんが17人いたら、発育・発達も17通り。みな個性豊かに成長していきます。月齢別の赤ちゃんがそろいました！

0カ月
ようこそ！
生まれたて赤ちゃん！
おっぱいとねんねが
大好きです。

1カ月
手足をバタバタと
動かしたり、
ママをジッと見ること
もあります。

2カ月
あやすと笑って
「アーウー」と
声を出したり、
表情も豊かです。

3カ月
首がすわってきて、抱っこされるのが
だんだん上手になってきます。

4カ月
視野が広がり、興味のあるものには
手を伸ばしてなめてみます。

5カ月
パパやママのごはんを
食べたそうに
ジッと見始めたら、
そろそろ離乳食。

6カ月
寝返りをして、
あおむけやうつぶせなど、
いろいろな姿勢で
遊びます。

7カ月
お座りが安定してきて、
おもちゃを
持ったまま遊べるようになります。

1才1カ月

好奇心旺盛になり、「マンマ」などの意味のある言葉が出てきます。あんよも。

1才4カ月

自分でやりたいけれど、うまくできない。喜んだり、怒ったり感情豊かです。

1才8カ月

走ったり、ボールをけったり、遊びが赤ちゃんから幼児になってきます。

2才7カ月

遊びがさらにダイナミックになり、ますます好奇心、自立心が旺盛になります。

1才

スリムな幼児体型に。立っちや伝い歩き、器用になった手指でますますいたずら好きに。

8カ月

お座りをしたり、ハイハイで前進したり、姿勢を自由に変えて遊びます。

9カ月

ハイハイでいたずらも盛んに。ママへの後追いをするようにもなります。

10カ月

手先が器用になってきて、ものを打ち合わせたり、つまんだりできるように。

11カ月

ママの言葉がだんだん理解できるようになって、まねっこも盛んです。

［身長と体重の増え方がポイント］
赤ちゃんはどんなふうに成長するの？

発育曲線は赤ちゃんの成長をみる目安になります。その見方を知っておきましょう。

発育曲線がゆるやかに上向いていれば順調

母子健康手帳にある乳児と幼児の身体発育曲線（一般に発育曲線といわれています）は、全国の乳幼児の身長、体重、頭囲などを10年ごとに男女別に集計して、曲線で表している男女別のグラフです。

たとえば100人の赤ちゃんを測定した場合、身長、体重の発育曲線の帯の上のライン❶は大きいほうから4番目の赤ちゃんの数値、下のライン❷は小さいほうから4番目の赤ちゃんの数値をつないだものです。

身長、体重がこのグラフの帯の範囲で、ゆるやかに上向いていれば、順調に成長しているということです。多少、帯からはずれていても、発育曲線のラインに沿って上向いていれば心配ありません。ある時期の1回の測定値だけで判断するのではなく、どのように変化していくのかを見ることが大切なのです。

生後3～4カ月ころまでは急激に発育します

生まれてから1才までは、人の一生のうちで、もっともめざましく成長する時期です。特に生後3～4カ月ころまでは、発育曲線のカーブからもわかるように、身長、体重ともに大きく増えます。そしてその後はゆるやかなペースで少しずつ増えていきます。

また、身長、体重ともに、同じようなカーブで増えるとは限りませんし、増え方にも個人差があります。身長の増え方は大きいのに、体重の増え方が少なかったり、また、その逆の場合もあります。帯から大きくはずれているなど、気になることがあれば、健診のときやかかりつけの小児科医に相談しましょう。

乳児身体発育曲線
平成22年調査

男の子 / **女の子**

母子健康手帳を上手に活用しよう

母子健康手帳には妊娠週数や体重、妊婦健診の結果などが健診時に記録されます。こうして、妊婦さん自身が妊娠経過を把握することで、自己管理に役立てることができます。

また、赤ちゃんが生まれてからは、乳幼児健診時の身長、体重の変化や、予防接種のデータが順調な発育の記録となります。

胎内での発育状態や出生時の状況も記録されているので、子どもにとっては生涯を通じた健康管理のツールのひとつになるといっていいでしょう。

母子健康手帳は大切な母子の健康記録であると同時に、妊娠中から育児までに必要な情報がコンパクトにつまっています。上手に活用していきましょう。

月齢の数え方

1月15日生まれの赤ちゃんは2月15日に満1カ月、3月15日に満2カ月と数えます。3月15日から4月14日までの間は、満2カ月ということになりますから、かなり幅が広くなりますね。月齢を目安に発育をみるときは、この日数を頭に入れてみることが必要です。

新生児（0カ月）の生活と発育・発達

ママのおなかを出ると、
すぐに赤ちゃんは自分の力で活動を始めます。
小さな手や足は頼りなく見えても、もう立派に一人前。
五感でしっかり外界の刺激を感じて、
新しい環境に適応していきます。

PART 1

［すでに五感でママやパパを感じています］
新生児の体・心・運動と五感

生まれたて赤ちゃんの体には、驚きのパワーが秘められています。さあ、のぞいてみましょう！

目
ぼんやりと見えています
機能はほぼ完成しているので、生後すぐから光などに反応し、ぼんやりママの顔も見えています。赤などのハッキリした色や人の顔の形に、より反応を示します。

頭
頭頂部がベコベコしています
まだ骨の縫合がかたまっておらず、頭頂部にある大泉門が開いてベコベコしていますが、1才を過ぎたころ、自然に閉じてきます。

耳
いろいろな音を聞いています
聴覚はよく発達していて、ママのおなかにいるときから聞く能力を持っています。そのころ聞いたママの声や音などはしっかり記憶しているようです。

口
おっぱいを上手に飲みます
おっぱいをくわえた赤ちゃんは唇と舌を上手に使って飲んでいます。ママのひとさし指を赤ちゃんの口の中に入れてみてください。吸引力の強さは驚くほどです。

首
首はまだグラグラしています
生後すぐはグラグラしてまだすわっていません。これは、筋肉が未発達で、姿勢を維持する中枢神経が未熟だからといわれています。4カ月ごろには首がすわります。

手
手はいつもグーの状態
把握反射があるため、手をひらいてもすぐにまたグーの状態になります。右利きか左利きかは遺伝で決まっているといわれていますが、未だにその真相は不明です。

肌
やわらかくてデリケート
生後すぐは胎脂という白い脂肪分がついています。感覚はきちんとあり、痛みやかゆみも感じています。皮膚は薄く、ちょっとした刺激でもトラブルを起こしやすいので、清潔に保ちましょう。

胸
胸まわりと頭はほぼ同じサイズ
胸囲は頭囲とほとんど同じで、生後1カ月を過ぎるとだんだん頭のほうが大きくなってきます。まだ胸の筋肉が発達していないため、しばらくは横隔膜を使って腹式呼吸をしています。

おなか
風船のようにぽっこり
ぽっこりと出て、乳児体型そのもの。腹式呼吸なので、呼吸するたびにおなかが上下しているのがわかります。胃の入り口の筋肉が未発達なため、おっぱいをもどすこともよくあります。

股関節
足はいつでもM字開脚
股関節がやわらかく、M字形に開いています。太ももの骨と骨盤が重なる部分が浅いためにはずれやすいので、足を伸ばしたままの姿勢で長時間抱っこしたり、きゅうくつな服を着せることは避けましょう。

足
ふれると指を丸めます
足の裏にも把握反射があるため、ふれると足の指を丸めます。手よりも長く反射が残りますが、歩くようになるころには消えます。まだ足の裏に土ふまずはなく、赤ちゃんの足は扁平足です。

鈴木渚真くん（0カ月）

 このころの赤ちゃん

体はまだふにゃふにゃ。
でも、五感は発達しています。

男の子
身長 44.0〜57.4cm
体重 2.10〜5.17kg
女の子
身長 44.0〜56.4cm
体重 2.13〜4.84kg

※0〜1カ月未満の身長と体重です。

PART 1　新生児（0カ月）の生活と発育・発達

新生児の体・心・運動と五感

体

一時的に体重が減りますが、その後はまた増え始めます

生まれたての赤ちゃんは、おっぱいを飲む量よりもおしっこなどで体から出ていく水分量のほうが多いため、生まれて数日間は一時的に体重が減ります。その後1週間ほどで生まれたときの体重に戻り、それ以降は増加していきます。筋肉が未発達なため、まだふにゃふにゃです。

手足をバラバラに動かしたり原始反射が見られたり

起きているときは、手足をよく動かし、手は軽く握っています。
原始反射とは大きな音にビクッとして両手を広げるしがみつくように広げる「モロー反射」、手のひらや足の裏に指などを当てると握り返してくる「把握反射」、足を床につけると歩くしぐさをする「原始歩行」など、赤ちゃんには無意識に体が動く原始反射がいくつか見られます。この反射は、生後2～3カ月になると少しずつ見られなくなります。

心

ふれ合うことで安心感を。泣いたら十分応えてあげて

赤ちゃんは、泣くことで要求を訴えます。このころは、おなかがすいたらおっぱい、おむつがぬれたら交換といった生理的な要求を満たしてあげることが大事です。抱っこされたり声を聞いたりすると安心感を覚えるので、抱っこしてたくさん話しかけてあげましょう。

運動

ママのおなかにいるときからそなわっている能力がたくさん！

生まれたばかりの赤ちゃんは何もできない無力な存在に見えるかもしれません。

でも、実はそんなことはないのです。赤ちゃんの五感はママのおなかにいるときすでに発達していて、視覚以外はほぼ完成した状態で生まれてきます。その五感をフル活動させて、パパやママの存在を認識し、人とのかかわりの楽しさを覚えて成長していきます。

五感

1 聴覚

生後すぐからママの声でよく眠ることから、おなかの中にいるときからママの声を覚えているといわれます。また、周波数の高い音に敏感に反応します。語りかける声が自然に高くなるのは、ママがそれを本能的に知っているからかもしれません。

2 視覚

生後すぐの赤ちゃんは視力が0.02ほどなので、ぼんやり見える程度。固視といって一点をじっと見ます。また新生児期は、人の顔に似通った刺激や自分に向いている視線に、より自分の目線を向けようとすることがわかっています。

3 味覚

赤ちゃんが甘いものを好むことは、ママの羊水に砂糖を加えて甘みをつけると、胎児が羊水をよく飲むという実験結果からわかっています。逆に苦いものは嫌いです。また、ミルクやおっぱいの味の違いもわかるといわれています。

4 触覚

触覚はとても敏感。胎内にいるときから指しゃぶりをしたり、手で体のいろいろな部分を触ることで、自分自身の体の位置や動きを確認しています。赤ちゃんはママやパパにふれられることが大好き。抱っこされると安心し、心拍も安定します。

5 嗅覚

おなかにいるときから発達しています。生後すぐの赤ちゃんのそばにママの母乳とそうでない母乳をひたしたガーゼをおくと、ママのほうのガーゼに顔を向けることから、母親のにおいを嗅ぎ分ける能力があることがわかっています。

髪の毛
髪の毛の量には個人差があります

髪の毛の量は個人差が大きいもの。髪が薄い、毛深いということで悩む必要はありません。また生後しばらくすると髪の毛が抜けて薄くなることがありますが、またちゃんと生えてきます。

鼻
ママのにおいがわかります

においに敏感で、ママのにおいが嗅ぎ分けられます。まだ空気が通る鼻腔が狭いため、鼻をならすような音が聞こえることがありますが、特に息苦しそうにしていなければ問題ありません。

指
広げる、握るの動きができます

ママのおなかの中にいるころから、指を広げたり指しゃぶりをしています。構造的には完成していますが、指の1本1本で分離した動きができるようになるのは、もう少し後になります。

おへそ
ジクジクしていることも

へその緒がとれたばかりでまだジクジクしていることがあります。出べそも多く見られますが、2～3才になるころまでには腹筋が鍛えられ、自然におへそはひっこみます。

性器
汚れをためないように注意

女の子は最初、脂肪が少なく小陰唇が見えることがありますが、1カ月もすると脂肪がついて隠れます。男の子は、おちんちんの先、皮に包まれた部分に汚れがたまりやすいので、しっかり洗って。

つめ
すぐ伸びるのでこまめにケア

赤ちゃんは新陳代謝が活発なこともあり、つめを切ってもすぐに伸びてきます。手の指のつめは、顔に当たって肌を傷つけてしまうことがあるので、こまめに切ってあげましょう。

[1日中ねんねとおっぱいの繰り返し]
新生児ちゃんの1日の過ごし方

待ちに待った赤ちゃんとの生活がスタート！ 生まれたて赤ちゃんがどんな1日を送るのかのぞいてみましょう。

赤ちゃんが新しい環境に慣れる時期です

赤ちゃんが家族の一員となって、いよいよ新しい生活が始まります。生まれたばかりの赤ちゃんは、毎日、新しい環境に適応するのに一生懸命です。

おっぱいも少しずつしか飲めないので、授乳間隔は短いのがふつうです。ですから今は、泣いたらそのつど母乳を吸わせましょう。まだ昼夜の区別がなく、2〜3時間眠ってはおっぱいを飲むことを繰り返します。

おしっこやうんちも頻繁。こまめにおむつをチェックしましょう。またこの時期はママの体も本調子ではないので、赤ちゃんがねんねしているときはいっしょに休んでください。

お七夜は、生まれた日から7日目の夜に行う命名の儀式で、家族で赤ちゃんの誕生と名前のお披露目をしてお祝いします。命名書などに名前を書き、ベビーベッドや室内の目だつところにはるといいですね。ママと赤ちゃんの退院の日に重なったら、数日のばしたほうが落ち着いてできるかもしれません。

抱っこしてあやされると、ごきげんです

目覚めているときは話しかけたり、抱っこしたりしてあげましょう。ぼんやりとは見えていますので、あやされると反応します。
（抱っこについては▶66〜67ページを見てください。）

お部屋の中で1日を過ごします

生まれたばかりで、気温の変化にまだ対応できないこのころの赤ちゃんは、お部屋の外には出さないほうがいいでしょう。
（外気浴などについては▶78ページを見てください。）

汗をかいていたら、こまめに着替えを

まだうまく体温調節ができないので、汗をかいていないか、体が冷えていないかなどをこまめに見て、衣類の枚数を調節してあげましょう。
（着せ方については▶76〜77ページを見てください。）

1日の約7割はねんねしています

起きては寝てを繰り返し、まとめて眠ることができません。合わせると1日の約7割を眠って過ごしています。
（ねんねについては▶75ページを見てください。）

PART 1　新生児（0カ月）の生活と発育・発達

新生児ちゃんの1日の過ごし方

おっぱいは、欲しがるたびに与えます
赤ちゃんが欲しがるだけ飲ませます。目安として、母乳の場合は左右の乳房を合わせて10〜20分ぐらい。抱っこしてやさしく声をかけながらあげましょう。
（母乳やミルクについては▶62〜65ページを見てください。）

沐浴は1日1回、ごきげんな時間帯に
1日に1回、授乳と授乳の間のごきげんな時間帯に入れてあげて。このころの沐浴は、赤ちゃんがごきげんであればいつでも大丈夫です。
（沐浴については▶70〜71ページを見てください。）

沐浴の後はパーツのお手入れを
沐浴の後には、耳、目、鼻、おへそ、髪などのお手入れをします。おへそがまだ乾いていないなら、消毒してあげましょう。
（パーツ別お手入れについては▶73〜74ページを見てください。）

うんちは頻繁。汚れたらおむつを取り替えて
授乳のたびにうんちやおしっこをすることが多いです。おむつかぶれを防ぐため、汚れたらおむつはまめに交換しましょう。
（おむつ替えについては▶68〜69ページを見てください。）

新生児ちゃんの1日

時刻	できごと
AM 0	授乳
1	ねんね
2	授乳
3	うんち
4	ねんね
5	授乳／うんち
6	ねんね
7	授乳
8〜9	うとうと
10	授乳
11	うんち／ねんね
PM 0	授乳
1	うんち／ねんね
2	沐浴
3	授乳
4〜5	ねんね
6	授乳
7	うんち
8〜9	ねんね
10	授乳
11	うんち／ねんね

※目安として参考にしてください。

新生児ちゃんを迎えるお部屋

[気をつけたい3つの環境ポイント]

1日のほとんどをねんねして過ごす赤ちゃんにとって、快適なお部屋環境とはどんなものでしょうか？

赤ちゃんをよく見て触って、暑さ・寒さを確認しましょう

生まれたての赤ちゃんは、外の環境に慣れるまでに少し時間がかかります。このころの赤ちゃんの体温は平熱が36・5〜37・5度くらいで、体温調節がまだ未熟です。体温は外気温の影響を受けやすく、簡単に上がったり下がったりするので、室温には注意が必要です。基本的には、ママが過ごしやすい室温であれば大丈夫ですが、25度くらいが快適な温度と考えていいでしょう。

ただし赤ちゃんの中には、寒がりの子もいれば暑がりの子もいます。室温設定だけでなく、赤ちゃんをよく見て触り、汗ばんでいないかや手足が冷たくなっていないかを、こまめに確認してあげましょう。着せすぎには注意します。

お部屋やふとんは正しく掃除。ダニ・ほこりをカット

赤ちゃんのお部屋環境を考える上で欠かせないのが、ベビーぶとんやお部屋のダニ・ほこりといったハウスダスト対策です。ハウスダストは、喘息、アトピー性皮膚炎、アレルギー性鼻炎などさまざまなアレルギーを引き起こす原因になるので、今のうちから気をつけてあげましょう。

ベビーぶとんのお手入れのポイントは、天気のよい日には天日に干し、取り込んだら掃除機をかけること。またシーツは、週1回洗濯機で洗いましょう。

また空気中を舞ったほこりは下のほうにたまりやすくなるもの。掃除機はカーペットや床を重点的にかけることがポイントです。毎日軽くというよりは3日に1回じっくり掃除機をかけるほうが効果があります。カーテンの裏側やエアコンのフィルターなども、定期的にきれいにしましょう。

快適なお部屋環境に必要な3ポイント

- **ポイント1** 室内を快適な温度に
- **ポイント2** ベビーぶとんを清潔に
- **ポイント3** 室内の空気をきれいに

 喫煙はダメ！ 赤ちゃんの間接喫煙はリスクがいっぱい！

たとえお部屋のすみで吸っていても、赤ちゃんが間接喫煙することになり、喘息、気管支炎、中耳炎などの病気を引き起こす原因になってしまいます。また喫煙は、乳幼児突然死症候群（SIDS）ともかかわっているといわれています。赤ちゃんのいる家での喫煙は絶対禁止です。

月齢別（1カ月〜3才）の発育・発達

生後1カ月から3才までの時期は、ねんねからお座り、あんよへ、
そして自我も芽生え、めざましく成長します。
発育、発達にはそれぞれの個性がありますから、
よその子と比べず、その子なりのペースを
おおらかに見守ってあげましょう。

PART 2

1〜2カ月

ふっくらと丸みをおび赤ちゃんらしい体つきに。授乳は頻繁です

- まだ原始反射が見られますが、手足の動きが活発になります。
- 少しずつ飲む量が増え、授乳間隔があいてきます。授乳リズムは一定しません。
- 昼間起きている時間が少し長くなります。ただ、個人差があります。
- 体重は、1日に30gぐらい、1カ月で1kgぐらい増えます。

このころの赤ちゃん

体つきがふっくらし、手足の動きが活発です。

男の子
身長 50.9〜59.6cm
体重 3.53〜5.96kg

女の子
身長 50.0〜58.4cm
体重 3.39〜5.54kg

※1〜2カ月未満の身長と体重です。

鈴木こころちゃん（1カ月）

PART 2 月齢別（1カ月～3才）の発育・発達

1～2カ月

手足をバタバタと動かします

新生児のころに比べ、体がしっかりしてきます。きげんのいいときは手足をバタバタと動かすことも。飲むのが上手になり、2～3時間おきぐらいの授乳間隔になります。

視力も少しずつ発達。20～30cmぐらいまで顔を近づけるとママの目をじっと見つめるので、赤ちゃんを抱っこしていっぱい話しかけてあげましょう。

そろそろ大人といっしょのおふろに入れてもいいでしょう。顔やおでこに湿疹（しっしん）ができやすい時期なので、石けんでよく洗って清潔にしてあげます。

手足をバタバタと動かします。服がはだけてしまうようになったら、足が分かれているデザインのものが便利です。

体

近くにある、はっきりした色のものを見るように

体重が増えてふっくらしい体つきになってきます。視力が発達してきて、色のはっきりしたものをよく見るようになります。また目の前にあるガラガラなど音の出るおもちゃを見て、少しなら目で追うことも。ママの顔をじっと見ることもあります。

把握反射がまだ見られます。乳児湿疹が出てくる子も

ギュッと握っていたこぶしが、少しずつ開いてきます。しかし、手のひらや足の裏にものがふれると握り返す「把握反射（はあくはんしゃ）」など、原始反射はまだ見られます。皮脂の分泌（ひ）が盛んになり、顔や頭に乳児湿疹や脂漏性湿疹（しろう）が出る赤ちゃんが少なくありません。

話しかけると、ときどき笑ったような顔を見せてくれることがあります。

運動

ふっくらしてきた手足はますます活発に

手足の動きが活発になり、ふとんをけ飛ばしたり肌着がはだけることもあります。頭の向きも、自分で少しずつ変えることができるようになってきます。

心

ママとのスキンシップや話しかけてもらうのが好き

「アー」などの声が、少し出るようになってきます。赤ちゃんが声を出したらママも「アー」と返したり、「おなかすいたのね」などと話しかけてあげましょう。抱っこしたり、体にふれたり、スキンシップも楽しみましょう。

30cmぐらいまで顔を近づけると、目をじっと見つめることも。

2〜3カ月

声を出したり、笑顔を見せたり。いっしょにいるのが、楽しくなります

- 「アーウー」と喃語が出てきます。
- 母乳やミルクの飲み方がだんだん上手になり、授乳リズムができてきます。
- 首が少ししっかりしてきて、うつぶせで頭を持ち上げようとします。
- 体重は1日30g前後、1カ月では1kg前後増えます。

このころの赤ちゃん

「アー」と声を出したり、自分の手に興味津々です。

男の子
身長 54.5〜63.2cm
体重 4.41〜7.18kg

女の子
身長 53.3〜61.7cm
体重 4.19〜6.67kg

※2〜3カ月未満の身長と体重です。

寺尾穂乃花ちゃん(2カ月)

2〜3カ月

動くおもちゃを目で追って、見つめるようになります。

ごきげんなときはかわいい声も

まだ首は完全にはすわっていないものの、頭に手を添えれば、少しの間ならば抱きで姿勢を保てるようになります。目の前でおもちゃをゆっくり動かすと、目で追うようになります。また、ある程度自分の意思で手を動かせるようになってきて、指しゃぶりを始めたり、両手を組み合わせたりすることもあるでしょう。

抱っこされ、声をかけられるとごきげんになり、お話するような声を出します。

体

指しゃぶりは成長のあかしですから、やめさせる必要はありません。
表情がだんだん豊かになり、あやすと笑ったり、「アー」「ウー」などの喃語が出ることもあります。

ママやパパの声かけに反応し声を出したり笑ったり

あやしてもらうとうれしくて、泣きやんだり笑ったり、「アー」「ウー」と声を出して応えたりします。ママが同じように「アー」と言うと、また声を返すことも。そうしたやりとりが赤ちゃんの気持ちを落ち着かせ、心や言葉の発達を促します。

口に手を持っていき、げんこつをベロベロ

自分の手を口の前に持ってくることを覚え、しきりに握った手をなめるようになります。皮脂分泌はまだ盛んで、引き続き顔を中心に乳児湿疹や脂漏性湿疹ができやすい時期です。

心

音・声のするほうを見たり、あやすとほほ笑むように

声をかけると、首を回して声のするほうを見るようになります。かまってもらうということがわかってきて、あやすとほほ笑みが見られることも。また眠いときやおっぱいが欲しいときなど、欲求によって少しずつ違う泣き方をするようになります。

運動

首が少ししっかりしてきて頭を回すようにも

まだ首はすわっていませんが、少ししっかりしてくるので、首の後ろを支えてあげれば頭を少し回すことができます。おもちゃに手を伸ばしたりするようになります。

げんこつをなめたり、眺めたり。赤ちゃんにとっては自分を確かめる大事な作業です。

3〜4カ月

体重は生まれたときの約2倍。首がすわり始め、しっかりした体つきに

- あやすとかわいい笑い声を出すことがあります。
- 首がすわり始めて、抱っこしたとき頭がぐらつかないようになります。
- 昼間起きている時間が長くなり、昼夜の区別がつき始めます。
- 体重の増え方は多少ゆるやかになります。出生体重の2倍がだいたいの目安。

このころの赤ちゃん

首がだんだんしっかりと。あやすと笑顔も見られます。

男の子
身長 57.5〜66.1cm
体重 5.12〜8.07kg

女の子
身長 56.0〜64.5cm
体重 4.84〜7.53kg

※3〜4カ月未満の身長と体重です。

吉川陽斗くん（3カ月）

PART 2 月齢別（1カ月〜3才）の発育・発達

3〜4カ月

首がすわり始める時期です

授乳間隔が3〜4時間ぐらいになり、夜中は授乳がなくなる赤ちゃんも。3カ月の終わりごろには生まれたときのほぼ2倍の体重になります。飲む量が落ちたり飲み方にムラが出てくることもありますが、体重が増えていてきげんがよければ、赤ちゃんのペースにまかせていて大丈夫です。また、首がかなりしっかりしてくるのもこのころ。うつぶせにすると頭をグッと上げたり、たて抱きにしても頭がグラグラしなくなってきます。

生後100日ごろに、健やかな成長と一生食べものに困らないようにとの願いを込めて家族でお祝いの膳（ぜん）を囲み、赤ちゃんには食べさせるまねをします。お食（く）い初めの儀式をするのもこのころ。

あおむけにすると、足を上に持ち上げて、盛んにバタバタします。

体

手を合わせたり、持たせればものを握ることも

視力が発達して両目を使って見ることができるようになり、動くものをよく目で追います。また自分が思うように動かせる「手」の存在に気づいて、以前にも増してじっと手を見つめる赤ちゃんが多くなります。両手を体の前で合わせることもできるようになります。ガラガラなど軽いおもちゃを持たせると、少しの間なら握ることができます。

だけでなく、ガラガラなど音がするおもちゃを振ってみたり握らせたりして遊んであげるといいでしょう。

軽いおもちゃなら握ることもできるように。

心

あやすとかわいい笑い声を出すことも

感情が豊かになってきて、あやすと声をあげて笑うこともあります。ママと目が合うと、赤ちゃんから笑いかけてくることも。いろいろなものを見たり聞いたりするのが楽しくなってきます。赤ちゃんに話しかけ、ふれながらママがあやす

運動

たて抱きで、抱っこもしやすく

だんだん首がしっかりしてきて、うつぶせにすると少しの間なら頭を持ち上げられるようになります。首がすわってくる赤ちゃんも。たて抱きしやすくなり、抱っこでのお散歩もラクに楽しめるようになります。

あやしたりすると、目を合わせて見つめることもあります。

4〜5カ月

あたりをキョロキョロ見回し、興味津々。何でもなめてチェックも大好き

何でもなめるようになります。

夕方になると激しく泣く「夕暮れ泣き」が始まる赤ちゃんも。

首がすわり、たて抱きやおんぶができるようになります。

昼夜の区別がついてきます。

このころの赤ちゃん

首がしっかりとすわり、視野がぐんと広がります。

男の子
身長 59.9〜68.5cm
体重 5.67〜8.72kg

女の子
身長 58.2〜66.8cm
体重 5.35〜8.18kg

※4〜5カ月未満の身長と体重です。

竹内陽向（ひなた）くん（4カ月）

PART 2 月齢別（1カ月～3才）の発育・発達

4～5カ月

昼と夜の区別がだんだんとついてきます

4カ月の終わりごろまでにはほとんどの赤ちゃんの首がすわり、体もしっかりしてきます。首がすわったら腹ばいで遊ぶ時間を少しずつ増やすと、手や胸、背中などの筋肉の発達に役立ちます。

昼と夜の区別がついてきて、夜眠る時間が長くなり、昼寝は午前と午後の1回ずつになっていきます。この時期から昼間はお散歩をしたりいっしょに遊び、夜は暗く静かにして眠りやすい環境を作るなどメリハリをつけて生活リズムを整えていきます。

パジャマもこのころから着せるといいでしょう。夜おふろに入った後にパジャマを着せ、朝目が覚めたらパジャマから日中の洋服に着替えさせれば、生活習慣のしつけにもなります。

うつぶせにすると、両手をふんばって頭を起こすように。いやがったら無理しないで。

体

視野が広がり、手でつかんだものは口へ

首がしっかりとすわってきて、視野が広がる時期です。そして興味のあるものに手を伸ばしてつかもうとするしぐさが見られます。つかんだものは、なめて感触を確かめようとします。

首がすわってくると、「高い高い」などができるように。こういった体を持ち上げる遊びが大好きです。

心

周囲への関心が増していく時期です

周囲への関心がいっぱいで頭を動かしたり目で追いかけたり。手を伸ばす赤ちゃんもいます。感情表現も豊かに。

いろいろなものをつかんではなめるので、ねんねでも抱えやすく、水ぶきや丸洗いができるおもちゃを選ぶといいでしょう。首がすわっていっそうラクになったて抱きで、視界を広げてあげると喜びます。

運動

うつぶせにすると、肩から頭をグイッと起こす余裕も

首がすわれる赤ちゃんが増えてきます。たて抱きにしても首がぐらつかなくなれば、首はすわっています。うつぶせにすると頭と肩を起こす余裕もでき、少しの間ならその姿勢で遊ぶことができる子も。

自分から手を伸ばして、つかむことができるようになります。

5〜6カ月

手を伸ばして、おもちゃを取ったり。ひとりで遊べる時間も増えます

- そろそろ離乳食が始まります。
- 授乳間隔が安定してきて、よく飲めば4時間おきぐらいに。
- 手を伸ばして興味のあるものをつかみます。
- 体重の増加は、さらにゆるやかになります。

このころの赤ちゃん

寝返りの準備段階に突入。遊びもどんどん積極的に。

男の子
身長 61.9〜70.4cm
体重 6.10〜9.20kg

女の子
身長 60.1〜68.7cm
体重 5.74〜8.67kg

※5〜6カ月未満の身長と体重です。

澤口果凛ちゃん(5カ月)

PART 2 月齢別（1カ月〜3才）の発育・発達

5〜6カ月

そろそろ離乳食をスタートしても

大人が食べているのを見てよだれを出したり、興味を示したりするようになったら、離乳食スタートのサイン。1さじから始め、ようすを見ながら少しずつ量を増やしていきます。最初は口から出してしまうこともありますが、今は離乳食に慣れることが目的。あせらずゆっくり進めましょう。

あおむけから回転して寝返りができるようになる赤ちゃんも。でもこの時期にできなくても問題はありません。ただ、寝返りができるようになると、自由に移動できますし、何でも触って口に入れる時期ですから、危険なものを床の上や手の届くところに置いておかないようにします。ベッドやソファーなどからの転落事故にも注意します。

うつぶせにも余裕が。中には足でけって進もうとジタバタし始める子も。

体
発育が安定。力がつき、うつぶせもラクラク

体重の増えは落ち着いてきます。首や胸、腕にも筋肉がついてきて、うつぶせの姿勢でもしばらくの間、腕で体を支えられるように。また興味のあるものに手を伸ばし、つかめるようになってきます。何でも口に入れたい時期なので、手の届くところに危険なものや飲み込める大きさのものは置かないで。口に運ぶ前にしばらく眺め、確認するようすが見られることもあります。

早い子だと、腰をひねって寝返りできる子もいます。

心
笑ったり怒ったり、感情表現がいっそう豊かに

くすぐると声をあげて笑ったりママのお話にニッコリと反応したり、一方で怒って泣くなど感情表現がいっそう豊かに。おもちゃにもますます興味がわき、近くにあるものに積極的に手を伸ばします。

運動
足を持ち上げて触るなど、寝返りの準備を始めます

寝返りの準備段階に突入し、足を持ち上げてひざを触ったり足を持ったりします。おもちゃに手を伸ばした拍子に、寝返りする赤ちゃんも。ベッドやソファーから落ちないよう、気を配ります。

重くなってくるので、高い高いはパパの出番。やさしくやりましょう。

6〜7カ月

寝返りで移動を開始。知らない人をじっと見つめたりも

- 免疫がなくなるころなので、感染症にかかりやすくなります。
- 寝返りする子が多くなります。
- 両手を使ってしっかり握るようになります。
- 少しの時間なら、お座りできる子もいます。

このころの赤ちゃん

寝返りする子が増えます。
人見知りが始まる子も。

男の子
身長 63.6〜72.1cm
体重 6.44〜9.57kg

女の子
身長 61.7〜70.4cm
体重 6.06〜9.05kg

※6〜7カ月未満の身長と体重です。

高山奈菜ちゃん(6カ月)

PART 2 月齢別（1カ月〜3才）の発育・発達

6〜7カ月

免疫がなくなり病気にかかりやすくなります

少しの間ならお座りができる赤ちゃんも。でも、まだ不安定で、前に傾いたり横や後ろに倒れることが。クッションなどでガードして、目を離さないように。

離乳食はこのころから始めてもかまいません。慣れてきたら少しずつ食材の種類も増やしますが、初めての食材を食べさせるときは1さじだけにして、ようすを見ながら進めていきます。赤ちゃんによっては離乳食が気に入って食後の母乳やミルクが減ることもありますが、赤ちゃんまかせで大丈夫です。

ママにもらった免疫がそろそろなくなる時期です。外出の機会も増えてきて、感染症にかかりやすくなります。熱やけげん、食欲、睡眠など、赤ちゃんのようすに注意します。

体
早い子だと、このころから歯が生え始めることも

早い赤ちゃんでは歯が生え始める子もいて、歯がためをガジガジとかじるように。手はつかんだおもちゃをしっかり握ることが上手になってきます。なめることが好きで、口に持っていきます。

あおむけから体をひねって、クルンと上手に寝返りする赤ちゃんが増えます。

心
ママとほかの人の区別がつき、人見知りを始める子も

ママやパパとほかの人との区別がつき、人見知りが始まります。泣くのだけが人見知りではなく、知らない人を見て表情が変わったり、じっと見るのも人見知りです。ママの姿が見えなくなると探したりもします。

少しの間なら、手をついてお座りできることも。

たて抱きや高い高いなど、視界が変わるとごきげん

たて抱きや高い高いをすると、視界が変わって喜びます。体を支えてあげれば、ママのひざの上で跳ねるようにする赤ちゃんも。休の近くにあるおもちゃを寝返りで取り、しばらく遊ぶ姿も見られます。

運動
寝返りをして、好きなスタイルで遊ぶように

手足をバタつかせて腰をひねり、最初はあおむけからうつぶせに、次にうつぶせからあおむけにと、だんだん上手に寝返りができるようになってきます。中にはうつぶせが嫌いで、なかなか寝返りしない子もいます。

ママに抱っこされると安心した表情になります。

37

7〜8カ月

腰がしっかりし、お座りができるように。笑ったり怒ったり感情も豊かに

このころの赤ちゃん

お座りがだんだんと上手に。笑う、怒るなど感情も豊かに。

男の子
身長 65.0〜73.6cm
体重 6.73〜9.87kg

女の子
身長 63.1〜71.9cm
体重 6.32〜9.37kg

※7〜8カ月未満の身長と体重です。

- 離乳食が1日2回になります。
- 「いないいないばぁ」を喜ぶようになります。
- 腕をついて体を支えなくてもお座りできる子が増えてきます。
- 体重の増加はさらにゆるやかに。個人差が大きくなってきます。

高萩梨音ちゃん（7カ月）

PART 2　月齢別（1カ月〜3才）の発育・発達

7〜8カ月

お座りが安定してきます

お座りが上手になり、腕をついて体を支えなくても背すじを伸ばして座れるように。両手におもちゃを持って遊べる時間が増えるでしょう。腹ばいから床をけって、ずりばいを始める赤ちゃんもいます。腰がしっかりしてきたら、B型ベビーカーが使えるようにもなります。

このころ歯が生えてくる赤ちゃんも多いでしょう。でも、歯が生える時期は個人差が大きいもの。まだ生えてこなくても心配しなくて大丈夫です。また、人見知りが強くなる赤ちゃんもいます。ママが特別な存在だということがわかってきた証拠。一時期のことなので気にせず、不安な気持ちを受け止めてあげましょう。

怒ったり泣いたりして、ママへアピールします。

体
しだいにスマートな体型に。おもちゃを持ち替えられる子も

体重増加が落ち着き、少しスリムな感じになる赤ちゃんも。おもちゃを片方の手からもう一方の手に持ち替えられるようになってきます。ハンカチなどを顔にかけると、いやがって自分で取ることができるようになります。

表情が豊かになり、キャッキャッと声を出して笑います。

心
声をよく出し、何か欲しいと泣いてアピール

何かを要求したいときに、よく声を出してママの注意を引くようになります。欲しいものが手に入らないと怒ることも。ママが離れると呼ぶような声を出したり、

泣いたりしてアピールします。また、夜泣きが始まる子がいます。

記憶力が出てきて、「いないいないばぁ」を喜ぶ子も

「いないいないばぁ」を喜ぶようになります。これは、今見えていたママの顔が隠れているのを理解しているということ。穴にものを入れたりすることや、食器などの日用品で遊ぶことも大好きです。

運動
お座りがだんだんと上手になってきます

お座りできる赤ちゃんが、だんだんと増えてきます。最初は手を前につき、体を支えて前かがみでお座り。だんだん腰がしっかりしてくると、手を離して安定したお座りができるようになってきます。

お座りで遊べるようになると、おもちゃ遊びも活発に。

39

8～9カ月

ハイハイが上達。お座りも安定し、両手を使って遊べるように

- 夜泣きが始まり、ねんねのリズムが乱れる子もいます。
- ハイハイをする赤ちゃんが増えます。
- 個人差がありますが、歯が生え始めるころです。
- ひとりでしっかり座れるようになります。

このころの赤ちゃん

お座りが安定して、ひとりで遊べるように。

男の子
身長 66.3～75.0cm
体重 6.96～10.14kg

女の子
身長 64.4～73.2cm
体重 6.53～9.63kg

※8～9カ月未満の身長と体重です。

三沢淳太くん（8カ月）

PART 2 月齢別（1カ月～3才）の発育・発達

8～9カ月

ハイハイが上手になります

ずりばいをしたり、床から胸を離した四つんばいを始めたりする赤ちゃんもいます。最初は前に進めずにグルグル回ったりバックしたりする赤ちゃんもいますが、しばらくすれば前進できるようになります。お座りも上手になり、自由にからハイハイへ、またその逆へと、自由に姿勢を変えられる赤ちゃんもいます。

離乳食は、2回食が定着する赤ちゃんが多いころ。小食の赤ちゃんもいますが、その子なりに食べていて元気なら気にしないで大丈夫です。情緒の発達もめざましく、自己主張が目だってきます。思いどおりにならないとかんしゃくを起こすこともありますが、それも心が成長した証拠です。

ママと遊ぶのが大好き。ママのそばに行きたくて、ずりばいで近寄ります。

体

体型の個人差が目立ってきます

体重増加は引き続きゆるやかです。このころになると、赤ちゃんによってぽっちゃり型や小柄タイプなど、いろいろな体型の特徴がはっきりしてきます。親指の使い方が前より上手になり、顔に布をかぶせると、自分ですぐにはずすことができます。またかぶせると、何度も繰り返して楽しむ子も。また、このころ最初の乳歯が生え始める子もいます。

指の使い方が上達してきて、顔にかけたハンカチも自分で取り払うことができます。

心

名前を呼ぶと振り向くこともあります

大人が話す言葉のニュアンスが少し伝わるようになり、名前を呼ぶと自分の名前だとわかって振り向いたりします。赤ちゃんからのアピールも盛んで、大声をあげて大人の注意を引く場面が増えてきます。

2回食が定着して、食べる量も増えてきますが、中には小食の子も。

運動

お座りが安定。座ったまま両手で遊ぶように

両手を床につかないお座りが安定してきます。お座りしたまま振り向けるようになれば、お座りはほぼ完成です。お座りの姿勢で、両手を使って遊べるようになります。でも、まだしっかりお座りできなくても心配ない時期です。

9〜10カ月

何にでも興味を持ち、ハイハイで突進。いつも目が離せません

このころの赤ちゃん

ずりばいやハイハイで興味があるものに突進します。

男の子
身長 67.4〜76.2cm
体重 7.16〜10.37kg

女の子
身長 65.5〜74.5cm
体重 6.71〜9.85kg

※9〜10カ月未満の身長と体重です。

- ママへの後追いが始まります。
- 離乳食が1日3回になります。
- わしづかみではなく、親指とほかの指ではさむようにものをつかむように。
- ハイハイが上達したり、つかまり立ちを始める子もいます。

中口湊太くん（9カ月）

PART 2 月齢別（1カ月〜3才）の発育・発達

9〜10カ月

好奇心が旺盛でいたずらもたくさんします

ハイハイが上達して、つかまり立ちを始める赤ちゃんもいることでしょう。好奇心が旺盛で、いたずらが多くなる時期。ヒヤッとする場面が増えてきます。まだしかってもわかりませんから、触られると危険なもの、困るものはあらかじめ片づけておきましょう。

自由に移動できるようになると、後追いが目だってきます。トイレにまでついてこられると困るでしょうが、一時期のこと。しばらくすればひと声かけると待っていられるようになります。

離乳食はそろそろ3回食に。自分で食べたいという気持ちが強くなってきますから、温野菜スティックのような手づかみメニューを、一品用意してあげるといいでしょう。

自分で手づかみで食べるようになります。

体 — 親指とほかの指を使い、上手に遊べるように

運動量が増えるので、体つきが引き締まった感じになってきます。乳歯は下の前歯2本に続き、上の前歯2本が生えてくる子もいます。また、親指とほかの指を上手に使って、ものをつかめるようになります。引き出しを開けて中のものを引っ張り出すこともできるようになり、ますます目が離せません。

自由に移動できるようになり、遊びに夢中になります。

運動 — 意欲が出てきてハイハイやつかまり立ちを始める子も

興味のあるものに近づこうと、いつのまにかずりばいを始める赤ちゃんが増えてきます。最初はおなかが床から上がりませんが、そのうちに両手、両ひざで進めるようになります。赤ちゃんの前方におもちゃを置き、ハイハイを促してあげるといいでしょう。つかまり立ちを始める赤ちゃんもいます。

心 — ママへの愛着が増し、後追いがスタート

ママへの愛着が増し、どこにでもついてくる「後追い」が始まります。ママはたいへんですが、一時期のことです。できるだけ付き合ってあげて、安心させてください。

大人のしぐさを見て、バイバイなどをまねる赤ちゃんも出始めます。大人の声をまねようと「アー」「ウー」だけでなく、いろいろな声を出すこともあります。たくさんお話してあげましょう。

手先が器用になり、小さなものでもつまめるようになります。

10〜11カ月

後追いでママを困らせる子も。大人のまねをし始めます

このころの赤ちゃん
ハイハイが上手になり、後追いはピークに。

男の子
身長 68.4〜77.4cm
体重 7.34〜10.59kg

女の子
身長 66.5〜75.6cm
体重 6.86〜10.06kg

※10〜11カ月未満の身長と体重です。

いろいろとママのまねをするようになります。

ものを打ち合わせたり、指先でつまむように。

つかまり立ちから伝い歩きを始める赤ちゃんも。

ハイハイのスピードが速くなり、高ばいをする子もいます。

BALL仁依華ちゃん(10カ月)

PART 2 月齢別（1カ月〜3才）の発育・発達

10〜11カ月

バイバイなど大人のまねも始まります

つかまり立ちからゆっくり伝い歩きを始める赤ちゃんも。まだ足もとが不安定で、転んだりつまずいたりしがちです。

ママとの一体感が深まり、ママのまねをするように。バイバイや拍手など、いっしょにまねっこ遊びを楽しんで。また、大人の使う道具にも興味津々です。危なくないものは触らせて、好奇心を満足させてあげましょう。食べムラがあったり遊び食べをしたり、食べ方にも個性があるものです。ある程度食べさせ、遊び始めたら切り上げましょう。

手先はますます器用になって、両手に持ったおもちゃを打ち合わせたりも。

ママやちょうどいい高さのいすなどにつかまって、つかまり立ちをするのが大好きに。

体
体型は少しずつ幼児に近づき、手先は器用に

赤ちゃんらしいふっくらとした体型が、少しずつ幼児体型に変わってきます。

それぞれの手に持ったおもちゃを打ち合わせて遊べるようになり、親指とひとさし指を使ってものをつまめるようにもなります。ガスのスイッチをいじるようないたずらも始まるので、事故予防にはいっそうの注意をします。

心
後追いはピークに。大人のまねも始まる

後追いが激しくなってきます。ママの姿が見えないと急に目の前からいなくならないようにしてください。言葉をある程度理解できるので、黙って急に目の前からいなくなるよりも、「どうせわからない」と思わず、離れるときは「すぐ戻るね」と声をかけてあげましょう。どこまでもついてきてママは困るかもしれませんが、付き合ってあげて。大人のすることを、よくまねるようになる赤ちゃんもいます。

運動
ハイハイのスピードがUP。つかまり立ちをする子も

ひざをついたハイハイから足の裏でけって進む高ばいを始めたり、ハイハイの姿勢から、何かにつかまってつかまり立ちをしたりするようになります。

いたずらが大好き。追いかけっこも得意

ハイハイやつかまり立ちを始めると、どこにでも行って、欲しいものに手を伸ばします。しかってやめさせるのではなく、危険なものは片づけて、思う存分遊ばせてあげましょう。動くものを追いかけて遊ぶのも大好きです。

ハイハイのスピードも加速してくるので、目が離せなくなります。

11カ月〜1才

行動もおしゃべりも大人をまねっこ。立っちができる子もいます

このころの赤ちゃん
言葉の理解が進み、ゴニョゴニョおしゃべりも。

男の子
身長 69.4〜78.5cm
体重 7.51〜10.82kg
女の子
身長 67.4〜76.7cm
体重 7.02〜10.27kg
※11カ月〜1才未満の身長と体重です。

- 絵本に興味を持ち始めます。
- 言葉を理解して、それに合わせて行動できるようになってきます。
- 起きている時間が長くなり、昼寝が2回から1回に減る子も。
- 伝い歩きや立っちができる子も出てきます。

岡田守優くん(11カ月)

PART 2　月齢別（1カ月～3才）の発育・発達

11カ月～1才

今は、ひとり歩きや言葉の準備をしている時期

伝い歩きや立っちができる赤ちゃんが増えてきます。でも、あんよが始まる時期には個人差があります。あせらずに時期を待ちましょう。

生活リズムはかなり規則正しくなり、夜まとめて眠るようになります。反面、大人が夜遅くまで起きていると、つられて夜ふかし生活に。夜9時ごろになったら、赤ちゃんの寝室は暗く静かにし、早寝早起きを習慣づけていきましょう。

言葉が出てくるのはもう少し先ですが、ママの言うことを理解し、指さしなどのしぐさでコミュニケーションをとるようすがあれば、言葉の土台はできています。絵本に興味を持ち始める時期なので、いっしょに見ながら言葉をかけ、コミュニケーションを楽しむのがいいでしょう。

大人が使っているものに興味津々で、触りたがります。

■心
言葉の理解が進む一方、自己主張も増えてくる

言葉を理解し、行動できるようになってきます。「ちょうだい」と言うと渡してくれたり、赤ちゃんとのやりとりが楽しめるようになります。一方で自分が欲しいものがあると指をさしたり、ぐずるなど、自己主張も出てきます。

また絵本に興味を持ち、熱心に見たり指をさしたり声を出したりします。ページをめくるのも得意に。しきりにおしゃべりし、「バーバー」など繰り返す音がよく出てきます。

ママの「ちょうだい」という言葉を理解して、やりとりができるようになります。

■体
指先に力を入れ、ふたの開け閉めができるように

体型の個人差がはっきりしてくるころですが、一般的には幼児体型に近くなってきます。指先に力をこめられるようになり、ものによってはふたを開けたり閉めたりして遊べるようになります。手の動かし方も上手になり、マグカップなどを自分で持って飲むようにもなります。

■運動
つかまり立ちや伝い歩きなど発達には個人差が

何かにつかまってひとりで立ち上がり、そのまま伝い歩きをしたり、数秒間なら支えなしで立つことができる子も出てきます。ですが、このころの発達は個人差が大きいもの。まだ伝い歩きをしていなくても大丈夫です。

あんよが始まる時期はそれぞれ。伝い歩きできる子が増えてきます。

1才～1才1カ月

発達の個人差が目だつ時期。意味のある言葉が出てくる赤ちゃんも

- 大人の言葉を理解して、しぐさをまねます。
- 栄養のほとんどを食事からとるようになります。
- 親指とひとさし指で小さなものをつまみます。
- ひとりで立てる子が多くなりますが、かなり個人差があります。

このころの赤ちゃん

つかまり立ちや伝い歩き、あんよなど動きが活発です。

男の子
身長 70.3～79.6cm
体重 7.68～11.04kg

女の子
身長 68.3～77.8cm
体重 7.16～10.48kg

※1才～1才1カ月未満の身長と体重です。

小濱凛々ちゃん(1才)

PART 2　月齢別（1カ月～3才）の発育・発達

1才～1才1カ月

体

しだいにスリムな幼児体型になります

体重が生まれたときの約3倍、身長が約1.5倍になります。1才を過ぎると体重や身長の増加がそれまでよりゆるやかになる子が多く、活発に動くこともあってスリムな幼児体型になってきます。親指とひとさし指を使って、ボーロなど小さなものをつまむことが上手になります。ねんね時代は薄かった後頭部の髪は、濃くなっていきます。

栄養のほとんどは食事からとるように

母乳やミルクに頼らず栄養のほとんどを離乳食などからとるようになります。ただ、食事だけでは必要な栄養量をとれないことも。野菜スティックや乳製品など、おやつを入れてもいいでしょう。

10カ月ぐらいから歩く場合もありますが、1才の時点で歩かなくても心配はなく、発達が遅いわけでもありません。また手先が器用になって、何でも口に入れたりします。口に入る大きさの小物などの誤飲事故に気をつけましょう。

言葉に合わせての、まねっこ遊びが盛んになります。

心

「バイバイ」「もしもし」などまねが盛んに

大人の言葉がずいぶんわかるようになり、「バイバイ」や「いただきます」など、どんなときに使う言葉かをある程度理解しながらしぐさをまねします。以前にも増して、「ちょうだい」「どうぞ」と、ママの言うことに合わせてやりとりできるようになり、意味のある言葉が出てくる赤ちゃんもいます。はっきりした言葉で語りかけながら遊んであげるといいでしょう。くしや電話といった道具も、使うまねをしながら遊べるようになります。

乗用おもちゃにまたがったり押したり。成長により遊び方はさまざま。

運動

伝い歩き、立っち、あんよと赤ちゃんなりに発達

ひとりで立てる子が増えますが、慎重派だとなかなか手を離せません。このころは、つかまり立ちからあんよまで発達の幅はいろいろ。ほかの子と比べてあせる必要はありません。

指先が器用になり、知らないうちにチャンネルが変わっていることも。

KEYWORD

いたずら

コンセントにとがったものを差し込んだり、ガス台のスイッチを器用にいじったりと、このころになるといたずらもグレードアップしてきます。お部屋の安全対策をしっかりするとともに、危険な場面ではその場から離し、しかることも必要です。ただ、いたずらは好奇心の表れなので、危険でなければ大目に見ることも必要です。

1才1カ月〜1才3カ月

何にでも挑戦するので目が離せません。誤飲や転倒などの事故に注意

- 上下の前歯が生えそろいます。
- 「ブーブー」などの意味のある単語が出る子が多くなります。
- 離乳食は最後の段階に。1日3回の食事＋補食としてのおやつを2回です。
- あんよを始める子が増えます。

このころの赤ちゃん

チャレンジ精神が旺盛。体型はぐんとスリムになります。

男の子
身長 71.2〜81.7cm
体重 7.85〜11.51kg

女の子
身長 69.3〜79.9cm
体重 7.31〜10.90kg

※1才1カ月〜1才3カ月未満の身長と体重です。

泉 友吾くん（1才1カ月）

PART 2 月齢別(1カ月〜3才)の発育・発達

1才1カ月〜1才3カ月

体

筋肉がつき 体や顔がすっきりした印象に

1才過ぎごろから筋肉がついて体が引き締まり、顔つきもすっきりする子が多くなります。歯は上下の前歯が生えそろうでしょう。指先がますます器用になり、シールをはがしたりはったりといった細かい動きができるようになります。ボールを投げる赤ちゃんも。

器用にシールをはったりできるようになります。

意味のある言葉が出てきます

ひとり歩きをする子が多くなってきます。外遊びを喜ぶので上手に日課に取り入れ、早寝早起きの生活リズムを定着させましょう。

1才を過ぎたころから「マンマ」「ブーブー」など意味のある言葉を話すようになってきます。うまく話せなくても言葉の意味を理解する能力はかなり発達しているので、言葉が意味するものを指で示したりして、やりとり遊びがいっそう楽しくなる時期です。

心

まねのバリエが豊富に。好奇心も旺盛

絵本を見て「ワンワンは？」と聞くと指さしたり、「ねんね」と両手を合わせて耳にあてたり、言葉をよく理解し、まねのバリエーションが豊富に。「ワンワン」などの単語が出る子も増えてきます。好奇心旺盛で、ゴミ箱をひっくり返すなどいたずらもダイナミックになります。

今まで以上に絵本を集中して見るようになります。

運動

おぼつかない足取りで よちよち歩きのスタート

あんよを始める子が増えてきます。最初は両手を広げてバランスを取りますが、しだいに手を下ろして歩けるように。個人差があり、1才6カ月ごろまで歩かなくても心配する必要はありません。

外であんよするようになったら、サイズの合った靴を用意してあげましょう。

KEYWORD

卒乳

おっぱいの卒業には決まった時期や方法はありません。1才を過ぎてやわらかいごはんが食べられるようになり、コップやストローが使えるようになれば、赤ちゃんの体は母乳を卒業する準備ができたことになります。でも、まだまだママに甘えていたい時期なので急ぐ必要はありません。だいたいの目安は1才半過ぎごろといわれていますが、個人差が大きいのでほかの子と比べてあせらないで。

1才3カ月〜1才6カ月

自我が芽生えて何でもやりたがり、ママを困らせることも

- 自己主張が強くなり、自分でやりたがります。
- 話す言葉の数が増えてきます。
- 積み木を2個ぐらい重ねられるようになります。
- 上手に歩くようになり、手をつきながら階段も上ります。

このころの赤ちゃん

自分でやりたい気持ちでいっぱいに。「イヤイヤ」も増えます。

男の子
身長 73.0〜84.8cm
体重 8.19〜12.23kg

女の子
身長 71.1〜83.2cm
体重 7.61〜11.55kg

※1才3カ月〜1才6カ月未満の身長と体重です。

民谷あるとくん（1才4カ月）

PART 2　月齢別（1カ月〜3才）の発育・発達

1才3カ月〜1才6カ月

少しずつ道具が使えるように

このころになると、生活に必要な動作はだいたいできるようになってきます。ひとり歩きが上手になり、小走りをしたり、あとずさりしたり、指の働きも発達し、少しずつ道具が使えるようになります。何でも自分でやりたい欲求が出てくるころですが、要求が通らなかったり、うまくできないとかんしゃくを起こすこともあります。怒る、喜ぶ、すねる……と感情が豊かに広がっていきます。

■ 体

体が締まってほっそりする子も

体重の増えがゆるやかで、しかもよく動くので体つきがますますスマートに。そのため、「体重が増えない」と心配するママもいますが、発育曲線に沿って少しでも増えていれば心配いりません。歯は、最初の奥歯が上下の順で生えてくることが多いでしょう。

スタスタと歩くことが多くなります。

■ 心

自分でやりたがり、「イヤイヤ」が増える

周囲に興味津々で、気になるものがあると「あー」と指さし。言葉が出てくるころなので、「ブーブーね」などと教えてあげましょう。自動車に見たてて箱を押して歩くなど、ごっこ遊びもし始めます。食事や着替えなど何でも自分でやりたい気持ちが育ってくるころですが、まだうまくできません。また要求を言葉で思うように伝えることができないため、かんしゃくを起こしたり、「イヤイヤ」することが増えてきます。

手の使い方が上達し、ちょっと大きな道具も、だんだん使いこなせるように。

■ 運動

あんよが上手になり、階段を上れる子も

歩くことが上手になり、手をつきながら階段を上ったり、ちょこちょこと小走りできる子もいます。腰がしっかりし、立ったりしゃがんだりもできます。リズムに合わせ、手、足、体を動かすこともよくします。

ブロックを家に見たてたり、ごっこ遊びへの興味が強くなります。

KEYWORD

お友だち

このころになると、同じ年齢ぐらいの子どもや少し大きい子に関心を示すようになり、早い子ではいっしょに遊ぶことに興味を持ち始めます。でも、仲よく遊べるようになるのはまだまだ先です。おもちゃの取り合いなどのトラブルは、ママが仲立ちをしてあげます。2才代でようやく一対一で遊べるようになり、3才ごろから複数の子ども同士で仲よく遊べるようになります。

1才6カ月〜2才

跳んだり走ったり、動きがパワーアップ。自己主張も増えます

- 個人差がありますが、2語文を話す子も。
- 離乳食を卒業して、幼児食にステップアップします。
- 「ママごっこ」「電車ごっこ」などのごっこ遊びが好きです。
- 走る、ボールをけるなど幼児らしい遊びをするように。

このころの子ども

赤ちゃんから幼児へと成長をとげるときです。

男の子
身長 75.6〜90.7cm
体重 8.70〜13.69kg

女の子
身長 73.9〜89.4cm
体重 8.05〜12.90kg

※1才6カ月〜2才未満の身長と体重です。

マーシャル美月ちゃん（1才8カ月）

PART 2　月齢別（1カ月〜3才）の発育・発達

1才6カ月〜2才

体

体重の増加より身長の伸びが目だつ時期です

身長が伸びる時期なので、体型はすっかりスリムな幼児体型になります。乳犬歯が生えてきて、歯の本数が16本ぐらいになる子が多いでしょう。

また、おしっこが出るときの感覚がわかるようになる子も。

着替えの練習は、まず脱ぐことから。簡単なベストから練習をしてみます。

心

幼児らしい遊びを楽しむように

運動能力がますます発達し、体を使った遊びが楽しくて、ちょこまか動き回ります。ぴょんぴょん跳んだり走ったり、ボールをけったり。もう赤ちゃんというより幼児らしい遊びができるようになってきます。食事も離乳食を卒業して、幼児食に移行します。

「ブーブー、きた」「マンマ、ちょうだい」など2語文が話せるようになってきて、会話らしいやりとりができる子も。指先がさらに器用になり、2才ごろにはスプーンを使ってどうにかひとりで食事をするようになる子もいます。

ぬいぐるみを赤ちゃんに見立てて「ねんね」。これもごっこ遊びのひとつです。

運動

大人のまねをしてごっこ遊び

大人のまねをしたい気持ちが高まり理解力も育つので、かなり上手にまねて、遊びに取り入れたりするのが大好きに。ぬいぐるみを寝かしつけたり、ごっこ遊びができるようになります。言葉の数が増え、2語文を話す子もいます。

後ろ向きに歩いたり階段を立ったまま上ったり

両足をそろえてジャンプしたり後ろ向きに歩いたり、自由に動けるようになります。大人と手をつなげば、立ったまま階段を上れるようにもなります。また、ボールをけったりして遊べるようにも。

とにかく体を動かすのが大好きな時期です。パパやママも相手をするのがたいへんに。

KEYWORD

かんしゃく

1才代は、やりたいことがはっきりしているのに、うまく伝えられずにかんしゃくを起こしたりかみついたりすることが多い時期です。何か欲しいときは「ちょうだい」と身ぶりで示せばいいなど、気持ちの表し方を教えましょう。そして「○○が欲しいのね」とママが代弁してあげると、気持ちが落ち着きます。

2〜3才

「これなに？」と知りたいことがいっぱい。自立心も旺盛です

- 自立心が強くなって、ますます「イヤイヤ」が増えます。
- 3語文を話せるようになってきます。
- 公園の遊具などでダイナミックに遊べるように。
- 昼間はおむつがはずれる子が多くなります。

このころの子ども

ますます「自分で!」が増え、何でもやりたがります。

男の子
身長 81.1〜97.4cm
体重 10.06〜16.01kg

女の子
身長 79.8〜96.3cm
体重 9.30〜15.23kg

※2〜3才未満の身長と体重です。

吉川優斗くん（2才7カ月）

PART 2 月齢別（1カ月〜3才）の発育・発達

2〜3才

自己主張が強くなり、何でも自分でしたがるように

何でも自分でやりたがるまだ上手にできずにイライラしたり、途中で投げ出したり。2才代は反抗期、嵐の時代などといわれて、ママもたいへん。でも3才近くなると待つことやがまんすることが少しずつできるようになるので、それまでは辛抱強く受け止めて。片づけや着替え、歯みがき、手洗いなどの生活習慣も、教え込むというより遊びの延長で楽しく続けます。そろそろ幼稚園入園を考える子も出てきます。

ソファーからジャンプしたり、ハラハラさせられる場面も。

体

足が伸びて子どもらしい体型に

身長、特に足が伸びて4頭身から5頭身へと、よりスマートな体つきになります。乳歯が生えそろい、大人とほぼ同じものが食べられるようになります。

心

好奇心が強くいろいろなことを吸収

2才代前半では、「ブーブー、キタ、アッチ」というようなたどたどしい3語文だったのが、3才ごろにはなめらかに話すように。また好奇心が強く、「これな〜に？」「どうして？」を連発する子も。記憶力も発達するので、「○○したら、○○しようね」という条件をつけたお話も理解できるようになります。

フォークを上手に使って、自分で食べられるようになります。

運動

運動機能が発達し、複雑な動きも可能に

スキップしたり階段の上り下りをしたり、低い台からなら飛び降りたりと複雑な動きができるようになり、遊びが一段とダイナミックになります。

大人の言葉を理解して、コミュニケーションがとれるようになってきます。

KEYWORD

トイレトレーニング

2才ごろになると、おしっこの間隔が2時間以上あくようになり、「出た」「出したい」感覚がわかり始めます。これがトレーニング開始の目安です。さらに言葉や指さしで自分の意思が伝えられる、トイレに間に合うように小走りできるといったことも必要です。いざ、おまるやトイレに誘うときは時間を決めてではなく、食事や外出の前後といった生活の節目で誘うのがコツ。出なくても失敗しても、しからず気長に取り組みましょう。

[全国500人の赤ちゃん事情] 発育・発達リアルデータ

成長の過程は赤ちゃんによってさまざま。ちょっと気になるほかの赤ちゃんのようすをのぞいてみましょう。

Q 人見知りはした？

- した 65%
- しない 35%

ママと別の人との区別がつくようになって始まるのが、人見知り。6カ月前後で始まることが多いようです。多くの赤ちゃんが経験しています。不安に感じるママもいるようですが、これも成長過程のひとつ。一過性のものですから悩みすぎずに！

いつから？
- 6カ月未満 23%
- 6カ月 23%
- 7カ月 15%
- 8カ月 8%
- 9カ月 8%
- 10カ月 8%
- 11カ月 4%
- 1才 10%
- 1才1カ月以上 1%

Q 後追いはした？

- した 69%
- しない 31%

ママがどこかに行こうとすると号泣したり、追いかけてくる赤ちゃん。どこまでも追いかけてくるので、お疲れ気味なママも。でも後追いは、ママが大好きだからこそやるもの。その時期だけのことですから、その時を楽しむくらいの気持ちでいたいですね。

いつから？
- 6カ月未満 10%
- 6カ月 10%
- 7カ月 7%
- 8カ月 28%
- 9カ月 3%
- 10カ月 17%
- 11カ月 7%
- 1才 17%
- 1才1カ月以上 1%

Q 指しゃぶりはする？

- する 69%
- しない 31%

親指とひとさし指が人気！「ひとさし指のときもあれば、ピースの形でしゃぶったり、日によって変わります」というフリースタイルベビーもいるようです。

どの指？
- 親指 40%
- ひとさし指 31%
- こぶし 8%
- 中指 7%
- 薬指 1%
- 小指 1%
- その他 12%

Q 利き手はどっち？

- 右 71%
- 左 15%
- どちらでもない 14%

えんぴつは握らないまでも、ハーイと手をあげる側、指しゃぶりをする側などで利き手が見えてくるようです。「右手でおしゃぶり、左手でマグを持つ」という器用な赤ちゃんも。

Q よくするクセは？

1位 なめる
2位 口に入れる
3位 投げる

なめなめベビーが堂々の1位。「気づくとママの靴下までなめていました！」と、その幅の広さはかなりのもの。3位以下には、頭を何かにぶつける、机をたたく、体をそらすなどが上位にランクイン。

Q 好きないたずらは？

- ティッシュを箱から引っ張り出す 50%
- 食べものを床にばらまく 16%
- 落書き 9%
- コンセントにものを突っこむ 5%
- その他 20%

ベビーにねらわれると困るものは早めに片づけるなど対策を。

※全国の500人のママに聞いた赤ちゃんの発育・発達データです。(編集部調べ)

PART 2 月齢別（1カ月〜3才）の発育・発達

発育・発達リアルデータ

Q デビューはいつから?

この調査は「し始めたとき」を尋ねたので、それぞれ、かなり低月齢から挑戦を始めるベビーが目だっています。

項目	1才6カ月	1才5カ月	1才4カ月	1才3カ月	1才2カ月	1才1カ月	1才0カ月	11カ月	10カ月	9カ月	8カ月	7カ月	6カ月	5カ月	4カ月	3カ月	2カ月	1カ月	0カ月
あんよ	0%	0%	1%	4%	3%	11%	11%	24%	23%	16%	5%	1%	1%	0%	0%	0%	0%	0%	0%
ひとり立っち	0%	0%	0%	2%	2%	2%	4%	13%	26%	17%	19%	8%	5%	2%	0%	0%	0%	0%	0%
つかまり立ち	0%	0%	0%	0%	1%	1%	1%	1%	8%	15%	14%	27%	21%	10%	1%	0%	0%	0%	0%
ハイハイ	0%	0%	0%	0%	0%	0%	1%	1%	3%	4%	14%	26%	29%	17%	4%	1%	0%	0%	0%
お座り	0%	0%	0%	0%	0%	0%	0%	0%	0%	2%	1%	6%	26%	34%	25%	6%	0%	0%	0%
寝返り	0%	0%	0%	0%	0%	0%	0%	0%	1%	0%	1%	4%	3%	13%	22%	33%	19%	4%	0%

初めての発熱
育児最初の試練ともいうべき初めての発熱は、不安がいっぱい。「発熱を乗り越えて母親としての自信がついた」というママも。

大人のまねっこ
こんなことができるようになったんだと実感できるまねっこ。「ありがとう」と頭を下げたり、名前を呼ぶと「ハーイ」と手を上げたりがスタート。

おっぱいの卒業
離乳食開始の5カ月、1才直前の11カ月、1才半健診のある1才6カ月と、卒乳には3つの山が。

歯の生え始め
1カ月から生える子がいたり、個人差が目だちました。5カ月前後に山が。

はっきり言葉を話した
「マンマ」「アー、ウー」など喃語が出たときと、はっきり言葉を話したときは、ママもパパも感動です。

[赤ちゃんのがんばりを信じて見守りましょう] 小さめ赤ちゃんの発育・発達

小さめに生まれた赤ちゃんの不安を解消し、赤ちゃんの成長を見守るコツをご紹介します。

小さめに生まれても元気に育ちます

赤ちゃんはママのおなかの中で約40週かけて育ち、3000g前後の体重で生まれるのが一般的です。ところが何らかの原因で出産が早まり、体の機能が未熟で体重も軽い状態で生まれてきたり、おなかの中に十分いても大きくなれずに小さく生まれてきたりする場合があります。

小さめに生まれた赤ちゃんは、抵抗力や免疫力などの予備力が少ないため注意が必要です。

おなかの中にいたのが37週未満の早く生まれてきた赤ちゃんを早産児と呼び、生まれてきたときの体重が2500g未満の赤ちゃんを低出生体重児といいます。赤ちゃんが小さく生まれた原因は複雑で、決してママのせいではありません。

最近の小児医療の進歩はめざましく、NICU（新生児集中治療室）やGCU（継続保育室）に入院しながら、大部分の赤ちゃんが正期産の赤ちゃんと同様に育ちます。

医学的に見た低出生体重児・早産児の分け方

超低出生体重児	～1000g
極低出生体重児	～1500g
低出生体重児	～2500g（体重）

超早産児	22週～28週
在胎28週以上の早産児	28週～37週
早産児	22週～37週（在胎週数）

医学的には2500g未満で生まれた赤ちゃん全体を低出生体重児、おなかの中に37週未満しかいなかった赤ちゃんは早産児と呼びます。

あせらずゆっくり育児を楽しんで！

「小さめに生まれた赤ちゃんの発育・発達は正期産の赤ちゃんより遅いの？」と心配になるかもしれません。でも、発育・発達は出生体重で決まるわけではなく、一人ひとりのスピードや特徴があるものです。

数カ月の間に急激に成長し、正期産の赤ちゃんに追いつく子もいれば、小さいながらも母子健康手帳の発育曲線に沿ってゆっくり健康に育つ子もいます。

どの赤ちゃんも、日々がんばって大きくなろうとしています。ママはその成長がほかの子とちょっと違っても、少しゆっくりしていても、それはわが子の個性だと受け止め、あせらず楽しく育児に取り組んでください。

NICU&GCUって？

低出生体重児や早産児などをケアする部屋

NICUは新生児集中治療室、GCUは継続保育室のこと。出生体重が2500g未満の赤ちゃんや、在胎週数が36週未満の赤ちゃん（※）、また生後すぐに集中治療を必要とする赤ちゃんなど、入院治療が必要な赤ちゃんが入ります。出生直後やさまざまな処置が必要な間はNICUに入院となり、状態が落ち着いてくるとGCUに移り、帰宅の準備や必要に応じて他の科へ移る準備をします。赤ちゃんの状態によっては、最初からGCUに入ることもあります。

※施設によって入院基準はそれぞれ決められています。

お世話の基本

抱っこ、授乳、おむつ替え…
慣れないお世話はちょっとたいへん。
そこで、お世話の基本とコツをわかりやすくまとめました。
毎日のお世話で、赤ちゃんとの絆も深まります。
自信をもってお世話してあげてください。

PART 3

母乳・ミルク

[初めのころは泣いたら飲ませます]

初めのころは、赤ちゃんもまだ慣れていなくてうまく飲めないことがありますが、だんだん上手になってきます。

[母乳]

母乳育児は赤ちゃんにもママにもいいことが

母乳は、赤ちゃんに必要な免疫物質や栄養がまんべんなく含まれる上、特に準備しなくても、赤ちゃんが求めたらすぐに与えられるのがメリットです。また肌と肌がふれ合うスキンシップの機会を自然にたくさん持てるのも、母乳育児のよさです。さらにママにとっても、おっぱいを吸われるとホルモンの働きで子宮が収縮し、産後の体の回復が促されるという利点があります。

1回の授乳の目安は、両方のおっぱいを飲ませて計10～30分程度。数時間おきの授乳はたいへんですが、母乳は赤ちゃんに吸われることでよく出るようになるので、どんどん飲ませてあげましょう。

あると便利なもの

ガーゼ・ハンカチ
赤ちゃんの口をふいたりします。

クッション
授乳しやすい姿勢をサポートします。

授乳時の抱き方

乳房や乳首の形により、赤ちゃんが飲みやすい姿勢があります。いろいろ試し、ママもラクな姿勢を探してみて。時には抱き方を変えて飲ませると、母乳トラブルの予防にもなります。

よこ抱き
いちばん一般的で赤ちゃんが大きくなってからもできる抱き方です。乳首に対し、体ごと正面を向くように。

たて抱き
乳房が小さめの人や乳首が短めの人でも、飲ませやすい抱き方です。ひざの上に赤ちゃんを座らせ、首と背中を支えます。

ラグビー抱き
首の位置を手で調節しやすく、大きな乳房や扁平乳頭の人でも飲ませやすい抱き方です。赤ちゃんをわきの下に抱えます。

飲ませ方の基本

1 声をかけて抱っこ

最初は、赤ちゃんが泣いたら授乳の合図。視線を合わせ、声をかけながら抱っこしてあげましょう。

2 乳輪までくわえさせる

下あごが乳房にふれるような角度で、乳首だけでなく乳輪が隠れるぐらい深くくわえさせます。

3 反対側も飲ませる

最初のうちに出る母乳には電解質が、後のほうに出る母乳には脂肪分が多く含まれるので、左右両方とも最後まで飲ませるのが理想です。

4 ゲップを出させる

飲み終えたら、母乳といっしょに飲み込んだ空気を出します。たて抱きにしてママの肩に赤ちゃんのあごをのせ、背中をさすります。

PART 3 お世話の基本

母乳・ミルク

母乳トラブル Q&A

Q 母乳が十分出ていない気がします

A 吸ってもらうことがいちばんの解決策

母乳は赤ちゃんに吸われることでよく出るようになるので、どんどん飲ませてあげましょう。開通していない乳管も、吸ってもらううちに開通します。またママがリラックスしたほうがよく出るので、できる限り体を休めて。栄養や水分も十分にとりましょう。

Q おっぱいが張って痛みます

A 赤ちゃんになるべく飲ませるのが最善策

母乳の分泌がよすぎて乳房がパンパンに張って痛むときは、赤ちゃんになるべく何度も吸ってもらうのがいちばんです。でも、パンパンだとくわえにくいですし、出がよすぎて赤ちゃんがむせることも。そんなときは授乳前に少し搾乳してから飲ませるといいでしょう。搾乳の仕方は下欄を参考にしてください。

Q 乳首の形が悪くて吸いにくそうですが…

A 張りが少ないうちに、なるべく吸わせて

扁平や陥没乳頭だと、赤ちゃんがうまく吸えないことがあります。でも、産んで間もないころのほうが伸びやすいので、赤ちゃんの月齢が低いうちになるべく吸わせるようにします。少し搾乳すると、くわえやすくなることがあります。

Q 吸わせ方をどうすればいい?

A 吸わせ方を再確認して

乳首を奥までしっかりとくわえていれば切れにくいので、くわえ方が浅くないか見直しましょう。切れて痛んでも、深くくわえさせたり少し搾乳してから飲ませると痛みがやわらぎます。バーユやラノリンといった、保湿効果のあるクリームをぬってケアするのもいいでしょう。

Q 乳首が切れたときはどうすればいい?

A うつ乳・乳腺炎になってしまったら?

A うつ乳はなるべく吸わせて。乳腺炎は受診を

母乳が出きらず、しこりが残るのがうつ乳。何度も飲ませたり、いつもと違う方向から乳首をくわえさせるとたまった母乳を吸ってもらえます。乳腺炎は炎症を起こしているので、発熱することもあります。産婦人科を受診して。

知っておきたい 搾乳の仕方

赤ちゃんがうまく乳首を吸えないときや母乳の出がよすぎるときなどは、飲ませる前に少し搾乳すると、赤ちゃんが飲みやすくなります。また赤ちゃんに直接飲ませられないときなども搾乳します。手で搾るほかに、市販の搾乳器を使ってもいいでしょう。

1 手をきれいに洗います。乳房や乳頭を消毒したり、ふいたりする必要はありません。

2 乳頭から約2㎝外側に親指とひとさし指を当てて、肋骨に向かって軽く押し、その場所から乳頭の中心に向かって、親指の腹とひとさし指の腹が乳頭の真下で合うようにします。

↑横から見ると

↑正面から見ると

3 同じ場所を10回程度搾乳したら、指の位置を変えて、いろいろな方向から搾りましょう。

※乳頭をひねったり、引っ張ったり、しごいたりしてはだめです。組織を傷めてしまいます。

[ミルク]

必要なときには自信を持ってミルク育児

母乳での育児には利点がたくさんありますが、母乳が足りないときやママの病気などでどうしてもミルクが必要なときには、自信を持ってミルクにしましょう。栄養面では母乳とほとんど変わりません。母乳不足かどうかは体重増加などが目安になりますが、まずは小児科医に相談します。混合栄養になっても、最初はおっぱいが張らない夕方だけにしたり、なるべく母乳を続ける方向で足していきます。母乳を先に飲ませ、次にミルクという順番で。ミルクはおっぱいをあげる前に作っておくとあわてません。

用意するもの

調乳・授乳
哺乳びん、粉ミルクなど
哺乳びんやニプルには、素材や形状などの違いがあります。

洗浄
哺乳びん用洗浄ブラシ、洗剤など
清潔が肝心なので、専用のブラシと洗剤を。

消毒
鍋、トングなど
煮沸消毒には哺乳びんが入る大きさの鍋とトングを。

ミルクの作り方

★調乳前に必ず石けんと水で手を洗い、清潔なふきんで水分をふき取りましょう。

[1] 哺乳びんにお湯を入れる

一度沸騰させ適温（70度以上に保つ）に冷ましたお湯を、作りたい量の半分くらい入れて。後でミルクを溶かしやすくなります。
※注

※注…先に粉ミルクを入れるメーカーもあります。調乳の方法はメーカーにより異なるので、必ず確認を。

[2] ミルクを量って入れる

缶に付属の計量スプーンで、すりきりにして量り、こぼさないよう、哺乳びんにミルクを入れます。

[3] ダマにならないよう溶かす

哺乳びんを軽く回すように揺らし、ミルクを溶かします。ダマにならないよう、しっかりと溶かして。上下に振ると泡立つので注意。

[4] 湯ざましを足す

でき上がりの量まで、一度沸騰させた湯ざまし（70度以上に保つ）を足して。ニプルをつけてから、再度哺乳びんをゆっくり揺らしてよく溶かします。

[5] 人肌まで冷ます

二の腕の内側にミルクをたらし、少し温かいなと感じる温度か確認します。熱いときは、流水や水をはったボウルに入れて冷まします。

ミルクの飲ませ方

[1] ニプルの閉めぐあいを確認

きつく閉めると出が悪くなり、ゆるいと出すぎに。傾けたとき、ポタッ、ポタッと一定のリズムでたれるぐらいがベスト。

[2] ニプルを深くくわえさせる

よこ抱きにして、母乳の場合と同様に根もとまで深くくわえさせます。ニプル部分に空気が入らないよう、哺乳びんはしっかり傾けて飲ませます。

[3] ゲップを出させる

赤ちゃんをたて抱きにするだけで、ゲップが出ることも。背中をトントンすると出やすくなります。また肩にもたせかけると、おなかが圧迫され、ゲップが出やすくなります。

PART 3　お世話の基本

母乳・ミルク

哺乳びんの種類

素材は月齢や用途で使い分け
哺乳びんは、ガラス製とプラスチック製があります。ガラスは熱に強く汚れが落ちやすいので、消毒回数が多い時期の赤ちゃん向き。また、プラスチック製は軽くて外出に便利です。月齢や用途に合わせて使い分けるといいでしょう。

成長に合わせて容量を変える
容量はメーカーにより多少違いますが、果汁や湯ざまし用の50mlのほかに、120～240mlまでの種類があります。赤ちゃんが飲む量に合わせて、びんの容量を変えていきましょう。

ニプル（乳首）の種類

素材は赤ちゃんに合ったものを
おっぱいのようにやわらかい天然ゴム製、劣化しにくくゴム臭がないシリコーン製、両者の中間のかたさのイソプレンゴム製などがあります。赤ちゃんのように合わせて、吸いやすいものを選ぶようにしましょう。

吸う力によって穴の形も変えて
赤ちゃんの成長に合わせてSサイズ・Mサイズ・Lサイズと穴の大きさが変えられる丸穴、吸う力に応じて出る量が変わるクロスカット、スリーカットなどがあります。

哺乳びんの洗い方・消毒の仕方

1 哺乳びんを洗う
一般の食器用洗剤でも大丈夫ですが、食品原料で作られた哺乳びん専用洗剤もあります。ブラシやスポンジで底まで洗って。

2 ニプルもよく洗う
ニプルはミルクの残りが付着しやすいので、やはりスポンジやブラシで洗います。外側だけでなく、内側もしっかりと。

3 両方ともよくすすぐ
洗い終えたら、洗剤が残らないよう流水で十分にすすぎます。ニプルはできれば裏返して、もむように洗うといいでしょう。

4 熱湯で煮沸消毒
沸騰したお湯の入った鍋で、ニプルは3分ほど、哺乳びんは5分ほど煮立たせて取り出し、水分をきって清潔な場所に保管します。

電子レンジ消毒や消毒液での消毒も

チンするだけで簡単消毒
電子レンジで加熱するだけで消毒できる専用のケースが市販されています。哺乳びんやニプルは洗ってから、電子レンジでスチーム消毒します。

消毒液で消毒
調整した消毒液に哺乳びんやニプルをつけておけばいいものや、洗浄・殺菌するタブレットが市販されています。消毒後、そのまま調乳できるものもあります。

ミルクトラブル Q&A

Q 赤ちゃんが哺乳びんをいやがるときは?
A 口当たりが違う状態に慣れさせて
母乳を少し搾って哺乳びんに入れたもので練習を。いろいろなニプルを試してみてもいいでしょう。また、母乳のときと同じ姿勢で飲ませたり、ママ以外の人が飲ませてみたりと、いろいろ試してみましょう。

Q 飲みムラが気になるけどいいの?
A 1回1回でなく、1日のトータルで考えて
赤ちゃんも食欲にムラがあるので、あまり飲まないことも。そんなときは10～15分たったら切り上げて。飲む量は1日のトータルで考え、少しずつでも飲めていて体重が増えていれば問題ありません。

Q だらだらとずっと飲んでいます
A ミルクの間隔をきちんとあけてみます
泣いたからといって、赤ちゃんは必ずしもミルクを欲しがっているとは限りません。だらだらと飲ませているとかえっておなかがすかず授乳リズムが乱れることも。あまりにもずっと飲み続けてしまうときは、ママが意識的に授乳時間を決めて。

[赤ちゃんとのスキンシップを楽しんで]
抱っこ

正しい抱っこテクを押さえておけば、今後ずっと続く抱っこタイムが、もっともっと楽しくなります。

抱っこは、赤ちゃんに「安心」というやすらぎを与えます

赤ちゃんは、たくさん抱っこされスキンシップを重ねるなかで、みんなに愛され守られているという安心感を得ていきます。その安心がベースとなって、初めて赤ちゃんは外の世界へと出ていけるのです。抱きぐせを気にする必要はありません。抱っこの時期はほんの数年。できるときに、たくさん抱っこしてあげてください。

最初は、上手に抱っこできなくてとまどうかもしれませんが、ママが怖がっていると赤ちゃんも不安になります。コツさえ学べば難しいことはありません。リラックスして、赤ちゃんとのふれ合いタイムを楽しんでみてください。

よこ抱き

新生児期の抱っこの基本です。慣れないうちも、この抱き方だけはマスターしましょう。

[1] 頭の下に手をさし入れる
頭を支えるほうの手を、ゆっくりさし入れます。このとき頭だけでなく、首もしっかり支えてあげてください。

[2] おしりを支える
反対の手でおしりを支えます。このとき、おまた側から指で上下をはさむようにすると、安定感が増します。

[3] そっと抱き上げる
赤ちゃんがビックリしないよう、「抱っこしようね〜」と声をかけながら、ゆっくりと抱き上げます。

[4] 胸に引き寄せる
抱き上げたら、ママの胸に抱き寄せます。ママとぴったりくっついて赤ちゃんは安心、ママも疲れません。

[5] 頭をママのひじの内側に
手のひらで支えていた頭をママのひじの内側までずらし、胸に密着させます。なるべく腕全体で支えて。

[6] おしりを支えて完成！
おまたをはさんでいた手を赤ちゃんの体にぐるっと回して、赤ちゃんの背中とおしりを支えます。

中野幸太郎くん（1カ月）

PART 3 お世話の基本

抱っこ

たて抱き

授乳前でも、しっかり支えればたて抱きも大丈夫。授乳後にゲップをさせるときや、腕が疲れたときなどに。

1 頭とおしりを支える
よこ抱きと同じ要領で頭とおしりを支えます。たて抱きでは首がぐらつかないようにしっかり支えることが大切。

2 抱き上げる
ママの体を赤ちゃんに近づけ、いっしょに体を起こすようにゆっくり抱き上げると、赤ちゃんも安心です。

3 胸に引き寄せる
首をしっかり支えながら赤ちゃんの体を起こし、ママと赤ちゃんの顔が向き合うように抱き寄せます。

4 おまたの手をおしりに移動
おまたを支えている手を赤ちゃんの体に回して、おしりを支えます。ママの腕におしりをのせるとより安定します。

5 首と背を支えて完成
首をしっかり支えて、ママと赤ちゃんの顔が向き合うように抱き寄せます。
もう一度赤ちゃんの頭と首がぐらついているかを確認したら、たて抱きが完成。頭を腕で支える方法もあります。

抱き下ろす

抱き下ろしたとたん、赤ちゃんが目を覚まして泣いてしまうことも。眠ったまま抱き下ろすテクです。

1 頭をひじからずらす
下ろしやすいよう、頭をひじにのせたままだと手のひらにずらします。頭をひじにのせたままだと段差で頭がガクッとなるので注意します。

2 反対の手でおまたを支える
抱き上げるときと逆の手順で体を支えていたほうの手をずらし、赤ちゃんのおまたを上下からはさみこむようにします。

3 おしりからそっと下ろす
下ろすときは体を密着させたまま、おしりからゆっくりと。ママは、腰ではなくひざを曲げながら体全体で下ろして。

4 頭を下ろし、手を抜く
頭をゆっくりと下ろし、手はしばらくそのままで。次に頭がガクッと落ちないように、ゆっくりと手を抜きます。

抱き換えのポイント

左右の抱き換えは、慣れないとたいへん。おしりを軸にする、頭をしっかり支えるなど、ポイントを押さえて。

おしりを支えていた手を首に
頭側の手でおしりまでをしっかり支えます。そして、おしり側の手をはずし、首へと持ちかえます。

おしりを中心にゆっくり回す
おしりを回転の軸にしながら、頭をゆっくり移動。軸となるおしりは、ママのおなかにつけて。

頭をひじのほうへずらす
頭を反対側に移動させたら、ママの腕の負担が少なくなるよう、頭をひじぐらいの位置にまでずらします。

[こまめに替えておしりを快適に] おむつ替え

おむつを替えるときは声かけをしながら、赤ちゃんとママのコミュニケーションタイムにしましょう。

おむつかぶれを防ぐためにも汚れたらまめに交換

おむつは、汚れたら替えるというのが原則です。初めは、授乳のたびにおむつをチェックしてみるといいでしょう。うんちはにおいでわかります。うんちのときは汚れをきれいに落とし、おしりをよく乾燥させてから新しいおむつを当てます。汚れを落とすときにゴシゴシふくと肌を傷めてしまうので、やさしくふくか、お湯で洗い流して押しぶきを。
また新生児のうんちはゆるいので、おむつからもれることがあります。背中や脚周りからもれやすいので、ぴったりつけましょう。

紙おむつ・テープ型
新生児から、寝かせたまま手早く替えられます。

[1] おむつのギャザーを立てて準備する
新しいおむつを開いて、内側のギャザーを立てておきます。太ももからのもれ防止のためです。

[2] 新しいおむつを下に敷く
取り替える前のおむつの下に、新しいおむつを敷きます。おへその裏側あたりまで深く差し込みます。どんなときも、脚を無理に引っ張り上げないように注意して。

[3] 汚れたおむつを開いて、はずす
汚れたおむつを開き、うんちをしていたらおしりふきできれいにふき取ります。汚れたおむつは手前からクルクルと丸め、おしりを持ち上げながら引き抜きます。

[4] 細部の汚れをふき取る
こまかい部分の汚れを、おしりふきでていねいにふき取ります。女の子は前から後ろへ。男の子はおちんちんの裏側やしわの間もていねいに。

[5] 新しいおむつを当てる
内側のギャザーを立てながら、新しいおむつを当て、体に合わせてテープを左右対称に留めていきます。

[6] おむつの形を整える
ウエストには指2本分のゆとりをもたせ、脚周りのギャザーが内側に折り込まれないように確認しながら、形を整えます。おへそが乾いていない場合は、おへそに当たる部分を切っておくか、ウエストの下部分で留めます。

紙おむつの捨て方

うんちのときは、うんちだけトイレに流します。そして、汚れたおむつを手前からくるくる丸めます。

紙おむつのサイドテープでしっかり留めて処分します。

PART 3　お世話の基本

おむつ替え

布おむつ

布おむつには繰り返し使えるよさがあります。

[1] おむつカバーにセット

輪型おむつの場合、おむつを縦長に2つに折り、さらに長さが半分になるように折ってからおむつカバーの上にのせます。

[2] 新しいおむつを下に敷く

新しいおむつを下に敷いてから、おむつを開きます。うんちをしていたら、ていねいにふき取って、汚れたおむつをはずします。

[3] 新しいおむつを当てる

こまかい部分の汚れをふき取って、新しいおむつを当てます。おへそが乾いていないときは、おへそにかからないように男の子は前を厚く、女の子は後ろを厚く折ります。

[4] カバーのベルトを留める

おむつをカバーからはみ出ないように収め、おなか周りに指2本分ぐらいのゆとりをもたせてベルトを留めます。

おしりのふき方ポイント

おしりのふき方は、女の子と男の子でポイントが違います。

● **男の子　裏をチェック**
男の子は陰嚢やおちんちんの裏側に汚れがたまりやすいので、ママがそれぞれ持ち上げて、ていねいに汚れをふきます。

● **女の子　前から後ろへ**
外陰部はうんちが入りやすい部分。大腸菌が尿道へ入ると炎症を起こす可能性があるので、ふくときは必ず前から後ろへ。

紙おむつ・パンツ型

おむつ替え中に、寝返りやつかまり立ちで動き回るようになったら、パンツ型が便利。

[4] 片足ずつはかせる

両手でウエスト部分を広げながら、片方ずつ足を通しておむつをはかせます。

[5] おへそまで上げる

次におへそまでおむつを引き上げます。太ももにぴったりフィットさせます。

[6] ギャザーの向きをチェック

ギャザーが内側に入り込んでいたら指を入れて外向きにします。

[1] わき部分をやぶる

片方のわきを上から手でやぶりのときはやぶらずに脱がせても。おしっこだけしながらおむつをはずします。

[2] おむつをはずす

うんちのときは特に、服や脚を汚さないように注意しながらおむつをはずします。

[3] おしりをふく

つかまり立ちをさせたまま、おしりふきなどできれいにふきます。

寝返りやハイハイ期は

ねんねの状態でパンツをはかせるときは、ママが足ぐりから手を入れてから、赤ちゃんの足を持ってはかせます。

[ダンドリよくスムーズに] 沐浴・おふろ

沐浴は、最初は緊張しがち。それだけに準備が肝心です。おふろは、声をかけながら楽しい雰囲気で。

[沐浴]

1カ月過ぎまではベビーバスで沐浴を

赤ちゃんは新陳代謝が盛んなので、なるべく毎日おふろに入れてあげたいものですが、新生児は抵抗力が弱いため1カ月を過ぎるころまでは大人といっしょではなく、ベビーバスで沐浴させます。

沐浴の場所は、浴室でもリビングでも入れやすいところならどこでもかまいません。できるだけ毎日同じ時間帯に、授乳と授乳の間がいいでしょう。授乳直後は飲んだおっぱいを吐いたり、消化機能が低下したりするので避けたほうがよく、また、授乳直前もおなかがすいて、きげんが悪くなります。ちょうど中間の時間帯にします。お湯につかるのは体力を使うので、5分を目安に、お湯から上げるようにします。

用意するもの

- **ベビーバス**
  沐浴する場所に合ったサイズのものを用意します。
- **洗面器**
  上がり湯用のお湯を大きめの洗面器に入れておきます。
- **レジャーシート**
  床がお湯でぬれないように、ベビーバスの下に敷いて。
- **ベビーソープ**
  低刺激のものを。ポンプ式などが使いやすいでしょう。
- **バスタオル&タオル**
  赤ちゃんの体をくるんだり、ふいたりするために2枚ほど。
- **沐浴布&ガーゼ**
  沐浴布はガーゼやさらしの手ぬぐいで代用しても。
- **湯温計**
  浴槽のお湯の温度は、毎回きちんと計ってから。
- **おむつ&着替え**
  すぐ着せられるように、肌着とウエアの腕を通しておく。

いよいよ沐浴

[1] 赤ちゃんを抱く
親指と中指で耳の下を持つようにし、もう一方の手で足の付け根を支えます。体にガーゼなどの沐浴布をかけてから抱き上げます。

[2] 湯温を再確認
赤ちゃんを両手で支えたまま、ママのひじをお湯につけて、温度を再確認します。ちょうど人肌ぐらいが目安。

[3] お湯に入れる
足のほうからゆっくりお湯につけ、首から下を入れます。足がベビーバスの底や側面にふれるようにすると、安定します。

[4] 顔を洗う
ガーゼをしぼって、目がしらから目じりをふきます。次に泡立てた石けんで洗い、ぬらしたガーゼでふき、流します。

沐浴前のポイント

衣類をセット
すぐに着られるように、肌着の袖をウエアに通してセットしておきます。おむつも早くつけられるように、広げておきます。

お湯の温度と量
湯温は38度ぐらいに。お湯の量は、赤ちゃんのおしりが底についたときに胸がつかる程度にします。多すぎると体が浮いて、不安定に。

PART 3 お世話の基本

沐浴・おふろ

湯上がりのケア

[1] バスタオルで押しぶき
お湯から上げたら、バスタオルにくるんで押さえるように水分をふき取ります。特に首やわきの下、おまたなどのくびれ部分は念入りに。

[2] おむつを当て、服の袖を通す
おふろ後はおしっこをすることが多いので、まずはおむつを当てて。次に前開きの服の袖だけ通し、前は留めずに開けておきましょう。

[3] 耳・鼻・おへそのケアを
鼻は73ページ、耳とおへそは74ページを見てください。

[4] 服を着せ水分補給
体のほてりがおさまったら服のスナップやひもを留めます。髪は水分をぬぐい、ブラシでとかして乾かして。母乳やミルクで水分補給をします。

[9] 赤ちゃんをひっくり返す
あいた手で赤ちゃんのわきをつかみ、つかんだ手の親指に顔をのせて起こし、そのまま赤ちゃんの背中を上にします。

[10] 背中を洗う
背中が上になったら、あいたほうの手で石けんを泡立てて背中を洗います。首の後ろなども忘れずに洗ってください。

[11] おしり、性器を洗う
もう一度ひっくり返したら、親指の腹でおしりや性器をやさしく洗います。おちんちんはつまむように洗います。

[12] 温まらせ上がり湯を
首から下をお湯につけ、そのまま少し温まらせ、洗面器などで赤ちゃんの顔から上がり湯をそっとかけます。

[5] 頭を洗う
頭にお湯をかけてぬらし、泡立てた石けんで頭皮を洗います。洗い終えたら、ぬらしたガーゼで石けん分を落とします。

[6] 首、胸、わきの下を洗う
汚れがたまりやすい首やわきの下は、くびれを伸ばすようにして洗います。首の周りも強くこすらず、やさしく洗いましょう。

[7] 手、腕を洗う
ママの親指を、赤ちゃんの小指のほうから握った手の中に滑らせるように入れて開かせます。腕は軽くなでるように洗います。

[8] おなかや足を洗う
おへそが乾いていないときは、こすらないように気をつけましょう。足は手で握り、そっと手首をひねるようにして洗います。

［おふろ］

1カ月ごろからは大人といっしょに入浴できます

おへそのジクジクがなくなれば大人といっしょのおふろに入れます。1カ月健診を目安にしましょう。お湯がきれいな一番風呂に入れます。湯温がぬるめなので、親のほうがかぜをひかないように気をつけて。

用意するもの

- **ベビーソープ**
  低刺激のものを。ポンプ式などが片手で押すだけなので使いやすいでしょう。
- **バスタオル＆タオル**
  赤ちゃんの体をくるんだり、ふいたりするために2枚ほど用意しておきます。
- **湯温計**
  浴槽のお湯の温度は、毎回きちんと計ってから赤ちゃんを入れましょう。
- **おむつ＆着替え**
  おふろから上がったら、赤ちゃんの肌にやさしい素材のパジャマを着せます。

大人がひとりで入れるときは先に入浴を

ひとりで赤ちゃんをおふろに入れる場合は、大人が先に入っておふろをすませてしまいます。その間、赤ちゃんは浴室から見える脱衣所などで、ベビーラックに寝かせておくと安心。

入浴前のポイント

湯温を確認し、衣類をセット

湯温は38〜39度程度ですが、寒い冬ならば、40度くらいでも。肌着の袖をパジャマに通して広げ、おむつも早くつけられるように広げておきます。

いよいよ入浴

[1] お湯をかけてから浴槽へ

お湯に慣らすのと清潔のためにも、体にお湯をかけてから浴槽の中へ。赤ちゃんはのぼせやすいので、つかるのは30秒〜1分程度にしておきます。

[2] 顔と頭を洗う

ほおや額、口の周りなどをていねいにベビーソープの泡で洗います。湿疹ができやすい頭や髪の生え際は、指の腹を使ってしっかり洗って。

[3] 首や耳の後ろ、わきの下を洗う

特に首やわきの下など、汗をかいて汚れがたまりやすいくびれは、しわを伸ばして念入りに洗います。うっかり忘れやすい耳の後ろも洗って。

[4] 手や腕、おなかを洗う

手首から手のひらへと親指を滑らせ、手を開かせて洗います。おなかはクルクルと円を描くように。おへそもやさしく洗いましょう。

[5] 背中を洗う

赤ちゃんを裏返し、大人のももの上にうつぶせに寝かせて背中を洗います。おなかと同様、なでるように。赤ちゃんが滑り落ちないように注意。

[6] おしり、性器、足を洗う

ももの付け根、おしりなどのくびれを広げ、おしりは根もとまでやさしく、おちんちんは性器の間の汚れを指でそっとなでて洗いします。女の子は性器の間の汚れを指でそっとなでて洗います。

[7] 石けん分を流し、お湯につかる

石けん分が残っていると、湿疹の原因になるので、かけ湯でしっかり流し、最後に1分ほどお湯につかり、体を温めましょう。

おふろ上がりのケア

押さえぶきして、おむつを当てる

すぐにバスタオルにくるみ、押さえるようにふき、おむつはすぐつけましょう。必要に応じて、保湿剤などでスキンケアも。

パジャマを着せてパーツのケア

パジャマのボタンは、ほてりが冷めてからかけます。鼻の汚れは綿棒でふき、耳の穴の周りや髪の水分をタオルでよくふき取ります。

PART 3　お世話の基本

沐浴・おふろ／パーツ別お手入れ

パーツ別お手入れ

[回数を重ねていくうちに手早くできるように]

毎日の目・鼻・耳・つめ・おへそ・髪の毛のお手入れはこうします。必要なときに行うケアもあわせてご紹介します。

お手入れはおふろ上がりが効果的

おふろ上がりは体がふやけていて、目や鼻、おへそなどの小さなパーツのお手入れがしやすいときです。つめもやわらかくて切りやすくなっています。もちろん慣れなくて時間がかかるようなら何回かに分けたり、赤ちゃんが動いてやりにくいときは、眠っているときにお手入れをしてもかまいません。毎日繰り返すうちに、だんだんコツをつかんでいくでしょう。

目

おふろで洗う以外は、目やにがあるときにふくだけで大丈夫。ぬらして軽くしぼったコットンやガーゼなどを使います。

[1] 赤ちゃんの頭を押さえて固定する
頭が動かないよう、片方の手で額やあご、首のあたりをやさしく押さえます。

[2] ひとさし指にガーゼを巻く
湿らせたガーゼをひとさし指に巻きます。あまり厚く巻かないのがポイント。

[3] 目がしらから目じりにかけてふく
清潔にするために、1回ふくごとに別の面を使うようにします。

[4] 上まぶたを引き上げて汚れを取る
ガーゼを別の面にし、赤ちゃんの目じりを引き上げて、斜め上の方向にふきます。

[5] 下まぶたを引き下げて汚れを取る
さらにガーゼを別の面にし、目じりを引き下げて斜め下に向かってふきます。

目薬をさすとき

下まぶたを引き下げて白目に1滴たらす
下まぶたを中指で引き下げ、目薬は親指とひとさし指ではさんで。

鼻

おふろ上がりに、見える部分だけ綿棒でふきます。鼻の奥の鼻くそは、自然に出てくるまで取る必要はありません。

[1] 赤ちゃんの頭を固定する
頭が動かないよう、片方の手で額やあご、首のあたりをやさしく押さえます。

[2] 綿棒を短く持つ
穴の奥に突っ込まないように、綿棒は綿球の根もとのあたりをしっかり持ちます。

[3] 鼻の穴に沿ってくるっと回す
綿棒を鼻の入り口に当てて穴に沿って回し、外から見える汚れだけを取ります。

鼻水が多いとき

[1] 赤ちゃんの体を固定
ママのひざで赤ちゃんの体をはさみ、両腕で手を押さえて動かないように。

[2] 鼻吸い器を入れる
鼻吸い器の先端を鼻の穴に。直角ではなく、少し斜めにさすと吸い出しやすくなります。

[3] ママの口で吸う
鼻吸い器にママの口をつけてそっと吸います。いやがらないうちにすばやく。

（注）お持ちの鼻吸い器の取り扱い説明書に従って、正しく使用してください。

73

おへそ

おへそがしっかり乾いてからは、おふろ上がりに水分をよくふくだけで大丈夫です。

[1] ガーゼを指に巻く
ガーゼやキメの細かいタオルをひとさし指と中指に巻き、おふろ上がりに体といっしょにふきます。

[2] おへその水分を取る
くぼみに水分がたまりやすいので、おへそを指で広げながらやさしく押さえます。

おへそが乾いていないとき（1カ月健診まで）

① 消毒液を準備
沐浴後、消毒用アルコールをつけた綿棒で消毒。綿棒はおへそに斜めに当てます。

② 消毒液で消毒
片方の手でおへそのしわを伸ばしながら、しわの間までしっかり消毒液をつけます。

耳

おふろでは耳の後ろやくぼみをよく洗って。耳あかを取るのは、1カ月に一度くらい。

[1] 横を向かせ、耳の裏をふく
おふろ上がりに横を向かせて、ガーゼやタオルで耳の裏を押さえてふきます。

[2] 穴の周りの水滴をふく
耳の穴の周辺についた水滴を、ガーゼやタオルでやさしく押さえながらふきます。

[3] くぼみの水分を綿棒でふく
耳のくぼみに残った水分は、綿棒を短く持ってくるくると動かしながらふき取ります。

耳あかを取るとき

綿棒を短く持って取る
穴に沿って回し、見える部分の耳あかだけを綿棒につけるようにかき取ります。

髪の毛

つめを立てないよう指の腹で地肌をこするように洗います。

[1] タオルでやさしくふく
おふろ上がりに、ガーゼやタオルで地肌をやさしくふいて、水分を取ります。

[2] ベビー用ブラシでとかす
くしやブラシで毛の流れに沿ってとかします。髪がまだ少ない子は手でなでつけても。

乳児脂漏性湿疹ができているとき

① オリーブオイルで湿布
オリーブオイルをコットンにつけて湿疹の部分につけ、15分ほどおいてふやかします。

② 指の腹で洗ってかさぶたを取る
ベビー用のシャンプーで地肌を洗ってかさぶたを取ります。無理にはがさないように。

つめ

赤ちゃんのつめは伸びるのが早いので、2〜3日ごとにチェックします。

[1] 赤ちゃんをひざの上に抱っこ
赤ちゃんの手をママの体のそばに引き寄せて。寝ている間に切っても。

[2] ママの手で包む
つめを切る指だけ出し、その他の指は動かないようにママの手でやさしく包みます。

[3] 1本を4〜5回に分けて切る
4〜5回に分けて切り、また、深づめにならないよう、白い部分が少し見えるくらいに残して切ります。

足のつめを切るとき

つめと皮膚にすき間を作る
ママの親指で赤ちゃんの指を押さえ、はさんだひとさし指を引き下げてつめと皮膚の間にすき間を作ります。

74

PART 3　お世話の基本

パーツ別お手入れ／ねんね

[赤ちゃんのねんねの環境を整えましょう]

ねんね

赤ちゃんの快適な眠りのために覚えておきたいねんねのリズムの変化や、ねんね環境を紹介します。

寝かせる環境や寝かせ方に注意して

赤ちゃんがぐっすり眠るためにはねんね環境を整えることが大切です。また、赤ちゃんは呼吸がラクにできるように、基本的にはあおむけで寝かせます。うつぶせ寝は乳幼児突然死症候群（SIDS）の発症率が高いという報告もあります。生まれたての赤ちゃんはおっぱいやミルクを吐きやすいので、よくゲップさせた後で、頭を少し横向きにして寝かせて。

快適なねんね環境、ここがポイント

室温・湿度
基本は大人が心地よい温度&湿度でOK
基本的には大人が快適に眠れる温度や湿度で問題ありません。ときどき、汗をかいていないか、寒くないかなどをチェックしてあげましょう。

敷きぶとん・掛けぶとん
不慮の事故が起こらないよう注意して
敷きぶとんは体が深く沈みこまないためのものをセレクト。掛けぶとんは、赤ちゃんがうもれて窒息などの事故が起こらないように胸あたりまでかけます。手は出ていてもかまいません。

まくら
タオルをまくらの代わりに使う
生まれたての赤ちゃんにまくらは必要ありません。代わりに白いタオルを頭の下に敷いて。白いタオルなら汚れたらすぐ取り替えられますし、白いので吐いたときに吐しゃ物をチェックできます。

着せるもの
厚着にしすぎて汗をかくことも
涼しくなってくると厚着にさせがちですが、暑いと寝苦しく、ぐずることもあります。着せるものは吸水性がよく肌にやさしい天然素材のものを選びましょう。

ねんねとお世話　ワンポイントレッスン

お昼寝
「昼間は明るい」ということがわからなくなるので、お昼寝のときはカーテンを閉めたり、照明を消して暗くする必要はありません。

おふろ
寝る前のおふろは、ぬるめのお湯に入れてあげましょう。熱いお湯で体温が上がりすぎると、なかなか寝つけなくなることが。

母乳・ミルク
母乳やミルクでおなかがいっぱいになると眠くなります。ぐずぐずとなかなかねんねしないならおっぱいが足りないのかもしれません。

月齢別眠りのリズムの変化

0〜2カ月
昼夜の区別はまだなく、泣いたり、おっぱいを飲んだり以外の時間はほとんど眠っています。

3〜4カ月
寝たり起きたりの間隔が少しずつ長くなり、夜のねんねがまとまってきます。

5〜6カ月
お昼寝の回数が減り、夜、まとまって眠れるようになる赤ちゃんも。

7〜8カ月
夜のねんねがまとまり、お昼寝の時間が減ってきます。中には夜泣きが始まる赤ちゃんも。

9〜11カ月
お昼寝がだいたい1日1回にまとまってきます。1日の睡眠はトータルで10〜13時間ぐらいです。

1才〜1才6カ月
夜は10時間ほど眠って、朝まで起きない赤ちゃんも。起床と就寝の時間を決めたい時期です。

75

着せ方

【吸湿性のよい素材を選んで、こまめに調節を】

着るものは、難しく考えずに大人を基準にします。赤ちゃんは汗をかきやすいので、まめに着替えさせて。

服は大人と同じ枚数か少なめでも

生後1カ月までの赤ちゃんは体温調節が未熟なので、大人と同じか1枚多く着せます。ねんねの時間が多いので、かけるもので調節してもよいでしょう。1カ月を過ぎたら大人と同じ枚数に。4カ月ごろになれば大人と同じか1枚少なめに。背中を触って汗ばんでいるようなら1枚減らしたり素材を薄手にし、寒いときはベストをプラスしたりボトムスの丈を長くして調節を。毎日の着替えは、おふろの後や汗をかいたときなどにして、肌を清潔に保ちましょう。

着せ方の基本

肌着＋ウエア

前開きタイプは赤ちゃんを寝かせたまま着せられるので、まだ慣れていないママにも安心＆簡単です。

[1] 重ねてセット

肌着とウエアは重ねて、袖を通しておきます。

[2] 手を袖に通す

内側から手を取り袖に入れたら、袖口からそっと手をひいて通します。

[3] 肌着のひもを結んで留める

襟もとがだぶつかないよう前をきっちり合わせて留めます。

[4] ウエアのスナップを留める

スナップを留めるときは、赤ちゃんに押しつけないよう、手を添えて。

[5] 衣類のよれを直す

おしりを少し持ち上げ、肌着とウエアを下に引っ張りよれを直して完成。

かぶり型

かぶりタイプは難しいと思われがちですが、頭の通し方さえ慣れてしまえば簡単です。

[1] 頭を通す

あらかじめ服を丸めておきます。両手で頭を持ち上げて片手で支え、もう一方の手で服をおでこから、頭に通します。

[2] 袖を通す

襟もとのよれを直し、袖の内側から手を送りだし、袖口から手をひいて通します。

[3] スナップを留めて完成！

また下でスナップを留め、衣類がよれていないか確認したら完成。

76

PART 3　お世話の基本

着せ方

季節別　着るものの目安

10カ月～

春・秋	夏	冬
かぶり型肌着	かぶり型肌着またはTシャツ	かぶり型肌着
シャツまたはトレーナー ＋	＋	トレーナーまたはセーター ＋
パンツ ＋	パンツ ＋	パンツまたはスパッツ
ベストまたはカーディガン	ベスト	ベストまたはカーディガン
帽子	帽子	帽子
ソックス＆靴 ＋	靴	ソックス＆靴 ＋
パーカまたはカーディガン		コートまたはジャンプスーツ

4～9カ月ごろ

春・秋	夏	冬
コンビ肌着または前開き肌着	コンビ肌着またはロンパース	コンビ肌着または前開き肌着
カバーオール ＋		カバーオール ＋
ベストまたはカーディガン	ベスト	ベストまたはカーディガン
帽子	帽子	帽子
ソックス ＋	アフガン ＋	ソックス ＋
アフガン ＋		アフガン ＋
		コート ＋

0～3カ月ごろ

春・秋	夏	冬
コンビ肌着	コンビ肌着またはツーウェイオール	短肌着
ツーウェイオール ＋		コンビ肌着 ＋
		ツーウェイオール ＋
ベストまたはカーディガン	ベスト	ベストまたはカーディガン
帽子	帽子	帽子
ソックス ＋	アフガン ＋	ソックス ＋
アフガン ＋		防寒アウター

区分：室内／調整用／外

ウエアの主な種類

ロンパース
トップスとボトムスがつながっている遊び着。

カバーオール
足のスナップを留めるとズボンのようになるつなぎ型のウエア。

ツーウェイオール
スナップの留め方で、ドレス型とカバーオール型に。

肌着の主な種類

ラップアップ
前あてをはずすと全開になり、おむつ替えがラク。

ボディスーツ
またの部分をスナップ留め。体にフィットしてはだけません。

コンビ肌着
裾が二またに分かれていて、スナップで留めるタイプ。

※肌着はほかに短肌着（おなかを覆うくらいの着丈）などがあります。

外気浴・外遊び

[赤ちゃんはお外が大好き！]

外に出ると赤ちゃんもママも気分転換でき、運動にもなります。楽しみながら生活に組み込んでみましょう。

外遊びやお散歩で生活にメリハリを

外気浴やお散歩・お遊びをすることで、家で過ごすことが多い赤ちゃんの生活にメリハリがつきます。

まず1カ月ごろの赤ちゃんは、外気浴を。成長するにつれ、外遊びを取り入れていきます。決まった時間に外に出て赤ちゃんを遊ばせると、その後の睡眠や食事の時間がすんなり決まるので、生活リズム作りに役立ちます。

自然を楽しむ

季節によって外の景色は変わります。空気の温度や草木、花、ときには水の温度や動物など、室内では味わえない感覚を刺激することができます。帰宅したら手をふいたり洗ったりして、清潔にしましょう。

外気浴　1カ月ごろ

短時間の外気浴から始めます

1カ月健診が終わるまでは、お散歩などの外出は避けましょう。天気のよい暖かい昼間に、窓を開けて外気を感じさせるだけで十分です。外の空気やにおい、音などに少しずつ慣らして、時間を長くしていきましょう。ただし、直射日光には当てないように。

外遊び　2～4カ月ごろ

天気のいい日に時間を決めて

2カ月を過ぎたら、少しずつお散歩を。天気のよい昼間に、時間を決めて出るのが理想です。直射日光が当たらないように工夫して、月齢に合った抱っこベルトやベビーカーを使いましょう。天気が悪い日は、お散歩はお休みにします。

5～10カ月ごろ　公園の遊具で

公園では、月齢が低いうちはママもいっしょに楽しみます。抱っこでブランコに揺られたり、滑り台をいっしょに滑り降りたりして遊びましょう。手を口に入れる月齢のうちは、砂場で遊ぶのは避けたほうがいいでしょう。

11カ月過ぎごろ　あんよの練習も

広い場所ではあんよの練習もできますし、遊べる遊具も増えてきます。赤ちゃん同士や異年齢のお友だちとふれ合うこともいい刺激になります。室内とは気分も変わります。

歯のケア

[乳歯をむし歯から守るには？]

歯みがき習慣は、1本目の歯が生え始める赤ちゃん時代から。規則正しい生活もむし歯予防のポイントです。

赤ちゃんの乳歯はいずれ永久歯に生え変わりますが、だからといって手入れをおこたると永久歯に影響を与えます。むし歯は、糖質をえさにする口腔内の細菌が出す酸によって歯が溶けていくことにより起きます。まずはだらだら飲ませない、食べさせないという規則正しい食生活を。離乳食後には湯ざましなどを飲ませて口の中をすっきりさせます。そしてガーゼみがきもブラシみがきも、やさしく声をかけたり歌をうたいながら遊びの延長で楽しく習慣づけて。

無理せず遊びの延長で楽しく続けましょう

月齢別 歯みがきの手順

6〜8カ月　最初の歯が生え始めるころ

- 0〜6カ月ごろ　歯が生え始める前
- 6〜8カ月ごろ　最初の乳歯が生え始める

ガーゼでみがきます

最初の歯が生えてきたら、歯みがきの準備段階としてガーゼみがきを始めましょう。食後に麦茶や湯ざましを飲ませて、口の中をさっぱりさせてから行います。

口の周り、歯をふく

ママは手を洗い、ひとさし指にガーゼを薄く巻いて、ほかの指で押さえます。ガーゼはぬれていても乾いていてもどちらでもかまいません。まずは赤ちゃんの口の周りや唇にガーゼを当てて慣れさせ、次に口の中にそっと指を入れて歯やその周辺に指を当て、軽くふきます。慣れたら汚れをぬぐい取るように少し強めに。

8カ月〜1才　上下の前歯がそろうころ

- 8〜10カ月ごろ　上下2本ずつ前歯が
- 10カ月〜1才ごろ　上下4本ずつ前歯が

ブラシみがきに挑戦！

赤ちゃんが興味を持ったらベビー用の歯ブラシを持たせて、遊びながら歯ブラシに慣れさせていきましょう。ママ・パパが歯みがきのお手本を見せ、いっしょにみがくと効果的。

細かく歯ブラシを動かす

ママ・パパのひざの上に頭をのせてあおむけに寝かせます。ママ・パパの手を赤ちゃんのほおにのせ、ひとさし指で上唇を巻き上げるようにめくります。ペンを握るように歯ブラシを持ち、ブラシの先端2列くらいの毛先を使って、歯の表面にらせんを描くように細かく弱めの力でブラシを動かします。1本につき5まで数えて。

1〜2才　奥歯、乳犬歯が生えるころ

- 1才〜1才6カ月ごろ　最初の奥歯が生える
- 1才6カ月〜2才ごろ　乳犬歯が生える

仕上げみがきもしっかり

習慣づけのためには、赤ちゃんの自分でみがきたいという気持ちを大事にすることです。ただし、仕上げみがきはママ・パパがしましょう。1才半を過ぎたらぶくぶくの練習を。

歯の表も裏もみがく

赤ちゃん用歯ブラシを持たせ、まずは自分でみがかせて。次に赤ちゃんをひざに寝かせ、汚れがたまりやすい歯の溝、歯の間、歯の裏側などをていねいにみがきます。みがき残しがないように、「左上の奥歯から」など順番を決めて。歯にブラシをきちんと当て、毛先が広がらない程度の力加減で小刻みに動かし、1本の歯につき10数えます。

[成長の節目を祝いましょう] 赤ちゃん・子どもの行事

赤ちゃんや子どもの健やかな成長と健康を願って、昔から節目ごとに家族でお祝いしてきました。

お七夜

生後7日目

赤ちゃんが生まれた日から数えて、7日目がお七夜。古く平安時代からあった習わしのひとつです。この日赤ちゃんに名前をつけ、命名書に名前を書いて部屋にはり出し、誕生と名前のお披露目をしてお祝いします。

お誕生のお祝いと名前のお披露目

お宮参り

生後1カ月ごろ

氏神様へ初参拝をします

産土神をもうで、新しく氏子となる赤ちゃんを氏神様に引き合わせるのがお宮参り。誕生後、男の子なら31日目、女の子の場合は33日目（地方によって異なります）に行います。近くの神社に参拝し、おはらいしてもらうのが一般的。参拝は、天候がよくてママと赤ちゃんの体調のいい日にすればいいでしょう。

習わしではパパ側の母親が赤ちゃんを抱いていきますが、あまり決まりにとらわれずに行う人が多くなっています。

お食い初め

生後100日目
または
生後120日目

食べものに困らないようにと祈願

お食い初めは生後100日目、または120日目に、赤ちゃんが一生食べものに困らないようにという願いを込めて行うお祝い。正式には漆塗りの膳とおわんなどをそろえ、尾頭付きのたいなどを含む一汁三菜の料理を用意しますが、しきたりにこだわらず、その家庭なりのメニューでお祝いするのがいいでしょう。

漆器はこの日のためだけに新調しなくても。これを機に離乳食用の食器をそろえ、代用してもいいでしょう。

初誕生

生後1年

満1才の誕生日を祝う

赤ちゃんの満1才の誕生日をお祝いする行事です。正月にひとつ年を重ねる数え年が一般的だった日本では、欧米のようにお誕生日を祝う風習はありませんでしたが、1才を迎えた初誕生だけは盛大に祝う習わしがありました。地方によりさまざまですが、初誕生を祝ってついたもちを赤ちゃんに背負わせたりします。

初節句

3月3日・5月5日

桃の節句、端午の節句にお祝い

子どもが初めて迎えるお節句が初節句。女の子は3月3日の桃の節句、男の子は5月5日の端午の節句です。いずれも平安時代には行われていたもので、子どもの健康と厄よけを願った行事です。女の子にはひな人形、男の子には武者人形やこいのぼりを飾ります。

七五三

3才・5才・7才

健やかな成長を祈る儀式

3才、5才、7才の11月15日に神社に参拝して、子どもの成長を祈ります。その後に、内輪で祝宴を開くことが多いようです。男の子と女の子の年齢についてのしきたりは、地域により違います。数え年で祝うところもあります。

赤ちゃんの食
「母乳・ミルク」「離乳食」

赤ちゃんにとって大切な栄養源である母乳・ミルク、
そして、5〜6カ月ころの離乳食スタートから
幼児食まで、各ステップごとに解説します。
量などにこだわりすぎず、
なによりも食事を楽しむ雰囲気作りを心がけたいですね。

PART 4

[初めてのごはんは母乳とミルクです]

母乳の力とミルクの役割

赤ちゃんとママの心と体を育てる、母乳とミルクのパワーを探ってみましょう。

赤ちゃんが吸う刺激で出るようになる母乳の不思議

赤ちゃんが誕生し、吸われることによって出てくる不思議な母乳。どんなしくみになっているのでしょう。

乳腺は妊娠中から発達して授乳準備を始めますが、胎盤から分泌されるホルモンの働きで母乳が出るのを抑えています。それが出産で胎盤がなくなると、母乳を抑えていたホルモンもなくなり、今度は脳下垂体から、母乳をつくるプロラクチンというホルモンが出てきます。

さらに赤ちゃんがママの乳首を吸い始めると、その刺激でオキシトシンという母乳を外に押し出すホルモンが分泌されます。そしていよいよ母乳が出てくるのです。このように母乳分泌には、赤ちゃんが一生懸命吸ってくれることがとても大切なのです。

母乳は赤ちゃんに最適な完全栄養食品

母乳のもとは、実は血液。ママの体内を流れる赤々とした血が、乳白色の母乳に変身して赤ちゃんに届けられるのです

から本当に神秘的です。

乳房には乳腺があり、母乳はその中にある乳腺葉でつくられます。乳腺葉は毛細血管で取り囲まれ、ここで血液から必要な成分が細胞に取り込まれ合成されて母乳ができます。

母乳はたんぱく質や脂肪、ビタミンなど、赤ちゃんの成長に必要な成分のすべてが最適なバランスで含まれた完全食品です。

たとえば驚くことに、低出生体重児のママの母乳は組成が異なり、小さな赤ちゃんに特に必要な成分が多く含まれているのです。

栄養面だけではない初乳の大事な役割

母乳、特に初乳にはさまざまな免疫物質が含まれていて、赤ちゃんを病気から守ってくれます。

出産後の数日間に出る初乳には、IgAという分泌型免疫グロブリンが多く含まれていて、初乳を飲ませることで赤ちゃんにそれを受け渡すことができます。生後間もない赤ちゃんの消化管は細菌などが侵入しやすい不完全な状態です。

IgAは消化管の表面を覆い、消化管からの感染を起こりにくくする効果があるのです。

限りなく母乳に近い栄養源がミルク

ミルクは、母乳にかわる大切な栄養

ミルクは牛乳が主な原料ですが、最新の研究によって成分・カロリーなどが非常に母乳に近いものになっています。栄養的には限りなく母乳に近いと考えていいでしょう。

PART 4 赤ちゃんの食「母乳・ミルク」「離乳食」

母乳の力とミルクの役割

母乳パワー5

母乳での育児が推奨されるのには、ほかにもたくさんの理由があります。母乳のミラクルパワーとは？

心感を得ることができます。また要求すればすぐ求めに応じてもらえるということは、赤ちゃんのママに対する信頼感を深めます。母乳は、赤ちゃんのママにとって心の栄養剤。母子関係の基礎作りにも役立ちます。

POWER 1 赤ちゃんの体を守る免疫物質がいっぱい

出産後、数日間出る初乳には、IgAという分泌型免疫グロブリンがたっぷりと含まれていますから、ぜひ飲ませてあげたいものです。また、初乳でなくても、母乳には、赤ちゃんを病気から守る多くの抗菌・抗ウイルス・抗炎症・免疫物質が豊富に含まれています。またリボ核酸やポリアミンといった物質が、アレルギー反応を防ぐ働きをしてくれます。

POWER 2 人がつくるたんぱく質だから消化・吸収がバツグン

母乳は、ママの体内で赤ちゃんの成長のためにつくられる食品です。ですから、たとえば含まれるたんぱく質も、赤ちゃんの体に合う量・組成になっているから、消化・吸収がとてもよく、まだ未熟で発達段階にある赤ちゃんの胃腸や腎臓にも負担が少ないようにうまくできているのです。このほか母乳に含まれる鉄分も、ミルクに含まれる鉄分より吸収されやすいことがわかっています。

POWER 3 スキンシップの機会が増え、精神的充足感が得られる

母乳のメリットは栄養面に限りません。求められるたびに母乳を飲ませることで自然と肌をふれ合わせる機会が増え、赤ちゃんはママの体温を感じ、包まれるような安

POWER 4 母乳を出すホルモンは、産後のママの体の回復も促す

赤ちゃんにおっぱいを吸われると、その刺激でママの体からは母乳を外に出そうと筋肉を収縮させるオキシトシンというホルモンが分泌されます。このホルモンは子宮を収縮させ出血を止める働きもあるので、産後の体の回復を早めてくれます。また母乳をせっせとつくって栄養として赤ちゃんに受け渡すことは、カロリー消費効果大。妊娠中に増えた体重が元に戻りやすいという利点もあります。

POWER 5 ピタッと泣きやむ最強、最高のあやしグッズ

母乳は赤ちゃんにとって、最強のあやしグッズでもあります。いつでも適温で、直接飲ませるので衛生面でも安心なうえ、手軽に飲ませることができ、たいていピタリと泣きやんでくれるのですから大助かりです。赤ちゃんにとっては気持ちが静まる精神安定剤の役割もありますから、寝かしつけにも育児に慣れず不安なママも、母乳で泣きやむ赤ちゃんを見れば、自信につながることでしょう。

ミルクの気になるウワサを検証

母乳のように免疫物質は含まれていませんが、赤ちゃんはママの胎内にいるときに、胎盤を通してママの免疫を受け取っています。免疫がまったくないというわけではありませんから、ミルクで育てたからといって、病気にかかりやすいということはありません。

ミルクで育つと太りやすい、ミルクのほうが消化が悪い、便秘になりやすい、あごの発達が遅れる、といわれることがあります。しかし、ミルクは母乳にかなり近づけて調整してあるので、太りすぎたり、消化が悪いということはありません。また、あごの発達が遅れたりする心配もありません。こういったウワサはほとんどが根拠のないものです。母乳が不足したときには、安心してミルクを飲ませましょう。

ミルクを足すタイミングって？

母乳不足を見極めるポイントとしては、まず赤ちゃんの体重の増加がよくないことがあげられます。また、30分以上おっぱいをくわえて離さない、20分ぐらい飲ませたのに1時間おきに泣いておっぱいを欲しがるなどです。どの場合も本当に母乳不足かは、小児科医に相談してみましょう。

母乳とミルクの混合栄養にする場合は、必ず毎回、先に母乳で次にミルクという順で飲ませます。（64ページも見てください。）

離乳食の基本

[初めてのひと口から卒業まで]

離乳食はどんなふうに進めたらいいのか、その役割や進め方・基本のレシピなどを知っておきましょう。

形のあるものが食べられるようになるまでのプロセス

母乳やミルクを飲んで栄養をとってきた赤ちゃんが、形のある食べものをかみつぶすことができるようになり、必要な栄養の大部分を母乳やミルク以外からとれるようになる。そのための練習のプロセスが「離乳」です。そして、その練習のための食事が「離乳食」です。

満5～6カ月ごろになると、パパやママの食事に興味を示したり、自分も食べたそうに口を動かしたりする赤ちゃんが多くなります。まずはなめらかにすりつぶした1さじからスタート。そして約1年かけて、1才半ごろには、自分でスプーンを持ち、食べようとするまでに成長するのです。

赤ちゃんなりのペースを尊重して

赤ちゃんの口腔(こうくう)の発達や咀嚼(そしゃく)力に応じて、1回食、2回食、3回食へと進めていきますが、階段を上るようにスムーズに進む子は少なく、行きつ戻りつしながら経験を重ね、少しずつ成長していきます。赤ちゃんの成長や発達パターン、食欲などは一律ではありませんから、赤ちゃんの口の動き、表情、声などをよく観察し、一人ひとりの成長に合わせてゆっくり進めていきましょう。

ママは「食べさせる」ことについ必死になりがちですが、「赤ちゃんが自分で食べることをサポートする役割」なのだということを忘れずに、ゆとりを持って接することが大切です。

将来の豊かで健康的な食生活のために

離乳食の役割は栄養補給だけではなく、将来の食生活の土台作りでもあります。離乳食タイムを楽しい時間にすることによって、「食事は楽しい！」という感覚を赤ちゃんは味わうことができるようになります。豊かで健康的な食生活を身につけるための基本といっていいでしょう。

このころの食のポイント

1 急速に成長する重要な時期。バランスや量を意識して

栄養の偏りを避け、いろいろな食品をバランスよく。その月齢、年齢に必要な量を食べさせてあげることが大切です。

2 正しい食習慣を身につけ、将来の肥満や生活習慣病を予防

きちんと3食とるリズムを築き、偏食や好き嫌いをなくすことは、将来の生活習慣病予防の意味でもとても重要です。

3 食べる意欲を育て、食べる喜びを伝えたい

「いっぱい飲んで（食べて）すごいね」など声をかけ、楽しい雰囲気を作り、"食"を待ち遠しく、楽しみなものにしてあげましょう。

P.84～98指導／女子栄養大学生涯学習講師・管理栄養士　小池澄子先生

PART 4 赤ちゃんの食「母乳・ミルク」「離乳食」

離乳食の基本

離乳食の役割 6

役割 1 固形物を食べる練習

固形物を食べる動作というものは、練習で獲得していきます。成長に合った食べる動作を、段階を追って進めることで、赤ちゃんは、それを徐々に身につけていくのです。

5～6カ月ごろは舌を前後に動かして飲み込む、7～8カ月ごろは舌と上あごでつぶして食べる、9～11カ月ごろは舌で食べものを口内のわきに寄せ、歯ぐきでつぶして食べる……など、発達の段階を知っておくと、適切に対応できるようになります。

役割 2 成長のための栄養補給

赤ちゃんは体を維持する分に加え、成長のための栄養をとる必要があります。月齢の低い赤ちゃんにとって母乳やミルクが唯一の栄養源ですが、5～6カ月になり消化・吸収能力が高まってくると、母乳やミルクだけでは栄養が不足し始めます。

また、7カ月ごろになると胎児期にママからもらった貯蔵鉄も底をついてしまいます。そのためにも、6カ月中には離乳食から栄養をとる練習を始めたいものです。

役割 3 かむ力を育てるトレーニング

赤ちゃんが固形物を食べられるようになるためには、成長の段階に合わせた大きさ、かたさのものを与えて、かむ力を育てることが大切です。そのためには、「食べたい」という意欲を育てることも大事です。赤ちゃんの口の動きをよく見て、食べる意欲を引き出すようなその時期にぴったりのメニューを与えます。かむ力を育てることは、離乳食の役割の中でも特に重要です。じっくり、ゆっくりトレーニングしていきましょう。

役割 4 食べものの味・香りの経験

離乳食には食べものの味や香りを経験させるという役割もあります。味には、甘み、塩味、うまみ、酸味、苦みなどがありますが、成長によって食材の種類を広げていき、そのような味を少しずつ経験させていきます。

赤ちゃん時代は、舌にある味細胞（味の信号を受け取る細胞）が最も多いといわれます。食材のおいしさを引き出すメニューで、素材本来の味を十分に経験させて、豊かな味覚をはぐくみましょう。

役割 5 食べる楽しさの体験

「おいしい」と感じて幸せな気分になるのは大人だけではありません。赤ちゃんは食べものの味、香り、食感以外に、ママのやさしいまなざしや声、食卓の楽しい雰囲気を敏感に察知して、おいしさを感じとります。

ママが遊び食べにイライラしたり、食べないことに強い不安を持っていると、赤ちゃんは敏感に感じるもの。リラックスして食事をしましょう。3回食に進むころからは、家族で食卓を囲むといいですね。

役割 6 和食をベースにした食文化の経験

離乳食の役割はどこの国でも同じですが、食の基本は、風土に沿ったものを食べること。その国の人が昔から食べている料理をベースにし、食文化を親から子へと伝承していくことも大切です。和食は世界中が注目する健康食です。今、問題になっている肥満や生活習慣病の原因のひとつは食生活の欧米化にあるといわれています。赤ちゃんの将来の健康のためにも、家族みんなで和食をとる習慣をつけていきましょう。

P.84～98は厚生労働省「授乳・離乳の支援ガイド（2007年）」に基づいて制作されていますが、各STEPの名称、月齢や進め方はあくまでも目安です。赤ちゃんの食べる量や進み方には個人差がありますので、赤ちゃんの発育を見ながら対応してください。また、食物アレルギーのない赤ちゃんを対象としていますので、アレルギーのリスクが疑われる場合や、診断されている場合は、医師の指導に従ってください。

［進め方や栄養のとり方のポイントはカンタン］
離乳食の栄養バランスと進め方

食材を3つの栄養のグループに分けて考えると、バランスよく栄養をとることができます。

3つの栄養グループを組み合わせればOK

離乳食に取り入れたいのは、大人が食事で必要とするものと同じく次の3つの栄養素。熱や力のもとになる炭水化物、血や筋肉をつくるたんぱく質、体の調子を整えるビタミン＆ミネラルです。

炭水化物が多く含まれるのは、ごはん、パン、めんなどの「主食」となる食材。たんぱく質が多く含まれるのは、肉、魚、豆腐、卵などの「主菜」となることが多い食材。また、ビタミン＆ミネラルが多く含まれるのは、野菜や果物など「副菜」として利用されることが多い食材です。

つまり、この「主食」「主菜」「副菜」の3つのグループの食材を毎回組み合わせて食べていれば、おのずと3つの栄養素はとることができ、栄養バランスも自然と整うことになります。

ただ、母乳やミルクが栄養の中心になっている7～8カ月ごろまでは、このバランスについては大らかに構えていても大丈夫です。栄養の心配よりも、まず、しっかり口を閉じて食べる楽しみをはぐくんであげましょう。

大切な3つの栄養素

主食のグループ
熱や力のもとになる
炭水化物源

炭水化物は、食べると体内でブドウ糖に分解され、多くは肝臓に蓄えられます。一部はすぐに血液に運ばれて脳や神経系、筋肉などのエネルギーになります。主食として摂取するといいでしょう。

主な食材
ごはん　そうめん　うどん　パン
スパゲッティ　マカロニ
じゃがいも　など

主菜のグループ
筋肉や血をつくる
たんぱく質源

血や肉になったり、病気に対する抵抗力をつけます。不足すると、体重が増えなくなったり、貧血になることも。ただ、大量に摂取すると内臓に負担がかかったりすることがあるので、気をつけて。

主な食材
たら　かれい　まぐろ　さけ
しらす干し　鶏肉　牛肉　豚肉
豆腐　卵　乳製品　など

副菜のグループ
体の調子を整える
ビタミン＆ミネラル源

ビタミンCは病気に対する抵抗力をつけ、カルシウムは骨や歯をつくるなど、含まれる食材や作用はさまざま。まんべんなく栄養をとるために、いろいろな種類のものを取り入れましょう。

主な食材
かぼちゃ　ブロッコリー　ほうれん草
白菜　キャベツ　大根　にんじん
トマト　果物　など

PART 4 赤ちゃんの食「母乳・ミルク」「離乳食」

離乳食の栄養バランスと進め方

発育発達に応じて4つのステップで進めます

この本での離乳食の進め方は、体の発育発達に応じて4段階のステップに区分し、わかりやすく月齢で区切りました。ただ、ステップといっても階段をトントンと上がるようにではなく、なだらかなスロープと考えて、赤ちゃんのペースに合わせてゆったりと進めていきましょう。

●STEP1は5～6カ月ごろ

唇で取り込んだ食べものを口を閉じてごくんと飲み込めるようになります。歯が生え始める前なので、離乳食はトロトロの液体に近いポタージュ状。栄養の中心は母乳やミルクで、離乳食は1日1～2回程度です。

●STEP2は7～8カ月ごろ

前歯が生え始め、舌が上下に動くようになり、食べものを舌と上あごで押しつぶせるように。離乳食は豆腐ぐらいのかたさのものを舌と上あごでつぶせるようになります。離乳食はバナナぐらいのかたさのもの。1日に2回ほどになりますが、まだ母乳やミルクに頼っています。

●STEP3は9～11カ月ごろ

舌と上あごでつぶせないものは、舌で歯ぐきの上に移動させて上下の歯ぐきでつぶせるようになります。離乳食はバナナぐらいのかたさのものを前歯でかみつぶしたりできるように。1日に3回食べるようになり、栄養の60％ほどを食事でとるようになります。

●STEP4は1才～1才6カ月ごろ

上下の前歯がそろい、奥歯が生え始め、肉だんごぐらいのかたさのものを奥歯や歯ぐきでかみつぶしたりできるように。1日3食とおやつ。栄養のほとんどを離乳食からとるようになります。

[食物アレルギーの基礎知識]

特に気をつけたいアレルゲン

アレルギーの原因物質をアレルゲンといいます。次のような食品は、赤ちゃんにとってアレルゲンとなることが多く、しかもショック症状など重篤になることがあります。むやみに怖がることはないのですが、初めて赤ちゃんに与えるときは、慎重にしましょう。

●卵

鶏卵では卵白のたんぱく質成分がアレルギーの原因になることが多く、また、鶏卵は加熱の温度が高く長時間なほどアレルギーが出にくいため、初めて卵を食べさせるときには、必ず固ゆでの卵黄からにします。

●牛乳

赤ちゃんのアレルゲンで、卵についで多いのが牛乳。育児用ミルクでアレルギーを起こすと血便や嘔吐などの症状が出るため、アレルギーを起こしにくいよう分解したミルクで代用します。

●小麦

パンやボーロ、うどんなどのようにアレルゲンになる可能性があります。

ほかにも、もも、りんご、バナナ、オレンジ、キウイフルーツ、ゼラチン、豚肉、牛肉、鶏肉、さば、さけ、えび、かに、大豆、やまいも、イクラなどもアレルギー歴がある場合は、与える時期をアレルギーの医師に相談しましょう。

●そば

そばアレルギーの場合は、強いショック症状を起こす心配があり、そばをゆでる湯やゆで汁などわずかな量にも反応することがあります。特に家族も含む加工品やゆで汁などわずかな量にも反応することがあります。特に家族にアレルギー歴がある場合は、与えることが十分注意を。誤飲すると肺炎を起こすことがあるので、あえて赤ちゃんに与える必要はありません。

●落花生

食品の隠し味として使われていることがあり、また、殻もアレルゲンになることがあるので、アレルギーの場合は十分注意を。誤飲すると肺炎を起こすことがあるので、あえて赤ちゃんに与える必要はありません。

高熱で焼かれたり、ゆでられたりしても小麦のアレルゲンとしての性質は低下しません。しょうゆやみそなどさまざまな加工食品に含まれていることがあるので、注意しましょう。

初めての食品デビュー 3つのルール

アレルゲンかどうかを見定めるために、きちんと心得ておきたいルールです。

1 初めての食品は1さじからようすを見ながら進める

初めて与える食品は、1さじからが大原則。一度にたくさん与えると、それがアレルゲンだった場合、アレルギー症状がより強く出てしまいます。また、1日に初めてのものを2種類以上与えないようにしましょう。

2 いやがったら要注意。赤ちゃんの自己防衛かも

口に含ませたとき、赤ちゃんがいやがったら注意が必要。単に口に合わない場合もありますが、口の中がピリピリするなど、違和感を感じていることがあるからです。無理に食べさせず、ようすを見て。

3 変わった食品を早くから食べさせない

消化・吸収能力がまだ未熟な"食"の練習段階で、変わった食品に挑戦する必要はありません。わざわざ食べさせなくてもいい食品は多数あります。心配が少ない無難なものから始めましょう。

離乳食の見通し表

	STEP 1 5〜6カ月ごろ	STEP 2 7〜8カ月ごろ	STEP 3 9〜11カ月ごろ	STEP 4 1才〜1才6カ月ごろ
1日の回数と時間の目安	1回 ●午前10時ごろ	2回 ●午前10時ごろ ●午後6時ごろ	3回 ●午前10時ごろ ●午後2時ごろ ●午後6時ごろ	3回+おやつ ●午前7時ごろ ●午前12時ごろ ●午後3時ごろ（おやつ） ●午後6時ごろ
口の動きと食べ方	口に入れたものを前から奥へ少しずつ移動させ、飲み込む。	口の前のほうで食べものを取り込み、舌と上あごでつぶす。	舌と上あごでつぶせないものを、歯ぐきの上に移動させてつぶす。	前歯が生え、奥歯も生え始めるが、引き続き歯ぐきでかみつぶす練習が必要。
かたさの目安	なめらかにすりつぶした状態 **目安** ヨーグルト状	舌でつぶせるかたさ **目安** 絹ごし豆腐	歯ぐきでつぶせるかたさ **目安** バナナ	歯ぐきでかみつぶせるかたさ **目安** 肉だんご
1回あたりの量の目安 — 炭水化物	穀類1さじずつ（つぶしがゆ）	穀類50g（7倍がゆ）〜80g（7倍がゆ）	穀類90g（5倍がゆ）〜80g（軟飯）	穀類90g(軟飯)〜80g(ごはん)
1回あたりの量の目安 — たんぱく質	肉は× 乳製品は× 卵は× 白身魚1さじずつ 豆腐1さじずつ （いずれか一品）	肉10〜15g 白身魚10〜15g 豆腐30〜40g 乳製品50〜70g 卵は卵黄1個分〜全卵⅓個分 （いずれか一品）	肉15g 魚15g 豆腐45g 乳製品80g 卵は全卵½個分 （いずれか一品）	肉15〜20g 魚15〜20g 豆腐50〜55g 乳製品100g 卵は全卵½〜⅔個分 （いずれか一品）
1回あたりの量の目安 — ビタミン&ミネラル	野菜・果物1さじずつ	野菜・果物20〜30g	野菜・果物30〜40g	野菜・果物40〜50g
調味料の目安	調味料は使用せず、食材の味や香りを体験させます。食が進まないときは、だしや野菜スープ、果物などで風味やコクをプラスして。	8カ月ごろからは、塩、しょうゆ、砂糖、みそなどが使えますが、味つけというよりは風味づけと考え、ごく少量にとどめます。	野菜などを植物油やバターで炒め、水を加えてふたをして煮る「炒め煮」がおすすめ。少量のマヨネーズ、トマトケチャップも使えます。	味つけは大人の⅓程度が目安。濃い味を覚えると薄味に戻しにくいので注意。香辛料は不可ですが、カレー粉はごく少量なら使えます。

PART 4　赤ちゃんの食「母乳・ミルク」「離乳食」

離乳食の栄養バランスと進め方

おかゆとだし汁とスープの作り方

野菜スープ

材料（作りやすい分量）
- キャベツ …………… ½枚
- にんじん …………… 20g
- かぶ ………………… ½個
- かぶの葉 …………… 少々
- 水 …………………… 2カップ

作り方

❶ キャベツはざく切り、にんじん、かぶは皮をむいていちょう切りにする。かぶの葉は5mm幅に切る。

❷ 鍋に分量の水と①を入れて中火にかけ、煮立ったら弱火にしてアクをとりながら10〜15分煮る。

❸ こし器でこして、スープをとる。

かつお昆布だし

材料（作りやすい分量）
- 昆布 ………………… 3×3cm
- 削り節 ……………… 10g

作り方

❶ 鍋に水2カップ、汚れをふいた昆布を入れ、そのまま20分ほどおく。弱火にかけ、煮立ち始めたら昆布を取り出す。

❷ 強火にし、煮立ったら削り節を加え、火を止める。

❸ 削り節が底に沈んで冷めたら、こす。

※昆布だしの場合は、水4〜5カップに昆布10〜20gを入れて約1時間おき、中火にかけて、煮立つ直前に昆布をとり出す。

10倍がゆ （ごはんから作る場合）

材料（3〜4回分）
- ごはん ……………… 大さじ2
- 水 …………………… 1カップ

作り方

❶ 鍋に分量の水とごはんを入れて中火にかけ、かたまりをほぐしながら煮立たせる。

❷ 煮立ったら弱火にし、ふたをして約15分煮る。途中でふたをずらしたりして、ふきこぼれないように注意する。

❸ やわらかく煮えたら火を止めてふたをし、10分ほど蒸らす。STEP1のつぶしがゆは、この後、すりつぶすか裏ごしをする。

軟飯（作りやすい量）	ごはん60g、水¼カップで10倍がゆと同じように4〜5分煮て、4〜5分蒸らす。	
5倍がゆ（2〜3回分）	ごはん60g、水1カップで10倍がゆと同じように10分煮て、7〜8分蒸らす。	
7倍がゆ（5〜6回分）	ごはん60g、水1½カップで10倍がゆと同じように10分煮て、7〜8分蒸らす。	

●レシピは特記以外、1回分です。●小さじ1は5㎖、大さじ1は15㎖、1カップは200㎖です。赤ちゃんに食べさせるときの1さじは赤ちゃん用スプーンです。●電子レンジの加熱時間は出力500Wのものを基準にしています。●火加減や加熱時間はあくまでも目安です。ようすを見ながら調整してください。

STEP 1 5〜6カ月ごろ

いつごろ？タイミングは？

前半

5〜6カ月になると首がしっかりとすわり、支えがあればいすに座れるようになる子が多くなります。大人が食事をしているのを見て、声やよだれを出すようになったら、そろそろ離乳食スタート。赤ちゃんのきげんがよく、ママも気持ちに余裕がある時間帯なら何時でもいいのですが、万が一、食後にぐあいが悪くなった場合に病院が開いていると安心なので、午前中の授乳タイムの1回をあてるといいでしょう。遅くとも6カ月中には開始しましょう。

後半

離乳開始から1カ月ほどたち、米がゆ、野菜、いもに慣れてきたら、たんぱく質源をプラスしてもいいでしょう。

どんなものをどれくらいあげる？

前半

まずは米の10倍がゆをすりつぶしたものからスタート。赤ちゃん用スプーンでごく少量（1さじ程度）を与えます。赤ちゃんがいやがらなければ、にんじんやじゃがいもなど、くせの少ない野菜やいも類をトロトロのポタージュ状にしてプラス。初めてのものは必ず1さじから始め、皮膚やうんちに変化がなければ徐々に量を増やします。

後半

たんぱく質源として、脂肪が少なくて消化・吸収がよい白身魚を赤ちゃん用スプーンで1さじからスタートします。3日ほど続けて皮膚やうんちに変化がなければ徐々に量を増やします。豆腐も同様で、1さじから始めます。かたさは飲み込むようすを見ながら、少しずつ水分を減らしていき、ヨーグルト状のものも加えていきます。個人差がありますが、離乳開始から2カ月くらいで、全部で10さじ程度食べられるようになるのがだいたいの目安です。

スタートして1カ月たったら、10倍がゆと野菜をベースに、白身魚などのたんぱく質源をプラスした献立を。ひとつの器に盛ってもいいでしょう。

組み合わせてこんな献立に

献立例
- 10倍がゆ（左）
- 白身魚のトマトあえ（右）

食べさせ方のヒント

1 食べやすい姿勢

ねんねしたままだったり体を起こしすぎていると食べにくいものです。舌がほぼ水平になり、取り込んだ後、口を閉じると、やや傾斜がついて食べものがのどのほうに動く角度で食べさせましょう。抱っこ食べが基本なので、ママの腕で赤ちゃんの背中を支えます。

2 食べさせ方

スプーンの前のほうに少なめに盛り、スプーンを下唇にチョンと当てて、口が開くのを待ちます。そして、赤ちゃんが自分で食べものを取り込むまで待ちます。赤ちゃんの口の中にスプーンを押し込んではいけません。

タイムスケジュールの例

前半

| 4 | 5 | 6 | 7 | 8 | 9 | 10 | 11 | 12 | 13 | 14 | 15 | 16 | 17 | 18 | 19 | 20 | 21 | 22 | 23 |

授乳（6時頃）／授乳＋離乳食（10時頃）／授乳／授乳／授乳
ねんね／おふろ／ねんね／ねんね／ねんね

> 赤ちゃんのきげんがよく、ママの家事が一段落する午前10時ごろの授乳を離乳食タイムに。毎日同じ時間にすると、生活リズムができてきます。

後半

授乳／離乳食＋授乳／授乳／離乳食＋授乳／授乳

> 開始時と同じ時間です。この時期の離乳食の時間は、一度決めたら変えないこと。それが生活リズム作りのポイントになります。

> 離乳食に慣れ、食欲旺盛なら午後6時ごろにもう1回離乳食にしても。1回目の1/3〜1/2量から始めます。

PART 4　赤ちゃんの食「母乳・ミルク」「離乳食」

離乳食の栄養バランスと進め方

STEP 1　5〜6カ月ごろ

前半
スタートしてから1カ月ごろまで

大きさ・かたさ

おかゆの場合：米と水の量が1:10の10倍がゆに。

にんじんの場合：ゆでて裏ごしし、水分でベタベタ状に。

ラップに包んでつぶすとむだなし
かぼちゃペースト

材料
- かぼちゃ ……………… 3cm角
- 湯 …………………… 大さじ1

作り方
1. かぼちゃは皮つきのままやわらかくゆで、皮を取り除いてすりつぶす。
2. ①に湯を少しずつ加えてトロトロになるまでのばす。

この時期の調理のポイント

すりつぶしをいやがるときは裏ごしでなめらかな食感にしても

　最初は液体に近いトロトロのポタージュ状のものから始めます。米がゆはすりつぶして与えますが、練ると粘りが出て飲み込みにくくなるので、軽くたたいてつぶし、サラッとした状態に仕上げます。ツブツブをいやがる赤ちゃんもいるので、食べない場合は裏ごししてなめらかな食感にして与えてみます。

後半
スタートして1カ月たったころから

大きさ・かたさ

おかゆの場合：米と水の量が1:8の8倍がゆに。

にんじんの場合：ゆですり鉢ですりつぶし、水分で少しのばす。

青臭さが豆腐でまろやかに
ほうれん草の豆腐白あえ

材料
- ほうれん草（葉先） ……… 5〜10g
- 絹ごし豆腐 ……………… 5〜10g

作り方
1. ほうれん草は葉先のやわらかい部分をゆでて水にさらし、繊維を切るように刻んですりつぶす。
2. 豆腐をゆでてすりつぶし、①とあえる。

この時期の調理のポイント

たんぱく質源は必ず加熱を。湯でのばしてパサつきを防いで

　赤ちゃんは消化能力が未熟なので、たんぱく質の摂取が早すぎたり量が多すぎたりすると、体に負担がかかります。また、細菌への抵抗力も弱いので、必ず加熱して与えましょう。白身魚は加熱するとパサつきやすくなるので、湯を加えてなめらかにのばしたり、おかゆとあえて食べやすくするのがポイントです。

STEP 2　7〜8カ月ごろ

いつごろ？タイミングは？

前半
STEP1に引き続き2回食に慣れていく時期。今までは舌を前後に動かしてドロドロのペースト状のものを飲み込むだけでしたが、STEP2では舌を上下にも動かして、やわらかい小さなかたまりを舌と上あごでつぶして食べる練習を始めましょう。

後半
2回食に進んでから1カ月くらい経過し、2回とも量をしっかり食べられ、やわらかくて小さく刻んだものを舌でつぶして飲み込めるようになったら、形状も粗つぶし、食材も鶏ささ身など種類を増やしていきます。

どんなものをどれくらいあげる？

前半
水分の少ないポッテリとしたいものマッシュや、やわらかく煮て小さく刻んだ野菜、角切りにした絹ごし豆腐などを増やしていきます。納豆、鶏ささ身など、いろいろな種類のたんぱく質源も少しずつ食べられるようになります。食品のバリエーションを広げていきましょう。

後半
フォークで粗くつぶした野菜や、粗くほぐした白身魚など、ランダムな大きさや形のものを増やしていきます。やわらかくてふわふわしている絹ごし豆腐や卵焼きなどは、大きめにすくって挑戦を。やわらかいけれどそのままでは飲み込めない、形のあるものを加えていきます。

卵白はアレルゲンになりやすいので、7〜8カ月ごろまでは控えますが、卵黄に慣れたらごく少量ずつ全卵に進んでいきます。スクランブルエッグや茶碗蒸しは、STEP2の赤ちゃんに向くメニューですが、卵は必ず卵黄→全卵の順に進めます。皮膚やうんちに変化がなければ、ようすを見ながら量を増やします。

この時期は7倍がゆや刻みうどんに魚、豆腐、肉などのたんぱく質源や野菜をトッピングしたり、別々に盛って一つひとつの味や食感の違いを覚える単品食べも経験させましょう。

組み合わせてこんな献立に

献立例
● かぶとにんじんの納豆あえ（左）
● 白菜と麩のうどん（右）

食べさせ方のヒント

1　食事に集中できる姿勢
体が前かがみになったり、寝かせすぎないように、ラックの背もたれの角度を調整します。体勢が安定しない場合は、すき間に丸めたタオルなどを入れて支えても。テーブル付きのものにすると、手が置けて姿勢が安定します。

2　ゆっくり食べさせる
唇をしっかり閉じて、とり込むのを確認してから、ゆっくりと次の1さじを口に運びます。

3　いろいろな形や大きさのものを
ひとつの食材でも形状を変えてみたり、同じサイズでも食材違いを経験させてみて。よい咀嚼の練習になります。

タイムスケジュールの例

前半

午前10時の1回目の離乳食は食べ慣れたいつもの量でスタートし、新しい食品はここでチャレンジ。

2回目は午後6時ごろが目安。量は1回目の⅓〜½くらいからスタート。内容は食べ慣れたものに。

時刻	イベント
10	離乳食＋授乳
14	授乳
18	離乳食＋授乳
22	授乳

（ねんね／おふろ／お散歩）

後半

離乳食＋母乳・ミルクは必ずワンセットで1食にしましょう。毎日同じ時間に食べさせてしっかりリズムを作っていくことが大切です。

2回目の離乳食の量も1回目と同じくらいしっかり食べられるように。食後の母乳やミルクは欲しがるだけ飲ませます。

PART 4　赤ちゃんの食「母乳・ミルク」「離乳食」

離乳食の栄養バランスと進め方
STEP 2
7〜8カ月ごろ

前半
STEP2に移行して1カ月ごろまで

おかゆの場合
米と水の量が1:7の7倍がゆに。

大きさ・かたさ

にんじんの場合
やわらかくゆでて4mm角程度に切る。

加熱して甘みとコクをUP!
しらすのトマト煮

材料
- トマト（湯むきしたもの）……1/6個
- しらす干し……………………小さじ2

作り方
1. トマトは種を取り除き細かく刻む。
2. しらす干しはゆでて塩抜きし、粗刻みにする。
3. 小鍋に①と②を入れてひと煮する。

この時期の調理のポイント

パサつきやすい食品はとろみづけでサポート

　この時期、少しずつ細かく切った野菜や魚にチャレンジしていきますが、水分の少ない葉もの野菜や白身魚などは、パサついて上手に飲み込めなかったりします。切り方に注意するとともに、片栗粉やヨーグルト、ベビーフードなどでとろみをつけてあげるのがコツです。または、おかゆに混ぜると食べやすくなります。

後半
STEP2に移行して1カ月たったころから

おかゆの場合
米と水の量が1:6の6倍がゆに。

大きさ・かたさ

にんじんの場合
やわらかくゆでて6mm角程度のつぶを混ぜる。

見た目もきれいで食欲UP!
野菜煮の卵黄添え

材料
- かぶ……………………………10g
- 卵黄（裏ごししたもの）……小さじ1
- ブロッコリー（花蕾）………10g

作り方
1. かぶは皮をむいていちょう切りにしてゆで、細かく刻む。
2. ブロッコリーは、ゆでて花蕾を刻む。
3. ①と②をあえて、かたゆでして裏ごしした卵黄をふる。

この時期の調理のポイント

大きめに調理したものをフォークでつぶして与えて

　徐々に粗つぶし、粗ほぐしをプラスしていきます。にんじんやいも類などのやわらかいものはフォークで縦横両方向から筋目をつけるようにつぶし、白身魚はフォークの先で身をくずすように粗ほぐします。大きさ・形を変えたり、混ぜておじやにしたり、単品食べにしたり、いろいろと工夫してみましょう。

93

STEP 3 9〜11カ月ごろ

いつごろ？タイミングは？

前半

いよいよ3回食です。この時期になると、舌が前後・上下に加え、左右に動くようになります。舌で前後・左右に寄せて歯ぐきでつぶせない食べものは左右に寄せて歯ぐきでつぶして食べられるようになるので、バナナのかたさを目安に、指でつぶせる程度のものを徐々に増やしていきます。にんじんなどはやわらかく煮て6mm弱の角切りで与え、やわらかくゆでてスティック状に切ると、自分で持って食べる練習になります。

後半

手づかみが十分できるようになったら、大人の食事時間に近づけていきます。1才のお誕生日過ぎごろには、午前7時半、12時、午後6時となるよう目指していきます。

どんなものをどれくらいあげる？

前半

このころは、あじ、さんまなどの青背の魚や、牛、豚の赤身肉などにも少しずつ挑戦させてみましょう。赤身の肉、魚、レバーなど、鉄分が豊富な食材を意識して取り入れて。

少量の植物油やバターが使えるようになるので、調理のバリエーションが広がります。野菜は炒めるだけではやわらかくなりにくいので、炒めてから水を加えて煮る「炒め煮」がおすすめです。

また、このころになると離乳食を食べることに飽きてきて、「中だるみ」になることがよくあります。遊んでばかりで食べない、好き嫌いが出てきた、などの悩みも増えるころ。食べにくさが原因という場合も多いので、調理法や味つけなどを工夫してみましょう。

後半

主菜（肉、魚、大豆製品がメイン）、副菜（野菜がメイン）に、食べる意欲を育てるための手づかみ用スティックパンを主食として合わせます。

組み合わせてこんな献立に

献立例
- 豆腐ステーキ野菜ソース（左）
- すいか（右上）
- スティックパン（右下）

食べさせ方のヒント

1 口の前のほうで取り込ませる

前歯の近くには食べものの質感や温度、大きさを察知するセンサーがあるので、舌・あご・歯ぐきがスムーズに反応します。奥のほうに入れてしまうと、かまずにすぐ飲み込んでしまうので、気をつけましょう。

2 かめているかをチェック

ちゃんとかんでいるときは、かんでいる方向に唇がねじれます。

3 手づかみ食べで意欲をはぐくむ

自分で口に運ぶことは食べる意欲につながるので、スティック野菜など、自分で持てるようなメニューの工夫を。

タイムスケジュールの例

前半
- 1回目の離乳食は10時ごろに。量はSTEP2と同量でOK。初めて食べさせる食材はここで1さじからスタート。
- 2回目の離乳食は食べ慣れたものを。量は1回目、3回目の⅓〜½量から始めます。
- 3回目の離乳食。量はSTEP2と同量でOK。家族といっしょに食べられると楽しい食事タイムに。
- 4時間ほどあける。

時間: 4 5 6 7 8 9 10 11 12 13 14 15 16 17 18 19 20 21 22 23

授乳 / 離乳食＋授乳 / 離乳食＋授乳 / 離乳食＋授乳 / 授乳

ねんね / おふろ / ねんね / 外遊び / ねんね

後半
- 少しずつ大人の時間帯に。まず、1回目の離乳食をちょっと早めて9時ぐらいに。
- たっぷり遊んでおなかをすかせて離乳食に。
- おなかがすくようならおやつを加えても。
- 3回目の離乳食は午後6時ごろ。家族といっしょに食べると楽しい。

授乳 / 離乳食＋授乳 / 離乳食＋授乳 / 離乳食＋授乳 / 授乳

PART 4　赤ちゃんの食「母乳・ミルク」「離乳食」

離乳食の栄養バランスと進め方

STEP 3　9〜11カ月ごろ

前半
STEP3に移行して1〜2カ月ごろまで

大きさ・かたさ

- おかゆの場合：米と水の量が1:5の5倍がゆに。
- にんじんの場合：6mm角程度の指ですぐつぶせるくらいのかたさに。

片栗粉をまぶして食べやすく
かれいのわかめ吉野煮

材料
- かれい……………………15g
- 片栗粉……………………少々
- かぶ………………………5g
- わかめ（もどしたもの）………5g
- だし汁（P.89参照）………1/3カップ

作り方
1. かれいは、骨と皮のない部分を1cm程度に切り、片栗粉をまぶす。
2. ①を沸騰した湯で湯通しする。
3. かぶは皮をむいて5mm角に切り、わかめは細かく刻む。
4. 小鍋にだし汁を入れ、③を入れて煮て、②を加えてひと煮する。

この時期の調理のポイント

スティックに向く食材と向かない食材を上手に選んで
　このころの赤ちゃんは手の力の加減が上手にできず、手のひら全体でぎゅっと握りしめてしまうので、つぶれやすいいも類はスティックには向きません。にんじん、大根、トーストなどがおすすめです。めかじきなどの身がしまった魚もスティックに向いています。折れにくくなるよう、繊維に沿って切るのがコツです。

後半
STEP3に移行して1〜2カ月たったころから

大きさ・かたさ

- おかゆの場合：米と水の量が1:4の4倍がゆに。
- にんじんの場合：8mm角程度の指でラクにつぶせるかたさで。

やわらか素材で食べやすく
ふわふわベビーハンバーグ

材料
- 絹ごし豆腐…………………10g
- 豚ひき肉……………………10g
- 麩……………………………1個
- 牛乳…………………………少々
- みそ…………………………少々
- サラダ油……………………少々
- だし汁（P.89参照）……大さじ1〜2

作り方
1. 豆腐は、電子レンジで20秒加熱して水きりをし、裏ごしする。
2. ボウルに、①と豚ひき肉、細かく砕いた麩と牛乳とみそを入れて混ぜ、小判形に成形する。
3. サラダ油を熱したフライパンで、②の両面を焼き、だし汁を加えてふたをし、蒸し焼きにする。

この時期の調理のポイント

スティック以外の手づかみメニューもプラス
　最初のころは手のひら全体でギュッと握りしめるだけだったのが、平たいものをはさむように持ったり、指先で小さなものをつまんだりできるようになります。野菜スティックばかりでなく、小判形のじゃがいものお焼きやハンバーグなどをプラスして、手づかみメニューのバリエーションを増やしましょう。

STEP 4 1才〜1才6カ月ごろ

いつごろ？タイミングは？

前半

そろそろ1日3食をしっかり定着させる時期を迎えます。朝食は生活リズム作りのためにとても重要です。朝、脳や体のエネルギー源である炭水化物源をしっかりとることで、午前中を活発に過ごす準備が整います。また、うんちもスムーズに出るようになり、自然と生活リズムが整っていきます。

後半

前歯が生えそろい、奥歯も生え始める時期。少しずつひと口量を調節して、前歯でかじり取り、歯ぐきや奥歯でつぶして食べられるようになります。大人の食べ方とほぼ同じになりますが、まだかむ力は弱く、食べものによってかみ方を調整するのは難しいので、かたすぎるものや食べにくい形状のものは避けましょう。

どんなものをどれくらいあげる？

前半

このころの赤ちゃんは多くのエネルギーを必要としますが、まだ一度にたくさん食べることができません。1日3回の食事ではエネルギーが不足してしまうので、おやつが必要になってきます。おやつ＝お菓子と思いがちですが、赤ちゃんの場合は、ごはん、パン、めん、いも類などの炭水化物源をメインに、果物や牛乳などを添えるといいでしょう。

後半

肉だんご程度のかたさを目安に、手づかみで食べられるものや、いろいろな大きさ、形のものを与えてかむ練習をさせましょう。

また、自分でやりたい欲求が強くなる時期。手づかみ食べを存分にさせましょう。縁がなだらかな器は食べものが外にこぼれてしまうので、ココットのような立ち上がりのある器を使いましょう。

主食、主菜、副菜の3つのグループを意識しましょう。STEP3に引き続き手づかみメニューを用意し、自分で食べる意欲を育てます。

組み合わせてこんな献立に

献立例
- きざみ大豆入りおにぎり（左）
- わかめと玉ねぎのみそ汁（右上）
- 千草焼き（右下）

食べさせ方のヒント

1 自分から進んで食べる子に
食べものを手でつぶしたり、口に入れたり出したり。何でも試してみたい欲求と考えて「なんだろうね」とママもいっしょにかかわり、食べる意欲につなげましょう。

2 遊びから食事へ興味を
遊びに熱中しているときは「プーさんといっしょに食べようか」などと食事に興味が向くように話しかけてみます。

3 食べやすい食器とスプーン
赤ちゃんの手で握りやすいスプーンや、立ち上がりのある器を用意します。いすも足裏が床につく高さのものを選びます。

タイムスケジュールの例

前半
- 朝食は午前中の活動のエネルギー源。7〜8時ごろを目標にしっかり食べさせましょう。
- 昼食は12時ごろに。
- 3度の食事がしっかり食べられるようなら、おやつを。
- 遅くなると夜ふかしパターンになるので、夕食は18時ごろに。

時間軸：4 5 6 7 8 9 10 11 12 13 14 15 16 17 18 19 20 21 22 23

前半：牛乳／離乳食／牛乳／離乳食／おやつ＋牛乳／離乳食／牛乳／離乳食
（ねんね、おふろ、外遊び、ねんね）

後半
- 朝食は午前中の活動のエネルギー源。7〜8時ごろを目標にしっかり食べさせましょう。
- 昼食は12時ごろに。
- 昼食と夕食の間のエネルギー補給に、15時ごろおやつを。
- 遅くなると夜ふかしパターンになるので夕食は18時ごろに。
- 寝る前の牛乳やミルクは減らしていきます。

後半：牛乳／離乳食／牛乳／離乳食／おやつ＋牛乳／離乳食／牛乳

PART 4　赤ちゃんの食「母乳・ミルク」「離乳食」

離乳食の栄養バランスと進め方

STEP 4

1才～1才6カ月ごろ

前半
STEP4に移行して3カ月ごろまで

軟飯の場合
米と水の量が1：1.5～2の軟飯に。

大きさ・かたさ

にんじんの場合
1cm角程度のフォークですぐ切れるかたさに。

ひと口サイズの手づかみメニュー
めかじきの照り焼き

材料
- めかじき……………………15g
- サラダ油……………………少々
- だし汁（P.89参照）………大さじ1

Ⓐ
- しょうゆ………………小さじ½
- 砂糖……………………少々
- 水………………………小さじ1

作り方
① めかじきは小さくそぎ切りにし、Ⓐにつける。
② サラダ油を熱したフライパンで、①を両面焼く。
③ ②に、だし汁とⒶのつけ汁を加えてふたをしく蒸し焼きにする。

この時期の調理のポイント

風味豊かな食材や手づかみメニューで食欲アップ！

　この時期の赤ちゃんの毎日はとても刺激的。食事よりも興味をひかれることがたくさんあるので、食欲が落ちることがあります。一方、食べすぎが心配、というママもいて、食事量に個人差が目立つ時期です。食が進まなければ、削り節や青のり・きなこなどの風味豊かな食材をプラスして目先を変えるといいでしょう。

後半
STEP4に移行して3カ月たったころから

ごはんの場合
やわらかめのごはんに。

大きさ・かたさ

にんじんの場合
いろいろな切り方、かたさに。

かぼちゃの甘みでお肉を食べやすく
牛肉のかぼちゃ煮

材料
- 牛薄切り肉………………15～20g
- 片栗粉………………………少々
- えのきだけ…………………10g
- かぼちゃ………………30～40g
- だし汁（P.80参照）………½カップ
- しょうゆ、砂糖…………各少々

作り方
① 牛薄切り肉は、1～1.5cm長さの7～8mm幅の細切りにして片栗粉をまぶす。
② えのきだけは1cm長さに切り、かぼちゃは3mm幅の薄切りにし、1cm幅に切る。
③ 小鍋にだし汁を入れて②を煮て、やわらかくなったら①を加え、しょうゆと砂糖で調味してひと煮する。

この時期の調理のポイント

食べにくいものは食べやすく味つけは大人の⅓程度に

　たいていのものは食べられますが、奥歯が生えそろう2才～2才半ぐらいまでは、まだかむ力は未熟なので、食べやすい調理法を心がけます。かみにくいものは、食べやすく切って与えましょう。野菜は輪切り、せん切りなど、いろいろな切り方でカミカミの練習を促します。味つけは大人の⅓程度が目安です。

幼児食

1才6カ月ごろ～

将来の食生活習慣の基礎を作るとき

離乳食を卒業したからといって、すぐに大人と同じ食事ができるわけではありません。奥歯やあごの発達状態で、食事内容を考え、子どもに合った進め方をしていきます。このころは、基本的な生活習慣を身につけていく時期。幼児期の「食事」は食物から栄養をとる「栄養補給」であるだけでなく、「将来の健康的な食生活習慣」を身につけるための基盤になるものです。そのためには、1日3食を規則正しく食べる習慣を身につけましょう。食事は生活リズムの基本です。味覚が発達する時期なので、色々な食材をとり入れます。また毎日の栄養バランスを整えるのが難しいようなら、一週間単位で考えて。薄味を心がけましょう。

雰囲気や気分で食べたり食べなかったりするムラ食べや偏食など、ママを悩ませることも多くなりますが、おなかがすく生活リズムを考え、あせらずに食べる意欲を引き出し、なごやかで楽しい食卓を心がけていきましょう。上手に食べたときにはほめてあげ、

[幼児食のポイント 4]

Point 1 食べやすさのひと手間を忘れずに

歯の生え方も食べ方の習得も、早い子、のんびりな子と個人差が大きいものです。1才6カ月を過ぎたからといって、いきなり大人と同じメニューにするのではなく、3才くらいまでは、かたすぎるものや食べにくい形状のものは避け、かみごたえはあるけれども、大人のものよりはやわらかめにするなどの調理方法を心がけましょう。いろいろな切り方や形状を経験させて、かむ力やかみ方を調整する力を育てていきましょう。

Point 2 味つけは大人の⅓～½が目安

1才6カ月を過ぎたら、少しずつ、調味料の幅を広げていきましょう。大人と同じカレーなど刺激の強いものや、味の濃いものはまだ無理。味覚の発達のためには薄味が基本です。味つけは大人の⅓～½くらいを目安に考えます。レトルトなどの加工食品を使う場合は、子ども用のものを選びます。また大人の食事から取り分けるときは、味がしみこんでいない内側の部分だけを食べさせるなど、臨機応変に対応を。

Point 3 食べる意欲をはぐくむ楽しい環境作りを

自分で食べたい気持ちが高まってくるので、スプーンを持たせましょう。最初は上手にすくうことができませんが、だんだん自分で食べられるようになっていきます。一生懸命食べたときや上手に食べられたときは、たくさんほめてあげましょう。情緒も豊かになる時期なので、食事が楽しくなる言葉、会話を心がけてかけてあげましょう。

Point 4 空腹がいちばん！ 生活リズムを整えて

幼児食は、栄養や咀嚼だけを見るのではなく、「食生活」としてトータルに考えます。食事は、睡眠、おふろ、遊びなどとつながる生活のひとコマ。早寝早起きをして朝食を食べれば午前中から元気に遊べますし、うんちのリズムも整います。おなかをすかせて食べるごはんは何よりのごちそう。よい生活習慣作りのために生活を見直していきましょう。

生活リズムとしつけ

赤ちゃんには、それぞれの月齢に応じた、
生活リズムがあります。
規則正しい生活リズムを作り、
その月齢に応じた生活習慣を無理なく身につけさせるための
環境作りを考えましょう。

PART 5

赤ちゃんの生活リズムの作り方

[月齢別に生活リズムの作り方、整え方をレクチャー]

今は将来の生活リズムの基礎を作る大切な時期。どんなふうにリズムを作っていったらいいのでしょうか。

ねんねと授乳のリズムは個人差が大きいもの

生後間もない赤ちゃんの1日は、昼夜なくおっぱいを飲んではねんねの繰り返し。成長するにつれ、しだいに夜眠る時間が長くなり、授乳時間が定まってきます。でも中にはなかなか授乳回数が減らなかったり、夜中に何度も授乳が必要な赤ちゃんも。リズムができない……と、あせるママも多いことでしょう。

でも、心配しないで。これは大人でも満足できる睡眠時間に差があるように、赤ちゃんの睡眠・授乳リズムにも個人差があるからなのです。ペースは赤ちゃんによりさまざまで、「これが正解！」というお手本はありません。特に生まれてしばらくは、ママががんばってもリズムを作れないもの。赤ちゃんに合わせてあげればいいのです。

赤ちゃんのペースに合わせて、生活リズムを整えること

個人差があるとはいえ、朝起きて夜眠る基本的な生活リズムは、親がサポートしながら作らなくてはいけません。授乳や睡眠は赤ちゃんに合わせながらも、朝はカーテンを開けて部屋を明るくし、昼間は赤ちゃんが寝ていても無理に静かにせず、ふだんどおり生活します。夜になったら室内を暗くし、静かな眠りやすい環境を整えてあげて。

そして、離乳食が始まったら、できるだけ時間を決めて食べさせましょう。ごきげんなうちに散歩へ出かけたり室内でもたくさん遊べば、赤ちゃんは疲れて夜ぐっすり眠れます。特別なことをするというより、こうした規則的な毎日を繰り返すことで、生活リズムが身についていくのです。

大人の生活に付き合わせてはダメ。リズムが乱れると弊害が

近年、生活がいっそう夜型になり、パパの遅い帰宅につられてママも赤ちゃんも夜型に傾いている家庭が少なくないようです。でも、赤ちゃんの夜型生活は考えもの。赤ちゃんがたくさん眠るのは、脳と体の休息と発達にそれが必要だからです。

赤ちゃんの生活リズム**改善のコツ10**

生活が乱れてしまったら、どうすればいいの？
改善のコツをチェック！

1. 朝はカーテンを開けて日の光を取り込み、昼夜の区別をつける。
2. 6カ月以降は、なるべく朝7〜8時ぐらいの決まった時間に起こす。
3. 離乳食をある程度時間を決めて、1日の予定に組み込む。
4. 昼は元気に、夜は静かに過ごすようにして、昼夜のメリハリをつける。
5. 昼間はお散歩や外遊びに積極的に出かけて、活動量を増やす。
6. 就寝時間に影響しないよう、昼寝は遅くとも午後4時を過ぎないようにする。
7. 11カ月以降のおふろは、寝る1時間前ぐらいにする。
8. 大人の生活が夜型の場合は、そのリズムに赤ちゃんを付き合わせない。
9. 夜ふかしの翌朝でもいつもどおり起こして、リズムの乱れを引きずらない。
10. 就寝時間になったら、部屋を暗くして眠りやすい環境を整える。

PART 5　生活リズムとしつけ

赤ちゃんの生活リズムの作り方

赤ちゃん時代は生活リズムの基礎を築く準備期間と考えて

それもただ長く眠ればいいわけではなく、たとえば発育に欠かせない成長ホルモンは、早寝早起きのリズムが整ってこそ睡眠中に十分分泌されるようになると考えられています。

また夜ふかしをすると、自律神経やホルモンバランスが乱れる原因になることも。そのため昼間ぼんやりしたり、イライラ感が増してキレやすくなるなど、さまざまな弊害が起こると指摘されているのです。

朝ごはん抜きで登園・登校する児童が増え、社会問題のひとつになっています。朝ごはん抜きだと元気が出ないばかりか、血糖値が下がるので物覚えが悪くなり学習意欲が低下してしまうといわれています。

また、空腹時間が長くなるとエネルギーをためやすい体質になり、肥満を招くとも考えられています。

学校に通うのはまだ先だから……と赤ちゃん時代に朝寝坊の習慣がついては、発育・発達の面で心配ですし、保育園や幼稚園などの集団生活が始まってから急に対応するのは難しいでしょう。

赤ちゃん時代は、将来の生活リズムの基礎を作る準備期間。こうした学童期に心配な問題を防ぐためにも、赤ちゃん時代から早寝早起きのリズムを整えてあげましょう。

生活リズム見通しマップ

排泄・おふろ・遊びなど	月齢	睡眠・授乳・離乳食など
ベビーバスで沐浴。 もう大人といっしょのおふろも入れます。 授乳のたびにうんちという子も。おしっこもうんちも回数が多い時期。	0〜1カ月	昼夜の区別なく、おなかがすいたら泣き、おっぱいを飲み、またねんねを繰り返します。
抱っこやベビーカーでのお散歩もOK。	2〜4カ月	少しずつ夜のねんねがまとまってきます。 授乳が3〜4時間おきになる子も。
離乳食を始めると、便がかたくなったり、逆にゆるめになることも。 1日1回はお散歩を。	5〜6カ月	そろそろ離乳食をスタート。 夜泣きが始まる子も。
その子なりの排便ペースができてきます。	7〜8カ月	離乳食を1日2回に。授乳は食後にたっぷりと。
昼間は家の中や外でしっかり遊び、生活にメリハリを。 眠る前にパジャマに着替えさせても。	9〜11カ月	お昼寝の時間が減り、夜眠る時間がまとまって長くなってきます。 離乳食を1日3回に。
あんよが始まり、外遊びが楽しくなる時期です。 入浴は眠る1時間くらい前が理想。	1才〜1才6カ月	お昼寝が1日1回になる子が多数。 1日3回の食事のほか、おやつで栄養を補給。
1日1回、2時間ぐらいはお散歩か公園遊びを。 排便ペースはほぼ大人と同じ回数に近づきます。	1才7カ月〜2才	夜は9時ごろには寝て、翌朝は7〜8時ごろ起こすようにします。
昼間はたっぷり公園などで外遊びを。	2才1カ月〜3才	お昼寝の時間は短くなるか、寝ない子もいます。

0〜1カ月

赤ちゃんが欲しがるときに飲ませ、眠くなったらねんねのペースで

この時期の赤ちゃんは、昼夜の区別はまだできず、眠ってはおっぱいを飲み、またうとうとすることを繰り返します。おっぱいが上手に吸えず、母乳の出方も一定でないので、授乳時間は不規則になりがち。でも時間にこだわらず、赤ちゃんが泣いて欲しがったら飲ませて。

れば、しだいに赤ちゃんなりの授乳間隔ができてきます。排泄機能は未熟なので、うんちもおしっこも頻繁で、授乳のたびにおむつ替えが必要なことも。ママはたいへんですが、上手に休憩をとりながら、赤ちゃんの生活リズムに合わせてください。

このころの赤ちゃんの1日　生活リズム作りのポイント付き

時刻		
AM 0	授乳	
	ねんね	
2	授乳・うんち	うんちもおしっこも頻繁です。おむつが汚れていたら早めに替えてあげて。
	ねんね	
4	授乳・うんち	赤ちゃんが泣くのを合図に、欲しがるときに授乳します。
	ねんね	
6	授乳・うんち	
	ねんね	
8	授乳・うんち	
	ねんね	
10	授乳・うんち	
	ねんね	
PM 0	うとうと	お散歩はまだ。ときどき新鮮な空気を室内に入れるだけで十分です。
	授乳・うんち	
2	ねんね	
4	沐浴・授乳	1日1回、授乳と授乳の合間に沐浴させます。
	ねんね	
6	授乳・うんち	
	ねんね	
8	授乳・うんち	
	ねんね	
10	ねんね	昼夜区別なくうとうと。ねんねは赤ちゃんのペースに合わせて。

※目安として参考にしてください。

2〜4カ月

まとめて眠れるようになる赤ちゃんも。でも、まだリズムは赤ちゃんまかせです

2カ月ごろになると夜の睡眠時間が長くなってくる赤ちゃんもいますが、まだまだ頻繁に泣いて起きる子も。この時期の睡眠時間には個人差がありますが、生活リズムは赤ちゃんまかせで大丈夫です。少しずつ昼と夜の区別がついてくるので、昼間起きているときはできるだけいっしょに遊んで、昼と夜の違いを教えてあげてください。

3〜4カ月になるとおなかのすき方が規則的になり、授乳の間隔が徐々に定まってきます。授乳のペースをつかむと、その時間をベースに少しずつ生活リズムを作りやすくなります。

このころの赤ちゃんの1日　生活リズム作りのポイント付き

時刻		
AM 0	授乳	
	ねんね	
2	授乳	3〜4カ月になったら、徐々に3〜4時間おきの授乳ペースに。
	ねんね	
4	ねんね	
6	授乳・うんち	新生児のころに比べてうんちの回数が減りますが、生理的なものです。
	ごきげん	
8	ねんね	
10	授乳・うんち	ベビーカーか抱っこで、1日1回、30分くらいのお散歩を習慣に。
	散歩・ママと遊ぶ	
PM 0	ねんね	
2	授乳	
	ねんね	
4		
	授乳・うんち	おふろはなるべく時間を決めて。夜遅くならないように注意します。
6	おふろ・ぐずぐず	
	ねんね	
8		
	授乳	
10	ねんね	少しずつ昼夜のメリハリを。昼間は遊び、夜は部屋を暗くして。

※目安として参考にしてください。

PART 5 生活リズムとしつけ

赤ちゃんの生活リズムの作り方

5～6カ月

生活リズムの基礎作りの時期。朝起きる時間を決めて1日の流れをスムーズに

そろそろ離乳食を始めます。1日1回、ママがゆったりと向き合える時間帯を選びましょう。タイミングをつかめたら、赤ちゃんに合わせて、生活リズムを作っていくとよいでしょう。

ポイントは早寝早起きを実行すること。朝起きる時間を決めると自然と眠るようになり、授乳タイムも決まり、1日の流れがスムーズです。

夜はだいぶまとまって眠るようになり、授乳の時間もだいたい決まってきます。食事のリズムができると食事のリズムをなるべく決める時間帯をなるべく決めると食事のリズムができてきます。

このころの赤ちゃんの1日 〈生活リズム作りのポイント付き〉

- AM 0　授乳
- 2　ねんね
- 4
- 6
- 8　授乳・うんち／ママと遊ぶ／ねんね
- 10　離乳食＋授乳／散歩
- PM 0　ねんね
- 2　授乳・うんち／ぐずぐず／ねんね
- 4
- 6　授乳／おふろ・パパと遊ぶ
- 8　授乳
- 10　ねんね

ポイント:
- 7～8時にはカーテンを開けたりして、目が覚めるよう働きかけましょう。
- 離乳食は毎日同じ時間帯にあげるのが理想ですが、無理強いは禁物。
- お散歩大好き。1日1回は外の空気にふれてたっぷり遊びたいですね。
- 離乳食に慣れないうちは、便の回数が増えたりゆるくなることも。
- 夜の睡眠時間がまとまってきて、夜中の授乳がなくなる赤ちゃんも。

※目安として参考にしてください。

7～8カ月

よい生活リズムのお手本は、パパやママ。家族みんなで規則正しい生活を！

少しずつ大人の生活に近づいてきます。離乳食も1日2回に進み、うんちも定期的に出るようになってくるこの時期は、生活リズムを整えるいいチャンス。赤ちゃんの生活リズムはパパやママに影響されることが多いので、家族そろって規則正しい生活をするよう心がけてください。

また、このころになると夜泣きでねんねのリズムが乱れる赤ちゃんが出てきます。ママは睡眠不足になりがちなので、疲れたら無理をせず、赤ちゃんが昼寝しているときはいっしょに休んだりして、乗り切るようにしてください。

このころの赤ちゃんの1日 〈生活リズム作りのポイント付き〉

- AM 0
- 2　ぐずぐず
- 4　ねんね
- 6
- 8　授乳・うんち／ママと遊ぶ／ねんね
- 10　離乳食＋授乳
- PM 0　散歩
- 2　授乳・うんち
- 4　ねんね
- 6　離乳食＋授乳／おふろ・パパと遊ぶ
- 8　授乳
- 10　ねんね

ポイント:
- 夜泣きが始まったら、抱っこなどで赤ちゃんを落ち着かせます。
- うんちが2～3日出ていないようなら、マッサージや綿棒浣腸を。
- 抱っこしてもらえば、公園の遊具に乗ることもできるように。
- 2回目の離乳食を夕食の時間に合わせて、家族みんなでの食事タイムを。
- 入浴後はパジャマに着替えて、夜の睡眠とお昼寝との区別をつけて。

※目安として参考にしてください。

103

9〜11カ月

昼は活動的に、夜は静かに眠れる雰囲気作りを。生活にメリハリがついてきます

朝は決まった時間に起こし、午前中外で遊ばせ、帰宅したら昼食、お昼寝と、1日の流れをだいたい決めておくと赤ちゃんもそのペースにしだいに慣れてきます。つかまり立ちや伝い歩きで行動範囲が広がり、動きもますます活発になるので、昼間は公園などで体を動かし出てきます。

してたっぷり遊ばせると、夜はぐっすり眠れるようになります。

離乳食は1日3回。食事と食事の間は4時間くらいあけると、おなかがすいてよく食べるようになります。大人と同じ食事時間にすれば、家族でテーブルを囲む楽しみも出てきます。

このころの赤ちゃんの1日 _{生活リズム作りのポイント付き}

時間	行動	ポイント
AM 0	ねんね	
2		
4		
6	授乳	栄養の多くを離乳食からとるようになりますが、授乳はまだまだ必要です。
8		
10	離乳食＋授乳 うんち	離乳食は時間を決めて。大人からの取り分けなどで手早く作る工夫を。
PM 0	外で遊ぶ	昼間はできるだけ体を動かして遊ばせると、寝つきがスムーズ。
2	離乳食＋授乳	
4	ねんね うんち・散歩	お昼寝は夜の睡眠に影響しないよう4時ごろまでには切り上げて。
6	離乳食＋授乳 おふろ・パパと遊ぶ	
8	授乳	
10	ねんね	パジャマに着替えさせ、部屋を暗くして、ねんねの環境を整えて。

※目安として参考にしてください。

1才〜1才6カ月

寝る時間と起きる時間を決めて守れば、生活リズムが崩れません

寝る時間、起きる時間、食事や遊びの時間がだいたい決まってきます。大人の生活リズムに合わせて夜型になってしまう赤ちゃんも見られますが、まだまだ赤ちゃんのリズムを優先させて。夜は遅くとも9時には寝かせられるよう、夕食、入浴の時間を調整します。就寝時間が近づいたら、いったんはテレビを消して静かに眠れる雰囲気にするなど、せっかく身についてよいリズムを保てるような環境を作りましょう。

1日3回の離乳食の時間をほぼ決めて生活全体のリズムを整えると、自然とうんちのリズムも整ってきます。

このころの赤ちゃんの1日 _{生活リズム作りのポイント付き}

時間	行動	ポイント
AM 0	ねんね	
2		
4		
6		
8	離乳食 うんち	時間を決めて食べさせ、次の食事までにおなかをすかせる習慣を。
10	外で遊ぶ	遊び、食事、お昼寝など、ある程度予定を決めて日課にする。
PM 0	離乳食	
2	ねんね おやつ	
4	ひとりで遊ぶ	おふろはだいたい時間を決めて。寝る1時間くらい前までに入れて。
6	離乳食 おふろ・パパと遊ぶ	食後の歯みがきを習慣づけ、夜、寝る前にはママが仕上げみがきをして。
8	授乳・歯みがき	
10	ねんね	夜は9時には寝かせ、翌朝7〜8時には起こしましょう。

※目安として参考にしてください。

PART 5　生活リズムとしつけ

赤ちゃんの生活リズムの作り方

1才7カ月〜2才

早寝早起きの習慣をつけましょう。毎日の同じリズムが情緒の安定にもつながります

早寝早起きなど、同じ生活リズムの習慣を身につけるようにしていきましょう。そうすることによって、だんだん子どもなりに次の行動への見通しがたてられるようになり、情緒の安定にもつながります。

食事は幼児食になり、30分ぐらいで起こすようにしましょう。

お昼寝はだんだん短くなりますが、4時ぐらいまでにはすませるように。長く眠りそうなときは、一定の時間で起こします。夕方から寝てしまったりしたときには、夜に眠れなくなることがあるので、自分ひとりで食べたい意欲も出てくるころ。

このころの子どもの1日　生活リズム作りのポイント付き

- AM 0〜 睡眠
- 7〜 朝食 ／ 朝は7〜8時ごろの決まった時間に起こすようにしましょう。
- 朝食は遅くても8時半までに、午前中のエネルギーをたっぷりとって。
- 10〜 ママと児童館に行く／公園で遊ぶ ／ 午前中は公園などでしっかり外遊び。雨の日なら児童館などへ工夫を。
- PM 0〜 昼食
- 家で遊ぶ
- お昼寝 ／ お昼寝は毎日同じ時間に。午後4時ぐらいまでにはすませましょう。
- ママと買い物・おやつ
- ひとりで遊ぶ／夕食
- パパと遊ぶ・おふろ・歯みがき ／ おふろはなるべく毎日同じ時間に入れましょう。
- 10〜 睡眠

※目安として参考にしてください。

2才1カ月〜3才

朝は決まった時間に起こし、1日のスタートの朝食はしっかりと

1日の生活の流れがほぼ決まってきますが、大人の生活リズムに合わせて夜ふかしになっていたら、軌道修正をします。

入園など、集団生活の予定がある場合、急に短期間で生活リズムを変えるのは子どもにとって負担が大きいもの。ゆっくり時間をかけて少しずつ改善していくように心がけてください。

朝はやはり7時ぐらいには起き、1日元気に体を動かして遊べるよう朝ごはんをしっかり食べさせます。午前中に公園などで外遊びをたっぷりして活発に動き回ると、ほどよく疲れて早寝につながります。

このころの子どもの1日　生活リズム作りのポイント付き

- AM 0〜 睡眠
- 朝は7〜8時には起こしましょう。夜は9時には就寝を。
- 7〜 朝食 ／ 食事は規則正しく。特に朝食は時間を決めて量もしっかり。
- 家で遊ぶ
- 10〜 公園で遊ぶ ／ 午前中に外遊びなどで思いきり体を動かしましょう。
- PM 0〜 昼食
- ママと遊ぶ
- おやつ
- ママと買い物・散歩
- 夕食
- パパと遊ぶ・おふろ・歯みがき ／ おふろは毎日同じ時間に。寝る直前の熱いおふろは目がさえてしまうので避けます。
- 10〜 睡眠 ／ お昼寝をしない子もでてきます。昼に十分体を動かすと、翌朝まで熟睡することも多くなります。

※目安として参考にしてください。

赤ちゃんの生活習慣のしつけ

[シーン別・無理なく生活習慣を身につけるために]

歯みがき、手洗い、食事などの生活習慣を、赤ちゃんがいやがることなく、自然に身につけさせるためには？

自分でやりたい気持ちを大切に。発達に合わせたサポートを

1才ぐらいになると、ママやパパの行動をまねするのが大好きになります。このころが生活習慣を身につけさせるスタートの時期です。途中から遊びになってもかまわないので、どんどんまねをさせるとよいでしょう。

2才代になると、言葉でのやりとりでしつけができるようになります。できなくてかんしゃくを起こしたら、さりげなくサポートして、「自分でできた」という達成感を味わわせてあげましょう。

さらに3才代になると、「なぜこういうことをするのか」と、意味を考えるようになります。物事の理由を説明してあげると納得して、自分から進んでやることが多くなるでしょう。子どもはいつでも順調にできるようになるとは限りません。ママは早くできるようになってほしいかもしれませんが、習慣づけがいちばんの目的。気持ちに余裕を持って少しずつ進めてください。

歯をみがく

歯みがきは楽しくスタート。ママの仕上げみがきを習慣づけて

歯が生え始める6カ月ごろから、離乳食の後にはお茶や水を飲ませます。口の中が気持ちよくなることを、まず赤ちゃんに感じさせましょう。そして口の周りや歯をガーゼなどでふくようにします。次に上下の歯が生えそろう1才ごろになったら、赤ちゃんに歯ブラシを持たせて慣れさせます。みがくのはママの役目。ただ、いやがるようなら無理やり口の中に歯ブラシをつっこんだりしないこと。その経験で歯みがき嫌いになることがあるからです。

2〜3才になったら、ママが仕上げみがきをする習慣をしっかりつけたいものです。ママと歯みがきごっこをしてみたり、ぬいぐるみの歯をみがかせてみたりして、歯みがきが怖くないことをわからせます。毎食後が理想ですが、最低1日1回夜寝る前にはするようにしましょう。

手洗い・おふろ

手洗いはまずママがお手本を。おふろは嫌いにならない工夫を

手洗いは「ごはんの前に洗う」「外から帰ってきたら洗う」など、ママといっしょに洗面所に行って、ママが自分の手を洗うところを見せてから、子どもの手を洗ってあげましょう。ママが子どもといっしょに手を洗っていれば、2才過ぎごろからだんだん習慣化してきます。自分でやりたがるようになったら、踏み台などを用意して、洗い方なども教えてあげるといいでしょう。

おふろでは、顔にシャンプーやお湯がかかったりするのが苦手で、おふろ嫌いになってしまうことがあります。おふろおもちゃやグッズなどを上手に使って、おふろタイムが楽しくなるようにしてあげましょう。泡がおもしろくて興味があ

PART 5 生活リズムとしつけ

赤ちゃんの生活習慣のしつけ

トイレトレーニング
おしっこの間隔をチェック。ママが節目で誘いましょう

ママがおむつをはずしたいなと思ったら、子どもがひとりで歩けるか、おしっこの間隔が1〜2時間以上あくことがあるかなどをチェックしてみましょう。子どものおしっこの間隔を調べてみたら、おっこをしているときやした そうなときの子どものしぐさもチェック。子どもによっていろいろですが、もじもじしたり、ボーッとしたりするしぐさがよく見られるようです。その間隔やようすを参考にしながら、朝起きたときや食事の前後などの節目で、子どもをトイレに誘ってみましょう。毎日同じようなペースで誘うことが大事です。トイレは子どもがいやがらないような雰囲気作りを心がけて、補助便座なども用意しておきます。

このように決まったタイミングでトイレに連れて行っておしっこができるようになったら、次はだんだん自分からおしっこがしたいと言って、トイレに行くようになります。

便座に座るまでおしっこをがまんできるのは、膀胱の機能が整ったからです。膀胱のおしっこをためる機能が整わなければ、おむつをはずすことはできません。機能の発達は個人差が大きいので、2才過ぎでとれる子もいれば、4才過ぎまでおむつの子もいます。トレーニングを始めてみたものの、おもらしが続いて進まないというときは一度お休みして、子どもの発達を待って再開するといいでしょう。

食事
手づかみ食べは十分にさせて。食べこぼしても意欲を尊重して

手づかみは自分で食べるためのベース。1才代では自分の顔やテーブルの上に食べものをくっつけながらも、ひとりで食べようとします。このころは手づかみで食べる楽しみを十分に味わわせてあげましょう。スプーンを使うことはまだ上手ではないのですが、食卓にスプーンの用意をしてあげると、大人のまねをしてしだいに使ってみるようになります。

2才ぐらいになると、こぼしながらもスプーンやフォークを使うようになります。そして、片方の手で器を押さえたりすることもできるようになります。

3才ぐらいにできるようになると、スプーン使いが上手になり、お箸にも興味が。まだ握り箸ですが、フォークのように刺して食べたりするようになります。まだまだきれいに食べることはできませんが、しかし、で。せっかくの食べる意欲ですから、楽しい食事タイムで育ててあげましょう。

着替え
自分でできることを増やしていけるよう、ママはサポートを

自分でやりたい気持ちが芽生える1才代のころからが、着替えを教えるチャンスです。「お手々出してね」などと声をかけながら、できるだけ楽しくママが着替えさせます。そんな中で少しずつひとりでできることが増えていくでしょう。

2才ぐらいになると「自分で」の気持ちが強いにもかかわらず、うまく着ることができない場合も。ママの手伝いをいやがることもあるので、さりげなくサポートしましょう。3才になるとずいぶんできるようになりますが、まだ服の前後ろがわからなかったりします。ママは服の向きなどをそろえたり、事前にセッティングをしてあげてください。

しかり方知りたい Q&A

毎日の生活シーンで、しつけをしようとして、ついカッとなってしまうことが。子どもにやってはいけないことを伝えるとき、どんなふうにしかったらいいのでしょうか。

Q 授乳中、8カ月の子に思いきり乳首をかまれました。あまりの痛さに大声で「もうあげない！」と言ってしまいました。

A なぜいやだったかという気持ちを真剣に伝えて

大切な場面では真剣に怒っていることを伝える必要がありますが、だからといって大声で脅すのはよくありません。「ママはすごく痛かったよ、かまないでね」という、なぜいやだったかという気持ちをはっきり伝えるだけで十分です。

Q 1才2カ月ですが、離乳食をグチャグチャにするのでカッとなり、残りを無理やり口に入れて食べさせてしまいました。

A 無理強いはだめ。遊び始めたら、切り上げて

子どもはおなかがいっぱいになると遊び始めることがよくあります。また食べる量も一定ではなく、食べムラがあるもの。長い時間だらだら食べさせていないで、「もうおなかいっぱいなんだね」と、ある程度で切り上げましょう。無理強いを続けていると食事が嫌いになってしまいます。

て、声を荒らげてしまいがちです。子どもが1才代ぐらいならまだ自分の衝動を抑えられないので、大声でしかっても意味がありません。代わりのおもちゃを与えるなど、気持ちをそらす工夫をしましょう。

2～3才になると言葉が出ているものの、それでもまだ自分の感情を整理して言葉で伝えるのは難しく、つい取りあげてしまったのでしょう。むやみにしかるのではなく、「かしてね」と言葉で気持ちを伝えることを教えてください。言葉で気持ちを伝えられることをママがふだんから身をもって示していくといいでしょう。

Q トイレトレーニングがうまくいかなくてイライラ。2才半なのに、よその子と比べてしかってしまいます。

A よその子と比べてあせらずに体の発達の個性と受け止めて

膀胱(ぼうこう)の機能の発達は一人ひとり違うものなので、よその子と比べてあせる必要はまったくありません。しかも、しかってできるようになるものではありません。おしっこをためる膀胱の機能が整って、初めておむつをはずすことができるのです。それをママがきちんと理解して受け止めてあげましょう。

Q 公園で友だちのおもちゃを取りあげて泣かせてしまったので、大声でどなってしまいました。

A むやみにしかるのではなく気持ちの伝え方を教えます

子どもより相手のママに気をつかっ

Q 3才なのにグズグズと着替えさせてもらいたがるので、「早くしなさい！」としかりつつ、結局私が着せてしまいます。

A しからずに甘えたい気持ちを受け止めて

自分でなんでもしたがり、実際できることも多くなる3才なのですが、まだまだ甘えたい年ごろ。もしかしたら自分でできることでも、ママにやってもらいたがっているのかもしれません。そんなときはしかったりせず、着せてあげてかまわないのです。甘え足りたら、自分で着替えるようになるでしょう。そのときはうんとほめてあげてください。

108

赤ちゃんの心と脳の育て方

「かしこい子になってほしい」
「思いやりのある子に育てたい」、
ママやパパの期待は大きくふくらみますね。
赤ちゃんの心と脳を健やかにはぐくむために、
どんなかかわり方が必要なのでしょうか。

PART 6

赤ちゃんの心を育てるためにできること

[ママ・パパが伸ばしたいと願うポイント別にレクチャー]

日常生活でのちょっとした心がけで、赤ちゃんの心をより豊かにはぐくむことができます。

笑顔と声かけが赤ちゃんの心を育てる第一歩

「赤ちゃんの心を育てるためには、どんなことをしたらいいと思う？」と聞かれたら、あなたなら何と答えますか？ きっとたいそうなことをしなくてはいけないのだろうと思うかもしれません。でも実は、多くのママやパパは自分では意識せずに、すでに毎日の生活で実践していることなのです。

それは、毎日、赤ちゃんにおっぱいやミルクを飲ませたり、おむつを替えるときに自然に生まれてくる笑顔と「たくさん飲んでね」「気持ちよくなったね」といった声かけ。ニコニコした笑顔ややさしい言葉をかけられることによって、赤ちゃんはママやパパからの愛情をしっかりと感じることができ、さらに、ママやパパを信頼するという、大切な気持ちを学びとっていきます。

ママやパパが特に伸ばしたいと願うポイント別に、毎日の生活の中で、笑顔や声かけのほかに、赤ちゃんに対してどんなことを心がけていったらいいのかをご紹介します。

育てたいポイント ①

やさしい心

1才ぐらいまでの間に基本的信頼感を育てること

やさしい心とは、相手の気持ちや感情を考えて、相手を思いやれる心のこと。実はこの思いやる気持ちを赤ちゃんに教えることは、育児の中で特に難しいことのひとつといえます。そのために周りの大人への基本的信頼感を育てることです。

基本的信頼感は、赤ちゃんの「おなかがすいた」「おむつがぬれて気持ちが悪い」などの気持ちに対して、しっかり対応してくれたという経験を繰り返すことで芽生えます。つまり、赤ちゃんはこの基本的信頼感を得ることで、自分が大切にされていることを感じ取り、それが「相手を大切にする」という思いやりの気持ちへとつながるのです。

「やさしい心」を育てるために ママ&パパができること

1　赤ちゃんの要求にはできる限り応えて基本的信頼感を育てる

赤ちゃんが泣いて何らかの不快や苦痛を訴えたら、それを大人は極力取り除いてあげることが大切。この要求に大人が応えることで基本的信頼感が育つのです。

2　満足するまで甘えさせてOK。しつけはそのあとで十分

赤ちゃんが満足するまで抱っこしてあげてください。1才前後までは、泣く←抱っこを繰り返し、甘えさせましょう。しつけは基本的信頼感が育ってからでOK。

3　赤ちゃんをなでたり、やさしいスキンシップで親の思いやりが伝わる

赤ちゃんをなでたり、やさしくふれてあげることも大切。スキンシップはママやパパの「大切に思っているよ」という気持ちを赤ちゃんに伝えてくれます。

P110〜117指導／淑徳大学総合福祉学部教授・心理臨床センター教育部主任　金子保先生、桜美林大学心理・教育学系准教授　山口創先生

PART 6 赤ちゃんの心と脳の育て方

赤ちゃんの心を育てるためにできること

こんなことからスタート！
「やさしい心」を育てる ヒント5

ヒント1
語りかけは、やさしく、ゆっくり、抑揚をつけて

ママが赤ちゃんに語りかけるときは、少し高めの声でゆっくり、抑揚をつけるようにしましょう。またママが日ごろからやさしい口調で接することも大切。赤ちゃんにママのやさしい気持ちが伝わりやすくなります。

ヒント2
ママとパパがお互いを思いやる行動を見せて

赤ちゃんの前で、ママとパパがお互いを思いやる行動を見せると、赤ちゃんも自然と同じような行動をとるようになります。赤ちゃんは、まねすることで自然に人の行動を学ぶので、両親の日ごろの姿はとても大事です。

ヒント3
抱っこやマッサージなどを日常的に行う

やさしいスキンシップは愛情表現のひとつ。日常的に抱っこやマッサージをしてあげることで、あなたを愛している、大切にしているという思いやりの心が伝わります。抱きぐせがつくなどということは気にせずに、十分なスキンシップを。

ヒント4
伝えたいことがあるときは表情や言葉に感情をこめて

赤ちゃんはママやパパの表情や声のトーンなどから、少しずつ相手の感情を理解できるようになります。言葉を理解していなくても、赤ちゃんは相手の感情を敏感に感じ取っているのです。伝えたいことは、表情や感情をこめて語りかけることが大切です。

ヒント5
心穏やかに過ごせるよう、ママひとりの時間を持つ

ほんのわずかな時間でもママひとりの時間を持ちましょう。ママが心穏やかにやさしい気持ちで育児をすることが、やさしい心を育てるためにはとても大切。ママのイライラは、赤ちゃんにすぐに伝わります。

育てたいポイント ②

キレない心

十分に甘え、愛された記憶のある子は情緒が安定

赤ちゃん時代や小さいころにママやパパに十分に甘えた、あるいは愛されたという経験や記憶がある子は、情緒が安定していてキレることが少ないといいます。突発的にヒステリックに泣くことも少なく、穏やかで落ち着いていることが多いのです。

つまり、小さいころの親との十分なスキンシップは、キレないように感情をコントロールする脳機能の発達を促してくれる役割もあるのです。

逆に、ちょっとしたことでかんしゃくを起こしたり、衝動的な行動をとる子は、親に十分に甘えていなかったり、スキンシップが不足しているケースが多いといいます。いわゆる「皮膚の欲求不満」といった状態で、これは将来の性格形成にも重大な影響を及ぼすことが高校生への調査でも報告されています。

キレない心を育てるには、少なくとも、1才まではたっぷり抱っこやスキンシップを心がけて、十分に甘えさせてあげることが大切です。そして1才ころから、遊びの中などでがまんすることを覚えさせてください。

「キレない心」を育てるために ママ&パパができること

1
「抱っこされたい！」という基本的な欲求を満たしてあげる

「皮膚の欲求不満」を解消するためにも、赤ちゃんの基本的な欲求である「抱っこされたい！」という気持ちを満たしてあげましょう。自分が受け入れられていることを肌で感じ取ることが、赤ちゃんの情緒の安定につながります。

2
夫婦ゲンカなどで、親がキレないこと！乱暴な会話もNG

キレる子どもは家庭環境が大きく影響しています。つまり親がキレやすいと子どももキレやすくなるのです。夫婦ゲンカをしても決してキレないことです。イライラしてものにあたったり、乱暴な口調での会話も控えるようにして。

3
かんしゃくを起こしてもすぐにしかったりせず、気持ちを受け入れて

かんしゃくを起こすなど感情を爆発させたとき、すぐにしかってはダメ。まずは「欲しかったね」「悔しいね」と声かけしながら、赤ちゃんがかんしゃくを起こす原因となった気持ちを受け入れ、ギュッと抱きしめてあげましょう。

PART 6　赤ちゃんの心と脳の育て方

赤ちゃんの心を育てるためにできること

こんなことからスタート!
「キレない心」を育てるヒント5

ヒント1
**生活のリズムを整えて。
夜にしっかり眠り、昼間に遊ぶ**

　感情をコントロールする脳機能の発育を促すためにも、夜はしっかり寝て、昼間に遊ぶという健全な生活リズムを整えることを心がけましょう。昼間に活動して夜にしっかり睡眠をとることは、情緒を安定させるためにも大事なことです。

ヒント2
**かんしゃくを起こしたときは
強めに"ギュッ"と抱きしめる**

　ふつうに抱っこするより強めに"ギュッ"と抱きしめると、赤ちゃんがより落ち着くことがわかっています。かんしゃくを起こしたら、ママは「そうだね」と赤ちゃんの気持ちに共感し言葉をかけながら、少し強めに抱きしめてあげて。

ヒント3
**1才ころから、遊びの中で
がまんすることを覚えさせる**

　1才ころから少しずつ、がまんすることを教えてあげましょう。たとえば、十分に遊ばせたうえで「これでおしまい。また明日ね」と遊ぶことをがまんさせます。赤ちゃんには遊びたい欲求があるので「今日はここまでやったらおしまい」というような妥協点をうまく見つけて。

ヒント4
**赤ちゃんとふたりきりが
続きすぎないよう心がける**

　ママのストレスは、赤ちゃんにすぐ伝わります。赤ちゃんとママふたりだけの育児は、ママにとってはストレスの原因になることも。たまには両親、姉妹、ママ友などと過ごす機会を作って、ふたりっきりが続きすぎないよう工夫してください。

ヒント5
**パパとママは、乱暴な言動は
控えて仲良しぶりを見せておく**

　親の言動は、赤ちゃんの記憶の中に刷り込まれます。ママとパパが乱暴な言動を繰り返していると赤ちゃんも同じような言動をとりがち。もしケンカするなら赤ちゃんのいない場所で。反対に仲良しぶりはしっかり見せてあげましょう。

育てたいポイント ③

コミュニケーション力のある心

ママ以外の人とふれ合う機会を少しずつ増やしていく

現代の育児環境は昔のように祖父母や親戚、近所の人などが日常的に育児に参加することが少なくなり、核家族の中、ママひとりで奮闘していることも多いのが実情です。昔の育児環境では祖父母、近所の人など両親以外の人とのふれ合いにより、自然とコミュニケーション力がはぐくまれる傾向が強かったといえます。逆にいえば、現代はこのコミュニケーション力を自然にはぐくむ環境が整っていないということなのです。

そもそも人間（赤ちゃん）の愛情は、ママへの愛情からパパ、そして仲間、異性への愛情といった順序で発達していきます。ところが、核家族世帯が増え、赤ちゃんがママだけとべったりの関係が続くと、仲間や異性へと続く「愛情の発達」の移行がスムーズにいきません。

つまり赤ちゃんのコミュニケーション力をはぐくむためには、ママひとりが赤ちゃんに接している育児環境は避けるべきなのです。とはいえ、核家族世帯が多く「パパは仕事で忙しく帰宅時間も遅い」と悩むママもいるでしょう。まずは意識的にママ以外の人とふれ合う機会を増やしていきましょう。もちろん、コミュニケーションのある心を育てるためにはパパの力が必要であることを説明し、忙しいパパにもできるだけ協力してもらうようにしてください。

「コミュニケーション力のある心」を育てるために ママ&パパができること

1
里帰りや外出など、いろんな人とふれ合う場面を作る

赤ちゃんがママやパパ以外の人とふれ合うシチュエーションをできるだけ多く、意識的に作るようにしましょう。里帰りは祖父母とのスキンシップに欠かせません。そのうえママも実家でゆっくりできるので一石二鳥です。

2
テレビやビデオは必要なときだけつけるようにする

テレビやビデオを見ることとは、一方的に情報を受け取る行為。1日中テレビが流れたままだと自分から行動したり、人との接触をはかろうとする気持ちを奪います。テレビはできるだけ赤ちゃんのいない場所で必要なときだけつけるように。

3
パパは1日1回でも抱っこするなどのスキンシップの時間を

コミュニケーション力のある心をはぐくむためには、パパの協力が欠かせません。忙しいとは思いますが、パパも1日1回でも赤ちゃんをギュッと抱っこしたり、遊んであげるなどのスキンシップの時間を作るようにしましょう。

PART 6　赤ちゃんの心と脳の育て方

赤ちゃんの心を育てるためにできること

> こんなことからスタート!
> 「コミュニケーション力のある心」を育てる ヒント5

ヒント1
**パパとふれ合う時間を
できるだけたくさん作る**

　パパとのスキンシップに満足している赤ちゃんは、他人への信頼感が強いことがわかっています。また、協力して何かをするという能力も高い傾向が。パパのお休みの日には、できるだけパパとふれ合う時間を作りましょう。

ヒント2
**同じ月齢くらいのお友だちと
いっしょに遊ぶ時間を作る**

　デパートなどのキッズコーナーを利用したり、ママ友のお宅におじゃましたり、同じくらいの月齢のお友だちと遊ぶ時間を意識的に作りましょう。そうすることで自然とコミュニケーション力が身についてきます。

ヒント3
**いろんな世代との
スキンシップの機会を持つ**

　核家族世帯の場合、家族だけが赤ちゃんの世界の住人です。親戚や近所の人、小学生や中学生など、いろいろな世代の人とのコミュニケーションを楽しむ経験をさせてあげましょう。

ヒント4
**ママがほかの人と楽しく
会話しているようすを見せる**

　ママがほかの人と楽しく会話するのを見せれば、赤ちゃんもママのまねをして自然と似たような表情でお友だちとおしゃべりするようになります。ママの言動はいつも赤ちゃんに見られていることを忘れないで！

ヒント5
**ママやパパと
"ごっこ遊び""手遊び"を**

　おうちで遊ぶときは、おもちゃを与えてひとりで遊ばせるだけでなく、ママやパパがいっしょに"ごっこ遊び""手遊び"などをしてあげましょう。人といっしょに遊ぶことの楽しさを、実体験として経験させてあげることが大事です。

育てたいポイント ④

自立する心

また、よく間違えるのが「甘えさせる」と「甘やかす」。よくないのは「甘やかす」のほうです。「甘えさせる」は、何か失敗したときに、大丈夫だと受け入れてあげること。一方、親が先まわりをして、すべてお膳立てしてしまうのが「甘やかす」。甘やかすことが続くと、悲しさや悔しさなど、必要な実体験を経験せずに子どもは成長します。さらにはこれが日常化すると、将来、依存心が非常に強くなり親離れできない大人になることもあるので注意が必要です。

また、自立する心を育てるには自信を持たせることがとても大切。赤ちゃんが何かできたら、必ずしっかりほめてあげましょう。

「甘えさせる」と「甘やかす」の違いを理解しておくことが重要

自立する心を育てるためには「甘えさせてはいけない」と考えがち。でも、ある保育園の調査によると、家庭でのスキンシップが足りない子どもほど保育士に抱っこを求める傾向があることがわかりました。つまり赤ちゃん時代にしっかりスキンシップがとれ、甘える欲求が満された子どもは、受け入れられた安心感から次の心の成長のステップへと進むことができるのです。そして、この次のステップこそ自立する心なのです。自立する心は、十分に受け入れられた経験なしには育ちません。

「自立する心」を育てるために ママ&パパができること

1 主張が生まれてきたら押さえつけずにまずはほめる

赤ちゃんにイヤイヤなどの主張が芽生えてきたら、押さえつけようとするのではなく、まずはイヤと表現できたことをほめて、自信を持たせてあげましょう。また、しかるときはちゃんと理由を説明することを忘れずに。

2 遊びながらお手伝いをさせて自立心をはぐくむ

赤ちゃんですからお手伝いはまだ難しいのですが、ものを拾ったり、お片づけなどができることからお手伝いをさせてみて。できたことに対してほめて自信をつけさせるだけでなく、やさしい心もはぐくんでくれます。

3 十分なスキンシップなしに自立する心は生まれない

ママとの十分なスキンシップは、将来も含めて、子どもが依存的になることを防いでくれます。甘えの要求がしっかり満たされて、自分が受け入れられた経験が安心感を生み、自立する心を芽生えさせてくれるのです。

PART 6　赤ちゃんの心と脳の育て方

赤ちゃんの心を育てるためにできること

こんなことからスタート! 「自立する心」を育てるヒント5

ヒント1
初めてのことにひとりでチャレンジするクセをつける

もちろん危険なことはダメですが、それ以外のことであれば、何でも「やってごらん」と初めてのことにチャレンジさせてみましょう。失敗しても、チャレンジしたことをほめて、しっかり抱きしめて甘えさせるのを忘れずに!

ヒント2
達成感を得られる知育おもちゃを活用する

さまざまな遊びを通して達成感が得られる知育おもちゃ。これらを活用して、達成することの心地よさを赤ちゃんに経験させてください。もちろん、何かひとつ達成したら、いっしょに喜び、ほめてあげることが大切です。

ヒント3
何かひとりでできたら、ママとパパは思いきりほめる

ちょっと大げさかな!?　と思っても、何かひとりでできたら、ママとパパはここぞとばかりに思いきりほめてあげましょう。ママやパパからほめられた、うれしい気持ち、うれしい体験が、愛されている安心感と自信を赤ちゃんにもたらします。

ヒント4
1才を過ぎたら、スキンシップにメリハリを

1才までは十分に甘えさせてあげますが、1才を過ぎたらスキンシップにメリハリをつけましょう。1日中ベタベタするのではなく、たとえば「寝る前の1時間」など時間帯を決めて、濃密なスキンシップをとってみてもいいでしょう。このときはめいっぱいの愛情を注ぎます。

ヒント5
少し年長のお友だちの"できる姿"を見せる

少し年上のお友だちやきょうだいが、ボタンかけや歯みがきなどをひとりでする姿を見せてあげて。年上のお友だちは、赤ちゃんにとって何でもできるあこがれの存在。追いつこうと挑戦する子も出てきます。そのときは、できなくてもやってみることが大切なので挑戦させて。

[すぐ実行できる "脳にいいこと" をレクチャー]
赤ちゃんの脳を育てるためにできること

成長著しい今だからこそ知りたい！赤ちゃんの脳を育てるひけつ。どんなことをしてあげるといい？

人間の脳は楽しいことを求め、いやなことを避ける

人間が身の危険や不快感を本能的に察知し判断することができるのは、脳の働きによります。日々の生活の多くが未知の体験である赤ちゃんの脳は、今までにない状態や経験を察知すると、瞬時に「安心ではない」と判断し、避けようとします。このときに「安心ではない」という判断を打ち消すのが「快の感情」です。ほめられる、気持ちがいい、楽しい、達成感を得る「やった！」という実感が、脳に「これは避けなくていいこと」とインプットさせ、次のチャレンジに結びついていきます。

「がまんをすると、きっといいことがある」を学ぶ

さらに、本能のままに生きる赤ちゃんが日常生活の中から学ぶことのひとつに「がまんをすると、きっといいことがある（あるかもしれない）」ということがあります。専門用語で「予定報酬（ほうしゅう）」と呼んでいますが、たとえすぐに反応が返ってこなくても、脳が「期待して待つ」という経験のパターンを繰り返し繰り返し重ねていくことで、まだ実感していない「いいこと（快感）」に対して、待つ姿勢を学んでいきます。この経験の蓄積（ちくせき）は、その後のしつけにもいい影響を与えると考えられています。

赤ちゃんの脳の育ちには パパやママの愛情が不可欠

赤ちゃんの脳の育ちのために避けたいこと、それは「孤独」です。生後間もないラットを数週間にわたり毎日3時間母ラットから離すだけで、子ラットたちの多くに不安や不快を示す行動が見られ、しまいには体調を崩すラットも出てきました。さらに調べると脳の中で情報伝達をつかさどるニューロン（神経細胞）の数が減り、遺伝子の数にも差が生じました。いっしょに過ごす時間の長さだけでなく、愛情の深さやかかわり方など、赤ちゃんを取り囲む環境のすべてが、脳を健やかに育てることにつながります。

PART 6　赤ちゃんの心と脳の育て方

赤ちゃんの脳を育てるためにできること

赤ちゃん自身の体感

「こうしたいと思っていたことが実際にできた！」。赤ちゃん自身が身をもって感じる達成感は、どんなほめ言葉よりも強烈に充実感を与えます。そのためには、赤ちゃんが安心して挑戦できるよう環境を整え、見守ってあげることも大切です。

声色（こわいろ）・しゃべり方

赤ちゃんと話すときは、ゆったり、やさしく。たとえ怒っていなくても大声を出すとびっくりして泣いてしまうように、赤ちゃんの脳は相手の声色やしゃべり方から、相手の思いや自分に向けられる感情を判断します。

赤ちゃんはここで判断する！
自分にとっていいこと

楽しいことを求める脳には「快」の刺激が欠かせません。赤ちゃんはこんなところから、自分にとっての快の感情＝「楽しい・気持ちいいこと」を感じ取っています。

見返り

ほめてもらう、抱きしめてもらう、何かをもらうなど、自分のとった行動でプラスの見返りがあると、赤ちゃんは「いいことをした」と感じます。モノではない「ごほうび」は、その後のしつけのやりやすさにもつながります。

周囲の雰囲気

みんなが注目している、拍手してくれる。表情や態度から赤ちゃんは「やったあ！」と感じます。よく、いたずらして大人が大騒ぎすると、赤ちゃんがほめられていると勘違いして繰り返してしまうのもこのためです。

顔色・表情

言葉を理解していない時期ほど、赤ちゃんはパパやママの表情を見ています。怖い顔や表情の乏しい顔は、赤ちゃんを不安にし、「いやな感じ」を与えます。ママやパパがニッコリ笑うと、赤ちゃんもつられて笑うのと同じです。

脳を育てる ⑤ つのポイント

特別な道具や教材がなくても、赤ちゃんの日常生活の中には、脳を刺激するチャンスがいっぱいです。

脳育てポイント ① 見せる

「じっと見る」ことが、集中力を高める第一歩。手を出す→声を発する→言葉で意思表示、とつながります。

興味のあるものを見ることでいろんな情報を得ている

月齢の低い赤ちゃんが、目の前にあるおもちゃなどをじっと見つめていることがありますね。「何だろう？」と注意深く見続けることは、目の前にあるものを正確に認識するためのとても大切な練習です。パパやママもいっしょに「おもしろいね」「きれいだね」などと関心を示してあげると、赤ちゃんは観察することがますますおもしろくなります。

赤ちゃんの好きなものから、「見る」知的好奇心を引きだす

絵本など、パパやママが意識的に見せたいものに赤ちゃんが興味を示す時期には個人差があります。早ければ、生後数カ月から絵本を見る子もいれば、1才を過ぎても他のおもちゃのほうが好きな子もいます。赤ちゃんは正直なので、興味のないものには見向きもしません。絵本の中でも、好きなページが限られたりするのはそのためです。好きなものから見せてあげましょう。

赤ちゃんの過ごす部屋でテレビのつけっぱなしは厳禁

静かな子宮の中で過ごしてきた赤ちゃんにとって、生まれてからの生活環境はまさに音の洪水。意識的に音楽をBGMとして流す場合は別ですが、テレビやビデオがつけっぱなしの部屋で赤ちゃんが過ごしていると、画面が見えなくても意味のない刺激を絶えず耳から受けることになり、赤ちゃんは混乱してしまいます。できるだけ避けましょう。

脳育てポイント ② 聴かせる

赤ちゃんの過ごす空間が生活騒音であふれていませんか？　月齢が低い時期は、耳に届く音を整理することも必要です。

リズミカルなメロディーなど、赤ちゃんは単純明快な音が好き

単純な音の繰り返しをはじめ、赤ちゃんは単純な音に反応します。音楽を聴くだけでなくママがいっしょに歌ったり、抱っこしながらリズムを感じることで、赤ちゃんは音楽や歌（音に合わせて声を出す）が楽しいものだと認識し、「寝るときはこの曲」など、聴覚で得たものから記憶に残すという理解の仕方を学ぶこともあります。

脳育てポイント ③ 飲む・食べる

授乳は親と子のつながりをいちばん最初に体感できる、大切なコミュニケーションと考えて。

安心して飲む（食べる）空間は情緒の安定を助ける

新生児期の赤ちゃんは、1日に何回も繰り返される授乳を通して、声やにおい、おっぱいを飲むときに見える顔の表情な

P120〜122指導／白梅学園大学子ども学部教授　無藤隆先生

PART 6 赤ちゃんの心と脳の育て方

どを結びつけることで、少しずつ「お母さん」を認識していきます。おっぱいを飲むことで食欲が満たされるだけでなく、「温かい」「心地よい」といった安心感は、情緒の安定につながり、脳がすくすく育つための土台を作ります。

食事の基本は楽しいこと。チャレンジを温かく見守って

成長とともに、それまでの「吸えば飲める」単純な作業から、歯ぐきですりつぶす、かむ、自分の手で食べものやスプーンを口に運ぶなど、いくつもの高度な作業が必要になります。初めは上手にできなくても根気よくていねいに教え、途中で投げ出さないよう気持ちを盛り上げることで、赤ちゃんは一つひとつマスターしていきます。

脳育てポイント ④
お話する

赤ちゃんに届くのは「声」だけではありません。
「目」や「表情」「しぐさ」など表現力豊かに語りかけて。

の表情や声色などから、相手がどんな気持ちで話しかけているかがつかもうとします。そして生後半年までには喜怒哀楽を感じ取ることができるようになります。言葉を発する以前から、赤ちゃんの耳（脳）は「おしゃべり」に向けての準備を着々と進めています。会話にならなくてもどんどん話しかけてあげましょう。

赤ちゃんとお話するときは、やさしく目を見て表情豊かに

まだわからないだろうと返事をしなかったり、しても生返事やイライラしながらだったりすると、その声色や表情から、赤ちゃんはパパやママとのコミュニケーションに不安を覚えるようになります。赤ちゃんと視線を合わせてニコニコ表情豊かに話しかけてあげると、赤ちゃんは楽しい気持ちになるだけでなく、言葉そのものに興味を示すようになります。

赤ちゃんの脳を育てるためにできること

言葉を理解できない赤ちゃんは、相手の

反応しなくても、聞いてわかろうとしている

脳育てポイント ⑤
遊ぶ

応答を楽しんだり、
期待した結果に一喜一憂したり。
大人から見たら単なるいたずらも、
立派な遊びです。

月齢の低いころから「反応を楽しむ」遊びを体験

たたくと音がする、落とすと見えなくなる、引っ張ると動く……自分の動作に相手やものの反応が返ってくるおもしろさを、赤ちゃんは月齢が低いころから体験しています。「応答性がある」と呼ばれるこれらの体験は、赤ちゃんの想像力、記憶力などをおおいに刺激します。しかもパパやママが見守る中でなら、赤ちゃんは安心して挑戦することができます。

いたずらと遊びに区別はない。してほしくないことは遠ざける

大人のまねごとはパパやママにとってはいたずらでも、赤ちゃんにとっては立派な遊びのひとつ。本人には罪悪感がないので、怒られてもなぜなのか理解できません。赤ちゃんに理不尽な「ダメ」を連発するよりも、赤ちゃんにふれてほしくないものは届かないところに置くなど、大人が十分に配慮をしましょう。

脳を刺激！プチドリル

赤ちゃんの脳の発達段階に合わせて、楽しい刺激を与える誌上絵本です。

脳育て3ステップ

1 赤ちゃんの「好き」を尊重しよう

大人がいいと思っても、赤ちゃんは興味をひかれなければ絵本を見ようとしません。好き・嫌いもありますが、単に手にするタイミングが合わなかったということも。関心を示さなかったら、しつこく見せずに次に移りましょう。

2 「もっと」の好奇心に応えてあげよう

指をさしたり、じっと見つめたり……。赤ちゃんがその絵に興味を示したら、気持ちを後押ししましょう。たとえば自分でしかけ絵本で遊んでいて、上手にめくれなかったりしても、怒ったり取り上げたりはせずに見守ることも大切です。

3 赤ちゃんの満足感を共感・共有しよう

「かわいいね」「あったね」「すごいね」などの声かけをして、赤ちゃんに、自分が感じたことをいっしょにいたパパやママが共感していることを伝えましょう。赤ちゃんの脳が「絵本を見るって楽しいな！」と学びます。これが次の絵本に手を伸ばす土台を作ります。

0〜6カ月
シンプルな色づかいと図柄。「お顔」があると気になります

視力が未熟な赤ちゃんには、白と黒だけで描かれた図形や模様のようにシンプルな絵のほうが、わかりやすいようです。また、赤ちゃんは人には「顔」があることをきちんと認識していますので、「人の顔のような絵柄」にも興味を示す傾向が。ただ、まだ絵本を集中して見ることは難しい時期です。無理強いはしないようにしましょう。

黒・白・黒…のぐるぐるや縞模様になった図など、コントラストのはっきりした絵に、赤ちゃんは興味を示します。

7〜12カ月
知っているものの絵を喜ぶように。覚えていることをほめてあげて

赤ちゃんの行動範囲が広がっていく時期。赤ちゃん自身が知っているものの絵が出てくると、「あっ！」と指さしながら注目するようになります。さらに繰り返し読んであげることで、次のページに何が出てくるかを予想できるようになります。当たったら大いにほめてあげましょう。ほめられた快感がさらに好奇心をかきたてていきます。

赤ちゃん自身が知っているものと、それを表す擬音語を結びつけ理解します。犬の絵を見ながら「ワンワンだね」と言ってあげると、赤ちゃんはうれしくなります。

1〜2才
絵を見ながら問いかけて。やりとりの繰り返しが大事です

知的好奇心が旺盛になる時期。「いちごはどれかな？」「カニさんはどこにかくれているのかな？」など、絵本はパパやママとの大切なコミュニケーションツールになり、何度も読んでもらうお気に入りの本もできることでしょう。この赤ちゃんの「好き」こそ、脳を刺激する最大の原動力になります。繰り返し何度でも「好き」に応えてあげましょう。

「○○ちゃんも、おにぎりをひとつどうぞ」。「パクパクパク」と食べるまねをしても。絵に描かれた状況を理解しながら、パパやママとのやりとりを楽しみます。

月齢別 心と体の気がかりQ&A

初めての育児には、
どうしたらいいのかわからないこと、
不安なこと、迷うことがいっぱいあります。
各月齢によくある気がかりや心配を
スッキリ解決します。

PART 7

0カ月 の気がかり

Q 吸引分娩のせいか頭にこぶが。治りますか？

A こぶの成分が体に吸収され、自然に治るので大丈夫

吸引分娩で生まれた赤ちゃんの頭にできているこぶは、頭皮と頭蓋骨の間に生じた出血やむくみによるもの。特に治療をしなくても、少しずつ体に吸収され、2〜3カ月ほどするときれいになくなってしまいます。吸引分娩は、生まれるとき赤ちゃんが産道からなかなか出てこられないときに行う処置ですが、吸引をしたこと自体が脳に影響を与えることはありませんし、こぶも心配いらないものです。

ONE POINT

シャンプーのときはこぶをなでるように

頭を洗うときは、こぶの部分を刺激しないよう、手のひらでなでるようにそっと洗ってあげて。

Q 頭の上のほうにやわらかいところが。触っても平気？

A 頭蓋骨の合わせ目です。ふつうに触って大丈夫

頭のてっぺんのやわらかい部分は、大泉門といわれる頭蓋骨のすき間です。脳を守る役割をする頭蓋骨に、すき間があっても平気なの？」と心配しなくても大丈夫。すき間があることで、ママの狭い産道を通る際に、頭を小さく縮めて通過することができたのです。沐浴時も怖からず、ふつうに洗って大丈夫。なお、個人差はありますが、大泉門は1才半ごろまでには自然に閉じてしまいます。

Q 口の中に白いかすが。ふいても取れません

A 鵞口瘡でしょう。ひどくなるようなら受診して

おそらく鵞口瘡でしょう。カンジダというカビの一種（真菌）が口内の粘膜に感染して起こります。ほおや唇の内側に白い斑点ができ、ガーゼなどでふき取ろうとしても取れません。元気で母乳やミルクの飲みがよいのなら、受診しなくても自然治癒する場合もあります。なかなか治らなかったら小児科へ。（鵞口瘡については241ページも見てください。）

Q 皮膚がはがれてポロポロとむけてきます。大丈夫？

A 生理的なもので、心配いりません

生まれたばかりの赤ちゃんの皮膚がむけるのはよくあること。病気や皮膚のトラブルではないので安心してください。ママのおなかの中で羊水につかっていた皮膚は、生まれて外の空気にふれるとすぐに乾燥してしまいます。このため、新生児のうちは薄くて白っぽい皮が、ポロポロとむけることがあるのです。

Q 背中や肩にも産毛が。毛深くて気になります

A 3〜4カ月ごろまでには自然と抜け落ちます

ママのおなかにいるときは、全身が産毛で覆われています。大部分の産毛は生まれるまでには抜けてしまいますが、あまり抜けないまま生まれる赤ちゃんも。生まれてすぐの赤ちゃんに毛深い子が多いのはこのためです。中には産毛とは思えないほど黒い毛が肩や背中、おでこや耳のあたりに生えている子もいますが、3〜4カ月もすれば、すれたり抜け落ちたりして自然になくなります。将来の毛深さとも関係ないので心配いりません。

PART 7 月齢別 心と体の気がかりQ&A

0カ月の気がかり

Q 片方の陰嚢（いんのう）の中に、睾丸（こうがん）がないみたいで心配です

A 医師と相談しながら経過を見ていってください

このような状態を停留睾丸（ていりゅうこうがん）といいます。本来、睾丸は妊娠後期に陰嚢内におりてくるはず。ところが、原因は不明ですが、おりてこないケースがたまにあります。6カ月くらいまでに自然に治るケースもありますが、それ以降になると自然治癒はあまり期待できません。そのままにしておくと将来の男性不妊の原因にもなるので、1～2才のうちに手術をして治療します。各月齢の定期健診で必ずチェックされますので、手術時期などは医師とよく相談しましょう。（停留睾丸については245ページも見てください。）

Q 予定日より1カ月ほど早く出産。育てる上での注意は?

A 医師のOKがあればふつうに育てて大丈夫

退院するときに医師から特別な注意がなければ、ほかの赤ちゃんと同じように育てて大丈夫。予定日とは妊娠40週に入る日のことですが、37～41週に生まれたのであれば正期産（せいきさん）といっても問題のないものです。

1カ月ほど早く生まれたということは36週あたりでしょうから、少し早いだけなので大きな心配はありません。最初は正期産の赤ちゃんと比べて運動面での発達の遅れが気になることもあるでしょうが、1才前後には追いつくことがほとんどです。

Q 授乳の後、毎回うんちをするけど多すぎない?

A 新生児なら、それがふつうです

赤ちゃんが頻繁（ひんぱん）にうんちをするのは、母乳やミルクを飲むと、腸が動きだす反射があるため。特に新生児はまだ腸にうんちをためておくことができないため、「飲んでは出す」の繰り返しになります。1日のうんちの回数も赤ちゃんによっていろいろ。中には10回以上する子もいますが、それがその子のリズム。元気でげんきがよく、母乳やミルクの飲みがよければ心配いりません。

Q ときどき緑色のうんちを。どこか悪いのでしょうか?

A 月齢が進むにつれてなくなります

うんちが緑色に見えるのは、胆汁（たんじゅう）に含まれる成分の影響です。うんちの色を決める要素のひとつに胆汁がありますが、胆汁に含まれる一種の色素の影響で、うんちの色はふつうは黄土色（おうどいろ）をしています。しかし、時にこの色素が酸化して濃い緑色になるのです。これは新生児のころの赤ちゃんに特有の現象。異常ではないので心配しないで。月齢が進んでくるとこのような症状は見られなくなってきます。

ONE POINT

「あれっ?」と思ったときのうんちのチェックポイント

こんなときは、便のついたおむつを持って病院へ!!

- 色が白っぽい、いちごジャムみたいな感じ、黒い など。
- 酸っぱいにおいがする、いつもと違うにおいがする など。

生後1カ月くらいまではけっこう目にしますが、治療しなくても自然になくなっていきます。

Q うんちにヌルヌルした粘液のようなものが混じっています

A 消化液の一部です。心配ありません

これは腸液だと思います。腸液とは、小腸から分泌される消化液で、鼻水のようにヌルヌルした粘液状です。消化を助け、栄養素の吸収をよくする働きをすると同時に、たまったうんちをなめらかに押し出す役目もしているため、うんちといっしょに排出されると粘液が混じったように見えることがあるのです。便の回数が増えたり、においがヘンなどということがなく、赤ちゃんがごきげんで母乳やミルクの飲みがよければ心配することはありません。

Q 授乳間隔が定まりません。時間を決めなくていいの？

A 赤ちゃんが欲しがるときに飲ませていればOK

生まれたばかりは、赤ちゃんもママも"おっぱい初心者"。母乳の出方もまだ安定していません。赤ちゃんのほうも乳首にうまく吸いつけなかったり飲む量が一定でなく、授乳時間が不規則になりがちです。でも、授乳のリズムは赤ちゃんまかせで大丈夫。今は泣くのを合図に飲ませます。3カ月もすれば母乳の出方が軌道に乗り、赤ちゃんもうまく飲めるようになってくるので、間隔がしだいに定まってきます。

Q 乳首が切れて出血しています。授乳しても平気ですか？

A 多少血が混じっても、授乳して大丈夫

傷口から出血し、多少血が混じった母乳を飲んでも、赤ちゃんの健康には影響ありません。傷があるのがどちらか一方なら、もう片方から飲ませる時間を長くしたり、乳首をガードする市販のグッズを利用したり、授乳後にお湯でしぼったタオルで乳首をふいていれば自然に治ります。深く切れてしまい、痛みが強かったり出血が多いときは、産婦人科を受診してください。

Q 寝ているときにときどきピクッと動きますが、大丈夫？

A 生理的な現象なので心配いりません

睡眠中に体がピクッと動くのは、脳が活動している浅い眠りのとき。物音に反応したり、寝つくときに筋肉の緊張がゆるみ、脳がその動きをうまくコントロールすることができずに起こります。ほとんどの場合生理的なものなので心配いりません。頻繁に寝起きを繰り返し、浅い眠りの時間帯が長い新生児のうちはこのようなようすがよく見られますが、睡眠のリズムが落ち着いてくる3カ月ごろになると少しずつ減ってきます。

ONE POINT

ピクッとしてもそのままに

ピクッとして泣いても目覚めていないことが多いもの。すぐに抱き上げたりせずようすを見て。

Q 沐浴は毎日同じ時間にしないとダメ？

A ある程度決まった時間帯に入れたほうがよいでしょう

沐浴は生活リズムを作るための新生児期の大切な日課。できれば毎日同じくらいの時間に入れるほうがいいですね。ただ、このころの赤ちゃんは、昼夜に関係なくおっぱいとねんねを繰り返しています。ですから、厳密に時間を決めるのではなく、午前、午後、夜のうち、いつごろにするかだけを決めておき、授乳の合間のきげんのいいときに入れればかまいません。ただし、あまり夜遅くになる生活リズムは作りたくないので、遅くとも夜8時くらいまでにはすませてください。

126

PART 7　月齢別 心と体の気がかりQ&A

0〜1カ月の気がかり

1カ月の気がかり

Q 新生児にきびと言われました。あとが残りませんか？

A 自然に治り、あとが残ることはありません

生後1〜2カ月は皮脂腺の働きが活発な時期。その影響で毛穴に余分な皮脂が詰まり、にきびのような症状が現れますが、これは生理現象です。月齢が進み、少しずつ皮脂の分泌が治まれば、きれいに治ってきます。多少炎症を起こしていたとしても、あとが残ることはありません。治るまでは皮膚の清潔を特に心がけてください。(新生児にきびについては233ページも見てください。)

ONE POINT　石けんの泡で包むようにやさしく洗って

泡立てた石けんを顔につけ、やさしく洗います。すすぎは軽くしぼったガーゼで石けん分を残さないように流して。

Q よくしゃっくりをして苦しそう。止め方を教えてください

A 乳首を含ませたり、湯ざましなどをあげてみて

生後2カ月くらいまでは、おしっこが出る前後にしゃっくりが始まることが多いようです。これは膀胱を縮めるように脳から出される信号が、肺の下にある横隔膜も刺激してしまうため。自然に止まることがほとんどですが、気になるときは軽く乳首を含ませたり、湯ざましを飲ませてみましょう。呼吸が整い、止まることもあります。

ONE POINT　しゃっくりにはあわてなくてOK

赤ちゃんのしゃっくりは、あまり苦しくないようです。あわてず見守っていても大丈夫。

Q 動くものを目で追いません。見えているの？

A 動くものを見続けることができなくても、まだ大丈夫

このころの赤ちゃんの目は、明暗がわかる程度で視力は未成熟。両目で一点を見つめることもできず、焦点も目から30cmほど離れたところで固定されていて、大人のようにさまざまな距離にあるものをはっきりと見ることができません。見えているのかどうかわからない、という相談を受けることがよくありますが、たいていはこのような理由なので大丈夫です。気になるときは、朝カーテンを開けるときに赤ちゃんのようすを観察して。急に明るくなりまぶしそうにしていたら見えている証拠です。

ONE POINT　30cmがベストな距離

ガラガラなどのおもちゃで遊ぶときは、赤ちゃんの目から30cmほど離れたところでゆっくり動かして。

Q 寝ている間にいきみます。おなかが痛いのですか？

A 腸内のガスが移動するとき痛みを感じることが

生後1カ月前後の赤ちゃんがいきむのはよくあること。これは、おなかにたまったガスが腸管の中を移動するとき、軽い痛みを感じているからではないかともいわれています。ガスの主な原因は、母乳やミルクを飲んだときにいっしょに飲み込んだ空気です。痛みがあってもいきむ程度なら大丈夫ですが、頻繁に泣くようなら受診してください。

127

Q 健診で心雑音があると言われ、心配です

A 原因を調べ、どうしたらいいか医師に相談を

心雑音が聞こえる赤ちゃんは少なくなく、その原因も、心室を左右に分ける心室中隔という壁に穴が開いていたり、血液が心臓や血管の壁に当たる音だったりとさまざまです。経過観察を続けるうちに自然と雑音が消えてしまうこともあります。まずは医師と相談し、原因を知るためにも検査を。そのうえで治療や生活上の注意について医師の指示をあおいでください。

ONE POINT
家でのケアなどを医師に相談

心雑音があると指摘されたら、生活上の注意など、心配なことは何でも医師に相談を。

Q 生まれつき頭にブヨブヨしたこぶが。病気ですか?

A 出産時にできるもので、病気ではありません

このこぶのようなものは「産瘤(さんりゅう)」といって、赤ちゃんがママの産道を通るときに頭が圧迫され、リンパ液などの体液が皮膚の下に集まってできるものです。同じこぶでも、頭の骨と骨膜の間に出血してできた場合のこぶは「頭血腫(ずけっしゅ)」と呼ばれています。どちらも時間がたてば自然に吸収されて消えてしまうので、特に治療する必要はありません。(産瘤と頭血腫については206ページも見てください。)

Q 手足が冷たいのは寒がっている証拠?

A 赤ちゃんの手足が冷たいのは通常のこと

赤ちゃんは末梢(まっしょう)の血管がまだ未発達。そのため、血液が手足の先まで十分に行き渡らず、指先が温まりにくいことはよくあること。むしろ冷たいことのほうが多いくらいなので、心配しなくても大丈夫です。ただ、ひどく手足が冷たくて気になるようであれば、やさしくさすって温めてあげてください。

Q 授乳に1時間近くかかることが。母乳の出が悪いの?

A うまく飲めていないか、母乳不足のどちらかでしょう

1回の授乳に30分以上かかるのは、赤ちゃんの飲み方がまだうまくないか、母乳不足が可能性として考えられます。次に赤ちゃんが欲しがったときもおっぱいが張った感覚がない、張った状態で飲ませても、2時間もしないうちに空腹で泣き出すなどのときは母乳不足が疑われます。産院の助産師さんに相談してみるといいでしょう。

Q ラックで眠ってしまったら、すぐにふとんやベッドに移す?

A 深い眠りに入ったらふとんやベッドに移動して

熟睡したらふとんに移動させたほうがいいでしょう。ベビーラックは長時間の眠りに適した器具ではありません。1カ月の赤ちゃんでも、睡眠中は頻繁(ひんぱん)に手足を動かすので、狭いラックではきゅうくつです。また、ラックは完全に水平にはならないので、長時間だとおなかが圧迫されることもあります。ふとんのほうがのびのびできて安心です。

ONE POINT
ふとんに移すと泣いちゃう!そんなときのコツ

スヤスヤ寝ていたのに、ねんねの場所を変えると泣き出す赤ちゃんも多いもの。こんな工夫をしてみましょう。
- タオルケットにくるんで場所を移動。しばらくはくるんだままにしておく。
- ふとんにおいても少しの間、ママの手を赤ちゃんの頭の下に。
- しばらくはママの上半身で、ふとんにおいた赤ちゃんを包むように抱っこ。赤ちゃんと呼吸を合わせる気分で。

PART 7　月齢別 心と体の気がかりQ&A

1カ月の気がかり

Q 赤ちゃんが入るおふろのお湯は何度くらいが適温?

A 大人がちょうどいいと感じるより1〜2度低めに

大人より少しぬるめのお湯に入れるのが基本です。多くの大人がちょうどいいと感じる湯温は、38〜40度くらいですから、赤ちゃんと入るときはそれより1〜2度低めがいいでしょう。湯ぶねにつかってゆっくり10〜20数えたら上がらせて。大人と同じ感覚で入っていると温まりすぎてしまいます。

ONE POINT　湯温計がないときは…

手首は手のひらなどに比べて温度に敏感。おふろのお湯をママの手首にかけ、赤ちゃんに熱すぎないかどうか確認するといいでしょう。

Q いつも手を握っていて手のひらが洗えません

A ママの指を手首から手のひらに向けて差し入れてみて

このころの赤ちゃんは、手のひらを開かせようとすればするほど、ギュッと握り返してきますよね。手を刺激するともつをつかむようなしぐさをするのは新生児に特有の把握反射があるからです。このようなときは、力ずくで開こうとしても無理。ママの親指を赤ちゃんの手首のほうから手のひらに向けて差し入れてください。なお、把握反射は6カ月ごろには自然になくなります。

Q 暑い日は湯ぶねにつからずシャワーだけでいい?

A シャワーでサッと汗を流すだけで十分です

暑い季節の入浴は、シャワーだけでもOK。むしろ、この月齢の赤ちゃんは、まだ体温調節が上手にできないので、暑い日に長く湯ぶねに入れるのはやめましょう。体が温まりすぎてしまうことがあるからです。いつもどおりにシャンプーや石けんで洗った後、シャワーですすぎ残しがないように流してあげて。なお温まりすぎを防ぐため、シャワーのときも、お湯の温度はぬるめに。

ONE POINT　シャワーでビックリさせないコツ

シャワーヘッドを赤ちゃんに向けてから、蛇口をひねってはいけません。いきなり勢いよくお湯がかかると、赤ちゃんはビックリしてしまいます。また、出始めのお湯は、思ったより冷たかったり熱くなっていることも。湯温とお湯の勢いを確認して調節し、足のほうからそっとかけてあげましょう。

Q どんなに暑くても、肌着+服の2枚を着せる?

A 暑い日は肌着1枚だけにしてあげても

体温調節があまり上手でない赤ちゃんは、周囲の温度が高いとすぐに影響されて、体温が上がりすぎてしまうことがあります。赤ちゃんがもっともエネルギーを使わずに体温を保つことができる温度（中性温度環境といいます）は、25〜26度とされています。室温がこれを2〜3度以上上回るようなら、むしろ肌着1枚だけで過ごさせてあげたほうがいいでしょう。

Q 赤ちゃんのものと大人のものは分けて洗濯したほうがいい?

A ふつうの汚れなら、いっしょでOK

大人の服が泥や油でひどく汚れている場合を除けば、基本的に赤ちゃんのものと大人のものは洗濯機でいっしょに洗っても大丈夫です。
衣類に洗剤の成分が残らないよう、すすぎは念入りにしてください。その後、十分に乾燥させるようにすれば、雑菌が繁殖することもありませんから安心してください。

2カ月 の気がかり

Q 自分の顔をひっかきます。ミトンをつけたほうがいい？

A ミトンをつけるよりつめを切ってあげて

このころの赤ちゃんは、まだ意志を持って手足を動かしているわけではありません。ひっかくというより、腕を振り回しているうちに、無意識に手が顔に当たってしまうと考えたほうがいいでしょう。ミトンのつけっぱなしは、手指を動かす妨げにもなるのであまりおすすめできません。それよりもつめをこまめに、角が残らないように切ることで予防してください。

Q 目が斜視のように見えて心配です

A 成長とともに治ることがほとんどです

この時期の赤ちゃんは、黒目の位置を調節する筋肉の働きが未発達。このため、一方の黒目が内側や外側を向いていたり、両目の視線が定まらないように見えることがありますが、ほとんどが成長とともに治ります。ただし、本当に斜視の場合、早期発見と治療が必要になるので、1才を過ぎてもようすが変わらなかったら受診します。（斜視については238ページも見てください。）

ONE POINT
斜視かどうかの簡単チェック法

1. ママが光を背にして向き合う形で赤ちゃんを抱っこします。
2. 赤ちゃんと目が合ったとき、黒目の中を見ます。
3. 左右の黒目の真ん中にママのシルエットが同じように映っていれば、斜視の心配はありません。

心配な場合は、健診のときに相談しましょう。

Q 耳の中はどれくらい奥までそうじすればいいですか？

A 耳の入り口を軽くふく程度で十分です

赤ちゃんの場合、耳の入り口から鼓膜までの距離が短く、耳あかがたまるのは、入り口から1cm前後のところまで。ここには細かい毛が生えていて、その毛が耳あかを自然に外に押し出すので、耳そうじは耳の入り口を綿棒で軽くふく程度で十分。ベビー用綿棒の綿球が入る程度の深さまでにしておきましょう。

ONE POINT
耳そうじのコツ

- 周りに気をつけて。きょうだいなどほかの子どもがいるときは特に注意しましょう。綿棒を耳にあてているときに、走ってぶつかってきたりしたらたいへんです。
- 耳たぶをちょっと引っ張るようにすると、耳の中が見えやすくなります。

Q 口の周りの真っ赤なかぶれ。どうケアしたらいい？

A 汚れを落とした後に、クリームなどで保護を

ケアのポイントは、汚れ落としと皮膚の保護。汚れを落とすときは、ゴシゴシこすらずにぬるま湯で洗って押しぶきするようにします。タオルやガーゼは、肌あたりがやわらかいものがよいでしょう。清潔になったら、ベビー用のクリームをつけて皮膚を保護します。

ONE POINT
お口周りにクリームをぬるタイミング3

- **授乳前**
  母乳やミルクの飲みこぼしで汚れても、皮膚をガードしてくれます。
- **授乳後**
  口の周りをしぼったガーゼできれいにふいた後、まんべんなくぬります。
- **外気浴やお散歩の前後**
  お出かけ前は外の風で乾燥しないため、帰宅後は、皮膚にうるおいを与えるために。

130

PART 7 月齢別 心と体の気がかりQ&A

2カ月の気がかり

Q おへそがまだジクジクしています

A 臍炎かもしれません。病院に連れて行って

へその緒が取れた後しばらく消毒を続けていると、生後1カ月もすれば自然におへそは乾きます。2カ月に入っても乾かない状態が続いているようなら臍肉芽腫かもしれません。細菌に感染しジクジクした状態になり、周囲も赤くなれば臍炎と呼ばれます。重症になるとはれがひどくなっておへその周囲が盛り上がってくることも。まずは診察を受けてください。（臍炎については206ページも見てください。）

ONE POINT 完全に乾くまで消毒を続けて!

へその緒が取れても、おへその中が完全に乾くまでは、おふろ上がりの消毒を忘れずに。綿棒に消毒液をつけ、おへその中をしっかり消毒します。

Q 背中やおしりの青いあざ。自然に消えますか?

A そのうち消えますので心配いりません

これはおそらく蒙古斑でしょう。蒙古斑はおしりだけでなく、体のあちこちに見られることもあり、異所性蒙古斑と呼ばれます。これはおしりにある蒙古斑より多少長く残る場合もありますが、少しずつ薄くなり、小学校に上がるころまでにはほとんど消えます。（蒙古斑については236ページも見てください。）

ONE POINT おしり以外にも蒙古斑が出ることが…

手首／背中・肩・腰／おしり／太もも／足首

どこにできていても、範囲が広くても、蒙古斑は自然に消えますから心配いりません。

Q 右足ばかりで、左足をあまり動かさないような気がします

A 左足を全然動かさない、痛がるなどがなければ大丈夫

どちらかの足をまったく動かさないか、ためしにママが動かしてみたときに痛がって泣くようなら病気の可能性もあります。そうでなければ心配いりません。手足の動きは必ずしも左右対称とは限りませんし、体の向きなどによっても動かし方が変わることがあるからです。どうしても気になるときは、小児科か外科を一度受診してみてください。

Q 股関節脱臼の疑いがあると言われました

A 治療すれば治ります。ふだんから足を開く姿勢を

股関節脱臼とは、大腿骨の先端が骨盤の中の受け皿にぴったりおさまっていない状態。症状が軽ければ、おむつの当て方や抱っこの姿勢に注意して経過を見ます。これで治らないときや重症の場合は、「リーメンビュルゲル」という、両足を正しい位置に開いて固定する装具で治療します。赤ちゃんがいやがってもきちんとした装着が大切。ほとんどの場合、装具で2〜4週間で治ります。（先天性股関節脱臼については246ページも見てください。）

Q 白っぽいかたまり状のものを吐きます。病気?

A 母乳やミルクがかたまったもの。心配ありません

母乳やミルクに含まれるたんぱく質は、胃酸の影響でかたまります。白っぽいかたまり状のものは、ゲップといっしょにそれを吐いたものと考えられます。吐いた後、赤ちゃんがケロッとしていてきげんがよければ心配いりません。よく吐くうちは、授乳後はたて抱きにして背中を下から上に向けて何度かさすり、ゲップを十分出してから寝かせてあげるようにしてください。

Q 母乳を飲みながらむせることが。どうしたらいい?

A 最初に少し搾ってから飲ませてみて

母乳の出がよすぎて赤ちゃんが飲むのが間に合わず、むせてしまうのかもしれません。出始めの母乳は特に勢いよく出るので、授乳前に母乳を少し搾ってから飲ませてみて。

また、母乳といっしょに空気を飲み込み、ゲップが出そうになってむせることもあります。授乳の途中で一度ゲップをさせてあげるのもいいでしょう。

ONE POINT
乳首ものびやすくなる

授乳前に少し搾ると、乳首がやわらかくのび、くわえやすくなる利点もあります。

Q 食べたもので母乳の味が変わることがありますか?

A 食べものによって母乳の味が変わることはまずありません

母乳は基本的に血液の成分と同じです。血液の成分は、恒常性があって、つねに一定の範囲内に収まっています。ですから、食べたものの種類によって、母乳の味や成分が大きく変化するというのはちょっと考えにくいことですね。また、一定の範囲内での微妙な成分の違いを、赤ちゃんが味の違いとしてとらえているかどうかはよくわかりません。

Q 授乳後、汗びっしょりなら、眠っていてもシャワーを浴びさせる?

A シャワーより汗を吸い取る工夫を

赤ちゃんにとって、おっぱいを飲むのはかなりの運動。夏場は特に汗をかきますね。でも、眠っているのを起こしてシャワーを浴びさせるのはかわいそう。ママの腕にタオルをかけてから抱っこしたり、あらかじめ背中にガーゼなどを入れておいて授乳後にそれを引き抜くなど、汗をその場で吸い取って、肌に残さない工夫をしましょう。

Q 昼間はよく寝るのに、夜はなかなか寝ません

A 朝の光を浴びさせ、夜は部屋を暗くして

人には1日のリズムを刻む体内時計があり、この周期は25時間です。ところが、地球の1日は24時間。まだ生活リズムの定まらない赤ちゃんは、25時間周期の体内時計の影響を受けやすいため、昼夜逆転が起きるのです。この逆転を直すのに必要なのが、朝の光。朝になったらカーテンを開け光を浴びさせて、体内時計をリセットするきっかけを与えてあげましょう。逆に夜は部屋を暗くして眠れるようにしてあげることが大切です。2カ月ぐらいから、だんだんと眠ったり起きたりのリズムが昼夜のリズムに合うようになってきます。

Q どうやってあやしたらいいのかわかりません

A 抱っこやほおずり、声をかけるなどしてあげて

あやし方に決まりはありません。ママが赤ちゃんをかわいいと思う気持ちそのままに接していれば大丈夫。このころの赤ちゃんは、視覚、聴覚、触覚といった五感でママを感じています。赤ちゃんの目を見て、話しかけながら、体にやさしくタッチしてあげるといいでしょう。くすぐったりするのも喜びますよ。

ONE POINT
話しかけられるのが大好き

アーなのね
アー

赤ちゃんがごきげんなときに声を出したら、ママも同じような声で応えてあげて。返事をしてもらえただけで、赤ちゃんは満足です。

132

PART 7　月齢別 心と体の気がかりQ&A

3カ月の気がかり

Q　頭に黄色いかさぶたが。取ったほうがいいですか？

A　ベビーオイルなどでふやかしてから取りましょう

これは乳児脂漏性湿疹と呼ばれるもので、このころの赤ちゃんに特有のものです。黄色いかさぶた状のものは皮脂がかたまり、皮膚にこびりついたもの。無理にはがして取ろうとしてはダメ。入浴前にベビーオイルなどをぬって30分ほどおき、ふやかしてからシャンプーを。一度では取りきれませんが、繰り返すうちに取れてきます。（乳児脂漏性湿疹については233ページも見てください。）

ONE POINT
かさぶたは頭以外にもできることが

頭だけでなく、おでこやまゆ毛などにもできることがあります。

Q　まゆとまゆの間にある青いすじが気になります

A　血管が透けているものでそのうち見えなくなります

これは、皮膚の下の静脈が透けて見えているもの。あざなどではないので心配いりません。赤ちゃんは大人と比べて皮膚が薄いため、このようなすじが見えることはよくあります。「癇が強い証拠」などといわれることもありますが、これは迷信。成長に伴い、皮下脂肪がつき、皮膚も大人に近づいてくると、青いすじもしだいに見えなくなってきます。

Q　よく鼻を詰まらせます。かぜですか？

A　乾燥すると、鼻が詰まることが

赤ちゃんの鼻の粘膜は、大人に比べて敏感。空気が乾燥していたり、冷たい空気を吸い込んだりすると、すぐに粘膜が乾いたり、うっ血して、かぜでなくても鼻が詰まったり鼻水が出たりします。鼻が詰まっていたら、加湿器などで部屋を加湿して。また、ぬるめのお湯でしぼったタオルを鼻筋に当てると、鼻の周りの血液循環がよくなり、粘膜のむくみが取れて鼻詰まりが解消します。

2〜3カ月の気がかり

Q　耳の上部に小さい穴が。自然にふさがりますか？

A　自然にはふさがりませんが、穴があっても問題ありません

この穴は耳ろう孔といって、本来なら赤ちゃんが胎内で成長する過程で閉じていくはずだったものが、たまたま残ってしまったものです。自然にふさがることはありませんが、炎症を起こさなければそのままにしておいてかまいません。気にしていじりすぎると細菌感染し、穴からうみが出てきたり、熱をもってはれ上がったりすることがあります。そのようなときは病院へ。

Q　歯ぐきに白い粒のようなものが。もう歯が生えてきたの？

A　歯ではありません。自然になくなるのでようすを見て

これは上皮真珠というもので、歯ではありません。赤ちゃんのあごの中では乳歯が少しずつつくられていて、そのときに残った組織が真珠のように白く光ったかたまりとなって歯ぐきの表面に現れることがあるのです。乳歯が生えるころには自然になくなります。万一飲み込んでも体に悪影響はありません。（上皮真珠については242ページも見てください。）

Q 泣くとおへそが飛び出します。出べそなの？

A 出べそですが、成長とともに治ることがほとんど

おなかは左右の腹筋が中央で合わさっていて、おへその部分は腹筋が十分に発達せず小さな穴になっています。泣いて腹圧がかかるとその穴が内側から外側に向かってふくらんでくることがあります。これがいわゆる出べそ。医学的には臍ヘルニアといいます。腹筋が発達してくる2才ごろまでには自然に治ることがほとんどです。（臍ヘルニアについては244ページも見てください。）

Q おむつ替えのとき脚がコキッと鳴ります。大丈夫？

A 鳴った後、ふつうに動いているなら大丈夫

関節が鳴った後も、いつもどおりに脚が動いているなら問題ありません。赤ちゃんの関節は未完成なため、接している関節が鳴るなら問題ありません。

ONE POINT

たびたび鳴るなら受診を

おむつ替えのときなどに、脚の付け根がたびたびコキッと鳴るようなら受診しましょう。

Q 男の子ですが、おしっこだけでもおしりをふく？

A おしっこの成分が残っています。きちんとふいて

おむつをしている間は、男の子も女の子も、おしりのケアは同じです。紙おむつだとおしっこをしてもおしりが乾いているように見えますが、成分は皮膚についています。おしっこの成分や汗は皮膚を刺激するので、おしっこのときでもおしりをふいて清潔にしてあげましょう。男の子の場合、ふき忘れがちな陰嚢の裏もていねいにふきます。

Q うんちに混じる白いツブツブは何？

A 母乳やミルクの成分で心配ないものです

うんちに混じる白い粒は、主に母乳やミルクの脂肪成分です。母乳やミルクの栄養分は胃から腸を通る間に消化・吸収されますが、吸収されずに便にそのまま出てくることもあるのです。

Q 泣くとおへそが飛び出します。（続き）

部分がゆるく、曲げ伸ばししたときに骨の動きが大きくなって音が出ることがあります。ただし、またを広げようとすると音がしたり痛がるときには、股関節脱臼の疑いがあるので受診してください。

Q うんちが毎日出ません。便秘なの？

A 数日おきでも、すんなり出ているなら大丈夫

うんちのリズムは、赤ちゃんによりさまざまです。出るのが2～3日おきでも、元気で、母乳やミルクをよく飲み、うんちがすんなり出ているなら心配ありません。でも、5～6日も出ない場合は、便秘の可能性もあります。朝夕の2回、おへその中心から下に向かって「の」の字を書くようにおなかをマッサージしたり、綿棒の先を肛門に入れて刺激し、規則正しい排便リズムを作る手助けをしましょう。

Q 首がすわるって、どんなこと？

A 体を起こしたときに、首がグラグラしない状態です

赤ちゃんの両方の手のひらにママの親指を置いて握らせ、赤ちゃんの手を持ってゆっくり引き起こしてみてください。このとき頭がきちんとついてくれば首はすわっています。3カ月なら、少々グラグラしていてもふつうです。生後半年を過ぎても首がすわっていないときは受診しましょう。

134

PART 7 月齢別 心と体の気がかりQ&A

3カ月の気がかり

Q 腹ばいが嫌いですが、発達に影響がありますか?

A 無理してやらせる必要はありません

おなかが圧迫されて苦しいのか、腹ばいの姿勢をいやがる子はけっこういます。逆に、あおむけよりも腹ばいの姿勢のほうが好きな子もいますが、どちらの場合も、その後の発達に差はありません。この時期は、赤ちゃんが好きな姿勢で過ごさせてあげるのがいちばん。腹ばいをいやがるなら、あえてやらせなくてもかまいません。

Q この時期、一時的に減ることも前より飲みが悪くなってきました

A

このころになると、赤ちゃんも満腹感がわかってきて、飲む量を自分で調節するようになります。そのため、これまでより一時的に飲む量が減ったように感じるかもしれませんが、心配いりません。飲みたがる量だけで、大丈夫です。不安なときは、体重を測って順調に増えているか確認してみるといいでしょう。また、3～4カ月健診でも、発育が順調かどうかのチェックをしてもらえます。

Q 暑いときはミルクを冷たくして飲ませたほうがいい?

A 赤ちゃんに冷たい飲みものはNGです

多少ぬるい程度ならかまいませんが、冷たいものを飲むとおなかを冷やし、腸を刺激して下痢をすることがあります。ミルクに限らず、生後半年くらいまでの赤ちゃんには人肌程度の温かさのものを。

Q 母乳のママは、お茶やコーヒーを飲んではいけない?

A 楽しむ程度なら…。でも、飲みすぎないで

ママがお茶やコーヒー・紅茶を飲めば、母乳にもカフェインが多少は出てきます。でも、ごく微量なので、飲むことでリラックスできるならば、無理してやめなくてもかまいません。ただし、1日に何杯も飲んだりすると、夜寝つけなくなるほど飲んだりすると、赤ちゃんによくないばかりか、ママの健康も心配です。

ONE POINT
カフェインレスのお茶にトライ

授乳中はカフェインレスのお茶やコーヒーにしてみるのもいいですね。

Q 授乳中なのですが、花粉症の薬を飲んでもいいですか?

A つらいときは医師に処方してもらった薬を

薬の成分は、ごく微量ながら母乳にも出てきますが、花粉症の症状を抑えるために処方される抗ヒスタミン剤の場合、用法・用量を守って飲んでいれば、赤ちゃんに影響を及ぼさないといわれています。つらい症状があるときは、がまんせずに病院へ。そして、授乳中であることを告げたうえで医師が処方した薬を飲むようにしてください。

Q 「うっくんうっくん」という声ばかり。病気ですか?

A 声を出す練習でしょう。病気ではないので大丈夫

もしのどに炎症があるならば、せきが出るので見分けがつきます。きっと声を出す練習をしているのでしょうね。こういう声を喃語(なんご)といいます。赤ちゃんはこの時期くらいから、あやすと声を出して笑ったり、話す人の口もとをじっと見つめたりするようになります。赤ちゃんが声を出したら、ママも応えてあげるなど、コミュニケーションをいっぱい楽しんでください。

135

4カ月の気がかり

Q 湿疹のある部分にも、ベビー用クリームをつけて大丈夫?

A 市販のクリームは、湿疹のところにはつけないで

湿疹ができていたり、カサカサがあったり。赤ちゃんの皮膚はなかなかコンディションが定まりませんね。市販のベビー用クリームは保湿を目的としたものがほとんどなので、こんなときにまんべんなく全身にぬってしまうと、湿疹がさらに炎症を起こしてしまうことがあります。皮膚にトラブルがあるときのスキンケアについては、医師に相談してください。

Q 目やにがひどく、目がうるんでいます

A 鼻涙管(びるいかん)が詰まっているのかも。目やにや涙はふいてあげて

涙は目がしらから鼻涙管を通って鼻へと抜けていきます。目やにや涙はふいてあげて、赤ちゃんの場合、この管が狭かったり詰まっていることがあるため、目がうるんだり、目やにが多くなることがあるのです。

色素の沈着か汚れです。色素は自然の皮膚の色ですから、そのままにしておいて心配ありません。一方、汚れがたまっている場合、無理にほじり出して肌を傷つけるのは細菌感染のおそれがあるのでやめて。気になるときは、ベビーオイルをたらして30分ほどおいてから洗うときれいに取れます。

ONE POINT こまめにふいて、清潔に

涙や目やにはこまめにふいて清潔に。症状がひどくなったら、病院へ。

Q 耳がおふろにつかってしまいました。中耳炎になりませんか?

A お湯が入っても、中耳炎になることはありません

中耳炎は、かぜをひいたときなどに、鼻やのどについた細菌やウイルスが耳管を通して耳の中に入っていくことで起こります。おふろのお湯が耳に入ったことでなることはありません。ケアは、おふろ上がりに綿棒で耳の入り口をクルッとふいてあげるだけでいいでしょう。万一外耳道(じどう)の奥までお湯が入っても、ほうっておけば自然に出ていきます。(中耳炎については240ページも見てください。)

Q おへその中が黒ずんでいます。きれいにするには?

A たまった汚れを取るときはベビーオイルでふやかして

黒ずんで見える場合に考えられるのは、

Q おしりが赤くかぶれてしまいました

A 清潔・乾燥・保護がケアのポイント

おむつかぶれはおしっこやうんちの刺激のほか、おしりが蒸れることでも起こります。ですから清潔と乾燥、刺激からの保護が大事。おしっこやうんちをしたらすぐおむつを替えるのはもちろんのこと、こするとおむつを替えるのは刺激になるので、うんちのあとはシャワーや座浴で洗い流しましょう。その後、タオルで押しぶきし、ワセリンなどをぬって皮膚を保護し、しっかり乾かしてからおむつをつけます。(おむつかぶれについては234ページも見てください。)

ONE POINT おふろ前にベビーオイル

おふろに入る前にベビーオイルをつけておき、おふろで洗うとラクです。

PART 7　月齢別 心と体の気がかりQ&A

4カ月の気がかり

Q 手足のくびれ部分が真っ赤に。あせもでしょうか?

A おそらくあせもでしょう。くびれはていねいに洗って

汗のたまりやすい部分が赤くなるのはあせもとかぶれが原因の可能性が大きいでしょう。あせもは汗腺が汗やあかでふさがれて皮膚が炎症を起こすものなので、入浴時はくびれに指を差し入れ、ていねいに洗うのがポイントです。
皮膚が湿ったままだとふやけて炎症を起こしやすいので、洗った後はよくふいて。なかなか赤みが治まらないようなら受診してください。(あせもについては234ページも見てください。)

ONE POINT

あせもケアのコツ

- **汗をかいたらこまめにふく**
  かいた汗はまめにふき、汗ばんだら、服も着替えさせて。
- **汗のたまりやすい部分をよく洗う**
  1日1回は石けんで手足のくびれ、首の周りをていねいに洗い、よくふきます。
- **吸湿性のいい服を着せる**
  汗をかかない程度の薄着にし、吸湿性のいい綿素材の服を選んで。

Q BCGのあとがうんでいます。大丈夫?

A そのうち乾いてきますから心配いりません

BCGは結核菌を弱くした生ワクチンで、体の一部に菌をつけ、軽く感染させて免疫をつけるものです。接種後にうんでくるのは、体内でできた抗体が菌と闘っている証拠。うんだ部分にふれないようにして、ようすを見ていれば心配いりません。ただし、ジクジクが長引く、接種箇所やわきの下のリンパ腺がはれるなどの症状があるときは病院へ。

Q 遊び飲みを始めたら、授乳は切り上げてもいい?

A いったんやめてようすを見てもいいでしょう

遊び飲みを始めたら、「もう飲みたくないのかな」と考えて、いったん乳首をはずしてみてもよいでしょう。少したったらもう一度しっかり含ませてみて、それでも空腹のときのような勢いで飲まず、遊んでいるようなら思いきって切り上げます。そうすることで早めにおなかがすいてしまい、次の授乳までの間隔がいつもより短くなってもかまいません。

Q ワックスのついたパパの髪を触った手。なめても平気ですか?

A できれば赤ちゃんと接するときはつけないで

もし口に入ったとしても、手についたものをなめた程度ならごく微量なので、心配するほどのことはないでしょう。ただ、化粧品によっては、多量に口に入れると有害な物質や、アルコールなどの成分が含まれていることがあります。
たとえば、パパも休日など赤ちゃんといっしょにいる時間が長いときは、髪にワックスなど何もつけないで、過ごしてみてはどうでしょう。

Q 飲み残しのミルクを後で飲ませてもいい?

A 雑菌が繁殖するので飲ませてはいけません

ミルクは栄養豊富で、雑菌が繁殖しやすいもの。特に赤ちゃんがいったん口をつけると、だ液が混ざり雑菌がいっそう繁殖しやすくなります。赤ちゃんは大人より抵抗力が弱く、大人なら平気なものでもおなかをこわすことがあります。いったん口をつけたミルクは、冷蔵庫で保存したとしても飲ませてはいけません。つねに調乳してすぐのものを飲ませるようにしましょう。

Q おっぱいが張らなくなってきました

A 赤ちゃんの体重が順調に増えていれば大丈夫

母乳の分泌が軌道に乗り、赤ちゃんのほうも飲むのがうまくなって一度に飲む量が増えてくると、それまでのようにおっぱいがパンパンに張る感じがしなくなってくるものです。授乳後1時間もたっていないのに空腹で泣き出したりしない限りは、おっぱいが張る感覚がなくても母乳は足りているので大丈夫。さらに、3〜4カ月の乳児健診のときに、体重の増え方が順調だと確認されれば、母乳はしっかり出ていると考えられますので心配いりません。

Q 何をしても泣きやまないときはどうしたらいい?

A ママに無理のない範囲でできるだけ相手をしてあげて

まず泣き方を観察してみましょう。弱々しい声で泣いていたり、ようすがおかしいと感じたら、病気の心配もあるので病院へ。特に変わったこともなさそうだけどというときには、外に出てみたり、子守歌をうたってみたり、いろいろトライしてみましょう。たとえ泣きやまなくても、泣いている赤ちゃんを受け止め、あれこれやってみることは大切です。

Q 寒い日でも、お散歩をしたほうがいいですか?

A お天気のいい日中に外に出てみて

寒いからといって1日中家の中にいては、赤ちゃんだって飽きてしまいます。コートや帽子、手袋などでしっかり防寒して外に出てみて。冬のお散歩は、冷たい空気にふれることによって皮膚が鍛えられたり、気管支（きかんし）が丈夫になったりというメリットもあります。ただし、晴れた日の暖かい時間帯を選んで。あくまでも無理のない範囲で楽しみましょう。

ONE POINT
ベビーカーのときの寒さ対策

ベビーカーは足もとが冷えるので、ひざかけなどで暖かくして。

Q 抱っこしないと寝つかないのは甘やかしすぎ?

A ママがたいへんでなければできるだけ抱っこしてあげて

抱っこされて寝つくのが習慣になっているのかもしれませんね。でも、これは十分にスキンシップができているということですから、赤ちゃんにとっては幸せなことなのです。泣いたりぐずったりしたときにだれかが抱っこしてくれるというのは、人と信頼関係を築く基礎にもなります。今は抱きぐせを気にせず、できる限り赤ちゃんの気持ちを受け入れてあげてください。

Q 寝ているとき、呼吸が不規則になることが

A 眠りの深さによって不規則になることもあります

睡眠には浅い眠りのレム睡眠と、深い眠りのノンレム睡眠があり、それに合わせて呼吸の仕方も変化しています。寝ているとき、呼吸が深くなったり浅くなったりと不規則に見えるのは心配いりません。ただし、睡眠中に一瞬呼吸が止まり、その後、少ししてからまた呼吸を始めるということを頻繁（ひんぱん）に繰り返すようなら、念のため小児科を受診して。

PART 7 月齢別 心と体の気がかりQ&A

5カ月の気がかり

Q 後頭部がはげてしまいました。またちゃんと生えますか？

A 時期がくればしっかりした毛が生えてきます

このころになると赤ちゃんは、自由に頭の向きを変えることができるようになります。この時期の赤ちゃんの髪の毛は産毛(うぶげ)で細くてやわらかいので、あおむけに寝たまま頭を何度も左右に動かすと、髪の毛がシーツやまくらカバーにこすれて抜けたり切れたりしてしまうのです。今ははげたように見えても、そのうちまたしっかりした毛が生えてくるので安心してください。

Q 片方の耳がぺちゃんこ。向きぐせのせい？

A 向きぐせの影響でしょう。成長とともに直ります

これは、向きぐせによるものでしょう。赤ちゃんの耳はやわらかいので、いつも同じ方向を向いて寝ていると下になったほうの耳がいつも押しつぶされた状態になり、ぺちゃんこになったように見えてしまうのです。寝返りやお座りをするようになれば、片方の耳だけがつねに圧迫された状態でいることも少なくなるので、特に治療をしなくても自然に直ります。気になるときは、下になっているほうの耳を、ときどきママの指の腹でほぐすような感じでやさしくマッサージして、血行をよくしてあげるといいでしょう。

ONE POINT 向きぐせを直すコツ

- ママの手で頭の向きをときどき変える。
- 赤ちゃんは明るい方向を見る傾向があるので、日当たりによってときどきふとんの向きを変える。

どの赤ちゃんにも好きな方向があるようです。そのままにしていても問題ありませんが、どうしても気になるときは上の方法を試してみてください。

4〜5カ月の気がかり

Q 舌のところどころが白っぽくなっています

A ミルクの成分でしょう。心配いりません

白っぽいものは、いわゆる「ミルクかす」だと思います。舌の表面はざらざらしているので、母乳やミルクに含まれるたんぱく質などがかたまったものが、かすのようになって残ることがあるのです。そのままにしておいても大丈夫ですが、気になるときはママの指にガーゼを巻き、舌の上をなでるようにしてぬぐってあげてください。

ONE POINT 取れないものは鵞口瘡というカビの可能性も

ぬぐっても取れなければ鵞口瘡の可能性があるので受診します。

Q スタイがすぐびしょびしょに。よだれの量が多すぎですか？

A よだれの量には個人差が。心配しないで

離乳食開始のころになると消化機能が発達し、だ液の分泌が増えてきます。しかし、初めのうちはうまく飲み込めず、口にたまっただ液がよだれとなってあふれてしまうことがあります。だ液の量には個人差がありますが、発達上の問題はありません。月齢が進むとだ液をうまく飲み込めるようになり、よだれは自然と減ってきます。

ONE POINT かぶれ防止によだれはふいてあげて

よだれをそのままにしておくとかぶれの原因に。ぬらしたガーゼでそっとふき取ります。

Q 汗をかかない季節でも、ミルク以外の水分補給は必要？

A 母乳やミルクで足りていれば無理に飲ませなくて大丈夫

母乳やミルクから必要な水分がとれていれば、どうしても水分を補給しなければならないということはありません。ただし、大人は汗をかかない季節でも赤ちゃんは汗をかいていることがあります。寝起きやお散歩の後、泣いた後、おふろ上がりなど、のどが渇いていそうなときに、湯さましや麦茶などを与えてみましょう。

ONE POINT 量は赤ちゃんまかせで大丈夫

飲む量は赤ちゃんまかせでOK! 渇きが治まれば、自然に飲むのをやめるものです。

Q 初めて与える離乳食はおかゆがいいの？

A 最初の1さじは10倍がゆをすりつぶしたものを

離乳食のスタートは、米の10倍がゆが基本です。最初はこの米と水の量が1対10の割合で作った10倍がゆをトロトロにすりつぶしたものを、赤ちゃん用スプーンでごく少量から与えていきます。赤ちゃんがいやがらなければ野菜やいも類を少しずつ試し、1カ月ほどたったころから豆腐や白身魚を試してみましょう。どの食材も初めて食べさせるときは、1日に1回1さじずつを必ず守り、皮膚やうんちに変化がなければ徐々に量を増やしていきます。無理強いせずに、ゆっくりと進めましょう。

Q 食べたものを口の両端からこぼしてしまいます

A 1回に口に入れる量が多すぎて、飲み込みきれないのかも

離乳食を始めたばかりの赤ちゃんは、離乳食を舌を前後に動かして飲み込みます。このため、舌が前に動くときに食べものが口から出てしまいやすいのです。食べたものが口の端からこぼれるようなら、1回の量を少なめにします。1カ月もすればうまく飲み込めるようになります。

ONE POINT 飲み込むことがだんだん上手に

最初は上手に食べられなくても、少しずつ唇を閉じて飲み込めるようになってきます。

Q 残した離乳食を冷蔵庫に。次回食べさせてもいい？

A 食べ残した離乳食は処分して

手作りの場合でもベビーフードの場合でも、食べ残しの離乳食は処分するのが基本です。赤ちゃんの口の中の雑菌が、スプーンを介して食品の中に入り込むことがあります。食器や調理器具、空気中の雑菌が繁殖するのも心配です。食べきれそうな量だけ少しずつ器に盛るなど、食べ残しが出ない工夫をしましょう。

Q 米がアレルギーの原因になることがあるって本当？

A おかゆを1さじ食べさせてようすを見て

アレルギーの主な原因となるのは、食品に含まれるたんぱく質。米の外皮部分はたんぱく質を含んでいるため、食べたことによってまれに食物アレルギー反応を起こす赤ちゃんがいるようです。最初は10倍がゆをつぶしたものを1さじ食べさせた後、1〜2時間ようすを見てください。湿疹やじんましん、嘔吐などの反応が出なければまず大丈夫でしょう。

PART 7　月齢別 心と体の気がかりQ&A

5カ月の気がかり

Q 予定日より早く生まれました。離乳食開始は遅らせるべき?

A 食べたそうにしていたら、遅らせる必要はありません

体の発達がその子なりに順調なら、予定日より早く生まれたり、小さく生まれたことを理由に離乳食を遅らせる必要はありません。5〜6カ月になって、パパやママが食べているのをじっと見たり、よだれが増えるなど、食べたそうにしているようすが見られたら開始してよいでしょう。その後の進め方もふつうどおりで問題ありません。

ONE POINT　体質的に問題がなければふつうでOK

遺伝的なアレルギーなどの心配がなければ、食材や量も一般の離乳食と変わりなくあげてかまいません。

Q 夕方になると、決まって泣くのはどうして?

A 家事の時間を工夫して、できるだけ相手をしてあげて

「夕暮れ泣き」という言葉があるくらい、夕方になって泣き出す赤ちゃんはたくさんいます。でも、どうして泣くのかはよくわかっていません。月齢が高くなれば自然と治まるので、今のうちだけと割り切りましょう。朝のうちに夕食の下ごしらえをするなど時間をやりくりし、夕方はなるべく赤ちゃんの相手をしてあげるとよいでしょう。

Q 髪の毛をむしるくせをやめさせたい

A 自然にやめるので、しばらくは見守って

赤ちゃんにとって、自分の体はおもちゃのようなもの。髪の毛を引っ張るのも、手や指をしゃぶるのと同じ遊びのひとつです。腕を動かしているうちにたまたま手のひらが髪にふれ、つかんでしまったのでしょう。無理にやめさせなくても、時期がくれば自然にしなくなりますから、今は見守っていて大丈夫です。

Q 寝返りができるようになれば窒息の心配はない?

A 気がつくとうつぶせ寝。まず大丈夫。ときどきようすを見て

夕方になって泣き出す赤ちゃんは（略）寝返りができるようになれば、うつぶせに寝ていても窒息の心配はまずありませんが、念のため目が届く場所に寝かせてようすを見ましょう。気になるなら、ときどき体をあおむけになるように、返してあげてもいいでしょう。

あおむけで寝かしつけても、眠っている間にうつぶせになってしまうのですね。この赤ちゃんにとってはうつぶせがラクなのかもしれません。念のため、赤ちゃんにはあまり近づけないほうが安心かもしれません。

Q 携帯電話のカメラで撮影。電磁波は大丈夫?

A 携帯電話のカメラの電磁波は心配ありません

携帯電話は、カメラとして使用している場合には電磁波を出していないので、赤ちゃんに向けて撮影しても、心配ありません。通話中や呼び出し音が鳴っているときに生じる電磁波が、人体に影響するかどうかに関しては、さまざまな意見があります。ですから、通話するときは念のため、赤ちゃんにはあまり近づけないほうが安心かもしれません。

ONE POINT　かための敷きぶとんで

あおむけ寝の場合でも、顔がうずまらないよう、敷きぶとんはかために。

6カ月 の気がかり

Q 髪の毛が少ないのが悩み。生えそろうのはいつごろ?

A お誕生日前後には生えそろいます。安心して

どんなに薄くてポヤポヤ髪の赤ちゃんでも、1才前後になるとある程度生えそろいます。生まれたときから生えていたり、月齢の低い時期に生えてくる細くて頼りない感じの髪の毛は産毛（うぶげ）です。産毛は8〜9カ月ごろまでには徐々に抜け、その後、しっかりとした髪の毛に生え替わってくるので心配ありません。

Q おなかにかたいところがあるけど、大丈夫?

A 便秘でうんちがたまっているのかもしれません

赤ちゃんが便秘気味なら、おなかのかたく感じる部分は、たまったガスや便であることがほとんどです。マッサージなどのケアをしても1週間以上便秘が続い

たり、肛門（こうもん）が切れて便に血液が混ざったり、排便時に泣くことがあれば病院に連れて行ってください。便通もよく食欲もあるのに、いつも同じ部分がかたいときは病気の可能性も。小児科を受診して。

Q おしっこが前よりにおうような気がします

A 濃くなるとにおいます。水分補給を十分に

夏になると、おしっこのにおいが気になるという相談を多く受けるようになります。主な原因は体内の水分不足。汗をたくさんかいた後で十分に水分を与えないと、体内でおしっこの成分が濃縮され、においの強い濃いおしっこが出てくるのです。また、6カ月といえば、離乳食が始まる時期。このころ赤ちゃんは、母乳やミルクだけのときと比べてどうしても摂取する水分の量が減ってしまうため、おしっこが濃くなってしまいがちです。気になるときは、こまめに水分補給をしてようすを見てください。

Q 粉薬を甘いものに混ぜる場合、何がいいですか?

A ヨーグルトやプリンなど、飲み込みやすいものに

6カ月といえば、トロトロのものをご

つくんと飲み込むことに慣れ始めた時期でしょう。薬を混ぜるときも、ヨーグルトや赤ちゃん用のプリンのようにツブツブのないなめらかなものか、りんごジュースなどに混ぜてあげるとよいでしょう。
ただし、オレンジやグレープフルーツなどかんきつ類のジュースに混ぜるのは、含まれているビタミンで薬の成分が変質することもあるので注意してください。

ONE POINT
薬を飲ませるコツ

● 清潔な指先に混ぜた薬をのせ、味を感じにくい上あごやほおの内側にぬります。

● 薬が口の中に残らないよう、湯ざましや麦茶を与えます。

Q 保育園入園間近なのに哺乳びん嫌いです

A いろんな種類のニプル（乳首）を試してみて

ニプルはメーカーや材質によって口当たりが違います。いろいろ試してみましょう。おなかを十分すかせてから飲ませるとすんなり飲むこともあります。また、離乳食が進むと、ママの乳首以外のものを口に入れることにしだいに抵抗がなくなります。赤ちゃんはママが思う以上に環境に順応する力があるので、心配しすぎずがんばって。

142

2013年4月 親子の新刊

Gakken

おやこで あそぶ しかけえほん
ぴよちゃんの おたんじょうび

いりやま さとし／作絵

978-4-05-203760-3
定価819円　155ミリ×200ミリ／26頁

ぴよちゃん生誕10周年！
感謝をこめて……200名にぴよちゃんグッズが当たる読者キャンペーンを実施！
(2013年9月末日締切)

今日はぴよちゃんのお誕生日。プレゼントを持って次々と仲良しのお友達がお祝いにやってきます。中にはちょっと怖いお友達も……？　最後は、飛び出すケーキのしかけつき！　ページをめくる楽しさがいっぱいの、しかけ絵本です。親子で遊ぶうちに、子どもの心と言葉と想像力を育みます。はじめての読み聞かせにも最適！

照しかけがいっぱいのおたんじょうび絵本！

＊定価・価格はすべて税込みです　＊表紙・キットの内容・タイトル等は一部制作中のもので、誌面・イメージ画像のものもあります
＊発売日・ページ数などは変更になる場合があります

〈 子育ての新刊 〉

暮らしの実用シリーズ

はじめての離乳食 最新決定版
小池澄子／監修
978-4-05-800067-0　定価1365円　235ミリ×210ミリ／206頁

最初のひと口からの上手な作り方と進め方がよくわかる！

手早くラクラク作れるレシピばかり。栄養バランスや咀しゃくと味覚を育む離乳食の進め方、無理なく進めるコツまでをわかりやすく掲載。2009年版に最新情報とレシピを大幅増＆再編集した、離乳食のすべてがわかる本。そのひと口で赤ちゃんの食習慣が変わってきます

はじめての育児 最新決定版
細谷亮太／監修
978-4-05-800066-3　定価1365円　235ミリ×210ミリ／266頁

生まれてから3歳までの育児はこの1冊におまかせ！

3歳までのお子さんを持つお母さんのための最新決定版育児バイブル。「月齢別 赤ちゃんの生活とお世話」「母乳・ミルク・離乳食」「病気＆ホームケア」「Q＆A」ほか情報満載。2008年刊行の好評育児本に最新情報を大幅追加＆再編集。さらにわかりやすくなりました！

佐々木千絵の どっぷり育児酔い日記シリーズ
全3巻・各85円

4歳と2歳の姉妹のママで雑誌などで活躍中の人気イラストレーター佐々木千絵の、日々の育児と旅行と料理（ビール好き）の、（ビール）をイラスト＆写真でつづります。

学研電子ストア NEWS

こちらをご覧ください→ http://ebook.gakken.jp

〈 おいしい新刊 〉

ホットケーキミックスで簡単パン&おやつ206品

学研ヒットムック お菓子・パンシリーズ

ライフ&フーズ編集室/編

大人気レシピから簡単&おいしいものだけを厳選!

発酵いらずで、フライパンやトースターでも手軽に、ふわふわに焼けるパンと、ケーキやドーナツ、クッキーなど、ホットケーキミックスで作る簡単おやつのレシピが満載です!

978-4-05-610010-5
定価600円 A4判変型/82頁

トイロ家の野菜がいっぱい!毎日ごはん

学研ヒットムック 料理シリーズ

トイロ/著

何度も作ってあげたい食材別レシピ!

1日30万アクセスを誇る人気ブログ「トイロイロ」がムック化!野菜がいっぱいの186レシピを紹介。メインおかずからお弁当にも便利な副菜、栄養満点ごはん&汁物まで、お役立ちの1冊です。

978-4-05-610005-1
定価780円 AB判/88頁

コストコ Life

学研ムック

学研パブリッシング/編

買い物ができるご招待券付き

会員制メガストア「コストコ」の人気食材を使った、1冊丸ごとレシピブック。家庭にある材料で簡単に作れるレシピを100点以上掲載。(食材の保存法も紹介)。買い物に役立つ「コストコ手帳」付き。

978-4-05-610000-6
定価780円 A4判/84頁

〈 楽しい新刊 〉

ぬのひもえほん しましまぐるぐる
いっしょにあそぼ
かしわらあきお／絵

978-4-05-750398-1
価格1523円　175ミリ×175ミリ／8頁

赤ちゃんに大人気『しまぐる』の布絵本版！

軽くて丈夫で洗濯もOK。赤ちゃんの大好きなひもやタグも付いて、面ファスナーでいないいないばあ遊びも出来る布絵本。お魚マスコット付。

はじめてのめいろ
学研わくわく知育ドリル
ミッフィー
榊原洋一／監修
（1・2・3歳）

78-4-05-203758-0
定価798円　A4判／各48頁

同時発売　はじめてのおけいこ（1・2・3歳）

遊びながら学べるドリル

幼児に大人気のミッフィー初のドリル。めいろやシールなど楽しい問題ばかりで、初めて取り組むドリルとして最適です。

のりもの
はっけんずかんプチ
西片拓史／絵

978-4-05-203749-8
定価924円　223ミリ×207ミリ／18頁

「とびら」を開くと楽しい「はっけん」が！

たくさんのしかけをめくったり、乗り物の中が見られたり動いたりします。本と子どもの距離がぐっと縮まる絵本図鑑です。

同時発売　どうぶつえん

きせつのお話366
毎日が楽しくなる
長谷川康男／監修

978-4-05-203729-0
定価2415円　A5判変型／408頁

1日1話で日本の季節がまるごとわかる！

1年366日それぞれの日に合った行事、旬の食べ物、記念日、星座、身近で見られる自然現象などのお話を掲載。毎日が楽しくなる1冊です。

●ご注文は最寄りの書店へ●書店購入がご不便の際は ショップ学研 http://shop.gakken.co.jp/ へ
●こちらもご覧ください★ 教育総合サイト 学研マナビゲーション http://manabi.gakken.jp/

PART 7 月齢別 心と体の気がかりQ&A

6カ月の気がかり

Q 一時保育に預けたら2時間泣きどおし。傷ついてる?

A お迎えに行ったら、しっかり抱っこしてフォローを

6カ月といえば、いつもいっしょにいるママと、そうでない人との区別がつき始めるころです。いつもと違う環境と見知らぬ人ばかりの中で、赤ちゃんなりに違和感があったのでしょう。泣きどおしだったことが大きな心の傷になるというのは考えにくいことですが、お迎えに行ったら、思いきり抱きしめて、「がんばったね」とフォローしてあげましょう。保育中ずっと泣いていたと聞くと心配になると思いますが、理由があって一時保育をお願いしているのですから、ママも心を整理して対処しましょう。

ONE POINT 一時保育を利用して

認可を受けている保育所などなら、一時保育にかける職員の人数、保育する部屋の広さや環境はある一定の水準に達しています。また、実際に赤ちゃんを見てくれるのは、保育のプロの保育士さん。泣いている子やぐずっている子の扱いにも慣れています。安心して利用しましょう。

Q パパのあやし方が乱暴。揺さぶられっ子症候群が心配です

A あやすときはなるべくやさしく、を心がけて

揺さぶられっ子症候群は、英語では[Shaken Baby Syndrome]といい、文字どおり赤ちゃんをシェイクするように激しく揺さぶることで、児童虐待のひとつとしてとらえられています。常識の範囲内のあやし方ならこれには当たりませんが、ついはしゃぎすぎてダイナミックにあやしたりすると、赤ちゃんにとっては危険なことがあります。あやすときは、やさしくよしよししましょう。

Q 少しの物音で目を覚ますのは神経質?

A 眠りが浅いせい。性格とは関係ありません

眠りには、体が休んでいても脳が活動している浅い眠り(レム睡眠)と、脳も休んでいる深い眠り(ノンレム睡眠)があります。赤ちゃんの場合、レム睡眠の時間帯が長いので、物音などの刺激で目覚めてしまいやすいのです。これは自然なことで、神経質なせいではありません。レム睡眠の割合は、成長とともに減っていきます。

ONE POINT 背中トントンで眠らせて

途中で起きてしまったら、背中をトントンしてあげて。安心してまた眠ってしまいます。

Q 足の指をしゃぶりますが、不潔ではありませんか?

A ほかの皮膚と同じで、不潔ではありません

靴をはくようになったり、はだしで歩き回るようになるまでは、足だから特に汚れているということはありません。手や足をなめるのは、ほかの部位と同じです。毎日入浴してきれいにしていれば、足や足の指も、動かしているうちに偶然口に当たってしまったことがきっかけ。6カ月にもなると、足を上下に大きく屈伸できるようになるので、足もなめるようになるのでしょう。赤ちゃんは、なめることものの感触を確かめています。無理にやめさせなくていいでしょう。

ONE POINT 気になるなら足をふいて

衛生面が気になるときは、お湯でしぼったタオルでふいてあげて。

Q つめを切られるのをいやがって逃げます。

A 強引にやるといやがって逃げます うまく気をそらせて

体のお手入れは、ママと赤ちゃんのふれ合いのひととき。つめ切りもゆったり気分で楽しくできたらいいですね。赤ちゃんをひざにしっかり抱っこし、しばらく遊んで気分を落ち着かせてから切ってみるのはどうでしょうか。また、片手におもちゃを持たせ、気をそらすのもいいかもしれません。どうしても難しいなら、お昼寝のときなどにそっと切ってしまいましょう。

Q この着せ方では寒いのか暑いのかどうすればわかる？

A 汗をかいているかどうか 体に触って確かめて

新生児期を過ぎたら、大人より1枚少なめが着せ方の基本です。ただ、雨で肌寒いときがあったり、晴れて急に蒸し暑くなるときは、着せ方に迷いますね。暑いかどうかを見極める第一ポイントは汗です。頭や背中を触ってみて、じっとり汗ばんでいるようなときは、暑がっている証拠。そのままにしておくと体が冷えるので、汗をふき、ぬれた衣類を脱がせしょう。

て薄手のものに着替えさせてください。また、ほおが赤い、なんとなくきげんが悪いなども判断の目安になります。逆に、腕や脚に触ってみてひんやりしているよなら寒いのかもしれません。長袖や長ズボン、厚手のものに着替えさせてようすを見てください。

ONE POINT
湿度にも注目!!
同じ気温でも、湿度が高いとジットリ汗が出てきます。汗っかきの赤ちゃんならなおさら。ムシムシする日は、エアコンのドライ機能を使い、湿度を60％くらいに調整するといいでしょう。

Q 車で帰省予定ですが、渋滞で長時間かかりそう

A こまめに休憩。暑い車内では水分補給をたっぷりと

時間に余裕をもって出発し、30分〜1時間に1回くらいを目安に休憩して、チャイルドシートから降ろしてあげましょう。暑い季節なら、車内では、エアコンの冷風や直射日光が赤ちゃんに当たらないようにガードして。暑い時間帯や混雑する時間帯を避けて移動するのがベストですが、念のため、飲みものやおむつを多めに持っていると安心です。

Q 長時間のおんぶは苦しいの？ 何分くらいまでならOK？

A 同じ姿勢を続けると疲れてしまいます。 赤ちゃんのようすで判断して

ママと密着して安心できるから、赤ちゃんはおんぶが大好きです。でも、自由に動けない状態で同じ姿勢を続けていると、赤ちゃんも疲れてしまいます。下ろすかどうかは、時間より赤ちゃんのようすで判断しましょう。きげんがいいうちは問題ありませんが、途中でぐずついたり、眠ってしまったりしたら下ろすといいでしょう。

Q そろそろスイミングを習わせてもいいですか？

A 水に入ることを赤ちゃんが楽しむようならOK

体の発達面から見れば、プールに入るのは悪いことではありません。室温より低い温度の水に入ることで、皮膚や呼吸器系の鍛錬にもなります。でも、大切なのは赤ちゃんの気持ちです。喜んで遊ぶなら問題ありませんが、時期が早いのかもしれません。まずは体験教室に行くなどして、赤ちゃんのようすを見たり、じっくり検討してからにしましょう。

PART 7　月齢別 心と体の気がかりQ&A

7カ月の気がかり

Q 歯が生え始めました。歯ブラシを使ったほうがいい？

A 生え始めは、ガーゼみがきで十分です

この月齢ならまだ歯の数も少なく、よだれも多いので、歯のケアについてそれほど神経質になることはありません。歯ブラシでみがくのは、上下の歯が4本ずつ生えたころからでもよいでしょう。それまではガーゼで汚れをぬぐってあげて。ガーゼみがきは、歯のお手入れの第一歩。いやがったり、抵抗されたりしても、楽しくできるように工夫してあげてください。この時期は習慣づけが大事です。

Q 顔色が青白い気がします。貧血ではとはと気になります

A 心配なときは、病院で検査を受けて

生まれつき青白い肌色をしている子もいるので、顔色だけでは貧血と判断できません。ただ、まぶたの裏側や唇の色が白っぽいと貧血の疑いがあります。心配なら一度、病院で検査を受けてみてください。

なお、今はまだ母乳やミルクが栄養の中心ですが、これからだんだん離乳食の割合が増えていくので、鉄分を含む食品を用いるように心がけないと鉄欠乏性貧血になるおそれがあります。1日3回食になるころからは、十分に気をつけてください。

ONE POINT
鉄分を含んだ食品をたくさん食べさせて

鉄分を多く含む食品をメニューに取り入れましょう。なお、牛乳はもともと鉄分が少ない上に、鉄分を腸から吸収しにくくする作用があるので、1才になって飲むようになっても、飲みすぎには注意してください。

【鉄分を多く含む食品】※7カ月ではまだ早いものも含まれています。

牛豚赤身肉　まぐろ　レバー
大豆製品　ほうれん草　ひじき

ONE POINT
おもちゃはいつも清潔に

洗えるおもちゃは水洗い。洗えないものはお湯でしぼったタオルでふくか、エタノールでふいて。

6〜7カ月の気がかり

Q 消毒用エタノールでふいたおもちゃをなめても大丈夫？

A 乾いてからなら心配ありません

消毒用エタノールは、お酒にも含まれるエタノールの濃度を濃くしたもの。殺菌・消毒効果が高く、食品についても安心なため、冷蔵庫の掃除などに多く用いられています。また、揮発性が高く、すぐに乾いて成分が空気中に蒸発してしまうため、二度ぶきの必要もなく、乾けばほとんど成分は残りません。この時期の赤ちゃんは、手で触るのと同様、なめることでもものを確かめています。なめても安心なように、赤ちゃんがふれるおもちゃ類はいつも清潔にしておきたいものですね。

Q 左右の太もものしわの数が違うのですが

A 単なる肉づきの違い 心配ありません

単なる肉づきの違いでしょう。ヒトの体はもともと、完全に左右対称にはできていないものです。しわの数が違うだけで、ほかに目だった違いがなく、両脚が同じように動かせているなら問題ありません。ただし、おむつを替えるときに、どちらかの脚の付け根がコキッと鳴ったり、脚を伸ばすと痛がるようなときは、股関節脱臼の疑いがあるので受診を。

145

Q 足のつめが食い込んでいます。どうケアしたらいい？

A つめの端にちょっと丸みをつけたり、カットに工夫を

あんよする前の赤ちゃんのつめは、薄くてやわらかく、スプーンのように軽くそり返った感じになっています。そのため、つま先の皮膚に食い込んでいるように見えることがありますが、心配りません。両端がカーブするようにカットしたり、逆にスクエアカットにしたり、伸びてきたつめの角が皮膚を傷つけないようにその子に合わせた工夫をしてあげて。

Q かぜの後、どれくらいたったら予防接種を受けても平気？

A 発熱の後は、少なくとも1週間はあけて

かぜで熱が出たときは、下がってから、最低でも1週間は間をあけ、かかりつけの医師と相談してから受けるようにしてください。一方、せきや鼻水といったかぜの症状が見られても、発熱はなくて症状が軽く元気なら、予防接種を受けられることもあります。接種前に「予防接種予診票」に気になる症状を詳しく記入し、接種する医師と相談してから受けるかどうかを決めてもよいでしょう。

Q まだ寝返りしません。太めなせいでしょうか？

A 体格のせいもあるかも。でもそのうちできるように

ぽっちゃりした赤ちゃんのほうが、運動発達の面で少しだけゆっくりめということはあるようです。体を動かすのにはそれなりの筋力が必要なので、重い分、少しだけ余計に時間がかかるのかもしれませんね。でも、自分の体を動かす力は、必ず自然についてくるので大丈夫です。また、うつぶせの姿勢が好きではない赤ちゃんも、あまり早くから寝返りを始めない傾向があるようです。いずれにしても、体格や発達の早い遅いは赤ちゃんの個性と思って、のんびり構えて見守ってあげましょう。

Q お座りの練習をさせると猫背になるの？

A そのようなことはありません。迷信でしょう

これは迷信だと思います。確かに、まだひとりでお座りできない赤ちゃんを、何かを支えにして座らせてみると、前かがみの姿勢になりますね。これが猫背のように見えるのかもしれませんが、だからといって、将来猫背になることはありません。赤ちゃんが自分で姿勢を変えてお座りできるようになるのは、一般的には8〜9カ月ごろ。そのころになれば、背中やおなかの筋肉もそれなりに発達してきますから、座らせても前かがみになることはなく、自分できちんと姿勢を保っていられるようになります。

ONE POINT
遊び感覚でお座りを

ときどきはママの脚の間に座らせたり、向かい合って手を貸すなどして、遊び感覚でお座りをさせてあげて。

Q 小食でおっぱいが大好き。これでも2回食に進めていい？

A ドロドロのものを飲み込めていたら2回食へ

2回食に進めるのは離乳食を始めて1カ月以上たったらというのが目安ですが、離乳食の目的のひとつは、形のある食べものをしっかりかんで食べる「咀嚼力」をつけること。咀嚼力の発達段階から考えると、10倍がゆなどを食べさせたとき、唇を閉じてゴックンと飲み込むことができることが、2回食へ進む見極めポイントになります。なお、このころは栄養の大半はまだまだミルクや母乳からとっています。食後のおっぱいは好きなだけ飲ませてあげてください。

PART 7　月齢別 心と体の気がかりQ&A

7カ月の気がかり

Q いつごろから離乳食に味をつけてもいいの？

A そろそろごく薄味に味つけしても

素材が持つ自然のうまみや風味、香りを生かすのが離乳食の基本です。そのままの味で赤ちゃんがよく食べるのなら、まだ味つけしなくていいのですが、食が進まないときなどは、ほんの少し味つけするとおいしくなって食欲が増すことも。そろそろごく少量の調味料を使ってみてもかまいません。味の濃さの程度がよくわからないときは、ベビーフードを味見して、お手本にしてみるのもいいでしょう。

Q 水分補給にふつうのペットボトルの水を飲ませて大丈夫？

A 成分によっては、飲ませないほうがよいものも

市販されている水は産地によって成分がいろいろ。中でも「硬水」に分類される多くの外国産の水は、カルシウムやマグネシウムといったミネラル分が多くて硬度が高く、消化機能が未発達な赤ちゃんが飲むと下痢をするおそれがあります。日本産の水なら、ほとんどが硬度が水道の水と同じ程度の「軟水」なので心配いりませんが、ボトルの成分表示を見ても区別がつかないようなら飲ませないほうが無難。赤ちゃんに飲ませる水は水道水を煮沸したあと冷ましたものにしましょう。

ONE POINT
のどが渇くのは、こんなとき！

赤ちゃんは大人が思っている以上に水分を必要としています。水分補給はタイミングを見てこまめにおこないます。

- 昼寝後や夜中に起きたとき
- おふろ上がり
- 遊んだ後
- 泣いた後
- 離乳食のとき
- ドライブ中

Q 大きないびきをかくことが。どこか悪いのでしょうか？

A 赤ちゃんはのどの構造上、いびきをかきやすいのです

いびきをかいていても、ぐっすり眠っていて、日中も元気で食欲があれば心配することはありません。赤ちゃんの気道は細くやわらかいため、深い眠りに入ってのどの周りの筋肉がゆるむと、のどの奥の空間が狭くなっていびきをかきやすくなるのです。いびきは頭の向きを変えると治まることもあります。たたんだタオルを肩の下に入れ、首を伸ばすような姿勢にするのもよいでしょう。ふつうのいびきなら成長するにつれてだんだん治まり、2才くらいになるとほとんどかかなくなります。

Q 汗をかかない日は、おふろをお休みしていい？

A 1日くらいならお休みしても。でも、おしりは洗ってあげて

赤ちゃんは新陳代謝が活発で汗っかきなので、思ったより皮膚が汚れているもの。生活リズムを作るためにもできれば毎日おふろに入れてあげたいものですが、ママの体調が悪い日など1日くらいお休みしても問題ありません。そんな日は、お湯でしぼったタオルで全身をよくふき、着替えさせてあげましょう。ただし、うんちやおしっこに直接ふれるおしりだけは、洗面器にお湯を張って洗ってあげて。

Q 絵本の読み聞かせをしたいけど、なめるだけ。まだ早いの？

A 9カ月を過ぎるころから興味を持つようになります

読み聞かせに「いつから」という決まりはありません。ただ、9〜10カ月以降になると、明らかに本を読んでもらうのを楽しんでいるようすが見られるようになってきます。それまでは赤ちゃんにとっての絵本はおもちゃと同じ。なめたり振り回したりしますが、ママが絵本をめくるうちに、少しずつ興味を示すように なります。

147

8カ月の気がかり

Q 盛り上がった赤いあざは自然に消えますか？

A あざのできた場所によっては治療したほうがいいでしょう

これはおそらくイチゴ状血管腫でしょう。毛細血管が異常増殖してできる赤あざの一種です。生後すぐからでき始め、しだいに大きくなりますが、1才を過ぎるころから少しずつ小さくなり、特に治療をしなくても小学校に上がるころには自然に消えていきます。ただ、血管腫が大きい場合や、目の周りや唇、外陰部にできているときなどは、レーザー治療を行うこともあります。（イチゴ状血管腫については236ページも見てください。）

Q つめの先がすぐ割れてしまうのが気になります

A 赤ちゃんのつめは薄いからです。心配しないで

赤ちゃんは大人に比べてつめが薄いので、割れやすいものです。栄養不足などを気にするママもいますが、そうではないので心配いりません。ただ、割れた部分が衣類などに引っ掛かり、さらに割れてしまったり、皮膚を傷つけたりすることがあるので、こまめにケアをしましょう。割れた部分をカットしたり、つめやすりを使ってなめらかになるように削ってあげてください。

Q かぜ気味でもないのにせきをするようすを見ていいでしょう

A よだれでむせているのかも。ようすを見ていいでしょう

よだれが原因かもしれません。特に寝入りばなや、目覚めの前後によだれが気管に入りそうは、吸い込んだよだれがせき込むのを、目覚めの前後によだれが気管に入りになってむせている場合がほとんど。抱き上げて体を起こし、背中をやさしくたたいてあげればすぐに治まります。

一方、たんがからんだようなゼロゼロしたせきや、日中、起きているときにもせきが出るときは、ほかに症状がなくてもかぜの可能性があるので診てもらってください。

Q おむつに赤いしみが。病気ではないかと心配です

A 尿の成分の結晶で、病気ではありません

おむつについた赤いしみは尿の成分である尿酸やシュウ酸の塩分が結晶化したものと思われます。水分をあまりとらなかったり、汗をたくさんかいたりすると、おしっこの成分が濃くなってこのような状態になることがありますが、心配なものではありません。元気できげんがよければそのままようすを見ましょう。どうしても気になるときは、おしっこのついたおむつを持って受診してください。

ONE POINT

端を丸くカット

割れにくくするには、つめの端をとがらせず、丸くカットするのがポイント！

ONE POINT

湿度も確認して！

湿度60％

乾燥した空気も、せきを誘発することがあります。湿度60％を目安に加湿して。

ONE POINT

水分不足で赤いしみになることも

熱で体の水分が失われたときも赤いしみがつくことが。発熱時は水分補給をこまめにします。

148

PART 7　月齢別 心と体の気がかりQ&A

8カ月の気がかり

Q 両親の肥満は赤ちゃんに遺伝する？ 予防できますか？

A 遺伝的な肥満はごくまれ。予防は幼児期からで十分

両親が太っていても、赤ちゃんが将来肥満になるとは限りません。ほとんどの場合、太るか太らないかは遺伝より生活習慣によるものと考えられています。あんよが始まる前の8カ月ごろといえば、プクプクしているのがふつう。幼児期以降の肥満とは違い、太っているように見えても一過性のものです。今は太りすぎを気にして、あれこれ対策を立てる必要はありません。

Q 床にワックスをぬったら、ハイハイの赤ちゃんに影響ある？

A 手についてなめても微量なのでほとんど影響ありません

この時期は、興味のあるものを何でもなめて確かめます。床にぬられたワックスが直接、または手を通して赤ちゃんの口に入ることは十分考えられますが、入ったとしてもごくごく微量。健康に害を与えるほどのものではないと思います。ただしあんよするようになると、ワックスでみがいた床は滑って転びやすくなることが。家ではなるべくはだしで過ごして。

Q 寝返りをしないままお座りを始めました

A 発達の順番が違っても問題ありません

うつぶせの姿勢が嫌いな赤ちゃんはけっこういます。この赤ちゃんの場合も、寝返りができないのではなく、しないだけなのだと思います。寝返りをしないまま、つかまり立ちからあんよへと進むこともありますが、それでも問題はありません。このような発達の飛び越しは実はけっこうあること。「できること」の順番が違うのも個性と受け止め、赤ちゃんなりの成長を見守ってあげてください。

Q この月齢でも、手づかみ食べさせたほうがいい？

A 食べものの感触を手でも感じさせてあげて

手づかみしたり、こねまわしたりは、赤ちゃんにとっては大事な成長の過程。自分で食べたいという意欲が出てきた証拠です。赤ちゃんの気持ちを認め、見守ってあげて。手でつかんだ食べものを口まで運んで食べることを覚える、また、食べもののかたさや温度を知り、つかむ力を加減するなど、手づかみによって学ぶことはたくさんあります。まだまだ手先で細かい動きができないので、グチャグチャにしてしまいますが、見守ってあげましょう。

Q ばぁばが口移しで食べものを与えるので困っています

A 衛生上、やめてもらったほうがいいでしょう

おばあちゃんにしてみれば、赤ちゃんがかわいくてしかたないのでしょうね。でも、口の中にはむし歯や歯周病の原因となる細菌類をはじめ、雑菌がたくさん存在しています。口移しで食べものを与えるとそれらの菌が赤ちゃんの口に入ってしまう可能性があります。やめてもらうようお願いしたほうがいいでしょう。

ONE POINT

8カ月ベビーが喜ぶ手づかみメニュー

この時期のかたさの目安は、絹ごし豆腐程度。手づかみしたらグチャグチャになるのは当たり前です。「汚していいよ」と割り切りましょう。意欲のある子には、こんなメニューを手づかみさせてあげて。

● かぼちゃやさつまいもの粗つぶしを小さいボール状にまとめたもの

● やわらかくゆでたにんじんや大根を、4〜5mm角に切ったもの

● 麩を戻して粗く刻み、だし汁で煮たもの

Q 傷がつくほど指しゃぶり。どうしたらいい?

A 時期がくれば自然にやめます。気にしないで

赤ちゃんが指をしゃぶるのは、自分の体をなめて確かめ、安心するという意味もあります。ストレスや愛情不足が原因ではと悩み、相談されることがよくありますが、赤ちゃんのほうは無意識にやっていること。ママが気にしすぎて頻繁に赤ちゃんのようすをチェックし、無理にやめさせようとするのはよくありません。時期がくれば自然にやめます。今はゆったりした気持ちで見守っていてください。

Q 夜泣きするたびに母乳をあげてしまいますが

A あげてもいいですが、いろいろな方法を試してみても

大人も赤ちゃんも、深い眠りの「ノンレム睡眠」と浅い眠りの「レム睡眠」を繰り返しています。夜泣きはこのパターンとも関連していて、多くは眠りが浅くなった時間帯に起こっています。ママがいない不安のために泣き出すことも多いので、母乳で安心させてあげてかまいません。でも、添い寝して背中をトントンするだけで泣きやむこともあります。そのほか、麦茶などを飲ませると落ち着くことも。夜泣きはいつかは治まります。それまでいろいろな方法を試してみてください。

ONE POINT

状況別夜泣き解消テク

- ちょっと不安があるのかも?
  添い寝やトントンで安心させてみて。
- のどが渇いているのかも?
  麦茶や湯ざましを飲ませてみて。
- 何だかイライラするのかも?
  抱っこ・おんぶ・ベランダに出る・ドライブに行くなどで気分転換させてみて。

Q 寝汗はふとんのかけすぎ? それともどこか悪い?

A 寝汗は自然なこと。心配いりません

寝汗は生理的な現象なので、昼間元気で食欲があれば心配することはありません。特に汗をかきやすいのは寝入りばなに体温が上昇するときなので、寝かしつけるときは掛けぶとんを少なめにし、しばらくしてから1枚足すなどの工夫をするとよいでしょう。ただし、あたためすぎると熱がこもって体温が上がり、また汗をかいてしまいます。ふとんをかけすぎていないか、ときどきチェックして。

Q 赤ちゃんの不快な気持ちをわかってあげて

A 寝る前のグズグズに手をやいています

大人でも眠くなると体がだるくなったり、意識がもうろうとする感じになりますね。赤ちゃんはそんな感覚が不快でグズグズするのかもしれません。ぐずられると、パパやママはイライラしたり困ってしまうかもしれませんが、まずはそんな赤ちゃんの気持ちに寄り添って、「泣いてもいいよ」くらいの気持ちで接してあげて。その上で、赤ちゃんの眠りにつきやすい方法を見つけるといいでしょう。

Q ずっとシャワーだけですが、寒い季節はおふろがいい?

A 寒い季節は湯ぶねに入れて温めて

寒くなると湯冷めが心配になってきます。湯ぶねに入れて温まったほうがいいでしょう。ただし、赤ちゃんに長湯は禁物。体温調節が苦手なので、温まりすぎると体温が上昇してしまいます。ゆっくり10カウントするくらいの感覚で入れば十分です。また、入浴後、体がぬれたままだと体温を奪われるので、上がったらすぐに体をよくふいて。

PART 7 月齢別 心と体の気がかりQ&A

9カ月の気がかり

Q 髪の毛が茶色いのが気がかり。そのうち黒くなりますか？

A 成長とともに黒くなるので心配ないでしょう

皮膚や瞳の色が気にならないなら、髪の色だけで色素の異常を心配する必要はありません。髪の毛の色は成長に伴って変わり、少しずつ黒っぽくなっていきます。また、赤ちゃんの時期は髪が細いために全体的に茶色っぽく見えることもありますが、生え変わったり、少しずつ太くなるにしたがって色も濃くなってきます。しばらくようすを見ていてください。

Q 下の歯が1本だけ生えてきました。2本ずつでなくてもいいの？

A 順番どおりでなくても大丈夫。そのうち生えそろいます

一般的には、歯の生え始める順序はまず下の前歯が2本、上の前歯が2本からです。でも、すべての赤ちゃんの歯がこの順番で生えてくるとは限りません。たとえば、1本だけ生えずにすき間があいたようになっているところがあっても、そのうち生えてきますから心配いりません。生え始める時期や順序、生える順序が違っても、個人差が大きいもの。生え始めてからの歯並びには影響しません。

Q おちんちんの先が赤くただれています

A 洗って清潔にし、よく乾かしてからおむつをつけて

赤くただれている程度なら、おちんちんの先がおむつにこすれて炎症を起こしているのかもしれません。おむつ替えのたびに洗って、よく乾かしてから新しいおむつをつけてください。赤くはれたり、おしっこをするときにしみて痛がるようなら、細菌に感染して炎症を起こす亀頭包皮炎の可能性が。早めに受診してください。包皮は無理にむいて洗わなくてもかまいません。（亀頭包皮炎については244ページも見てください。）

8〜9カ月の気がかり

Q かぜをひかせないために注意することは？

A ウイルスを持ち込まないよう大人もうがい、手洗いを

赤ちゃんのかぜの原因は、親やきょうだいが外から持ち帰ってくるウイルスがほとんど。帰宅したら、赤ちゃんと接触する前に洗面所に直行し、石けんを使って手洗いし、しっかりうがいをすることを家族みんなの習慣にしてください。もし、パパやママがかぜをひいてしまったら、部屋の中でもマスクをしたり、こまめに子を洗うなどして赤ちゃんにうつさないよう気をつけて。手は石けんを使ってきれいに。指の間やつめの先、手首までしっかり洗いましょう。

Q 「喘息様気管支炎」との診断。どんな病気？ケアは？

A 呼吸が苦しくなる細気管支炎のこと

かぜをひいて胸のゼロゼロが長引いたりすると、気管支喘息に似ているために、以前は「喘息気管支炎」と呼ばれていました。しかし、実際には気管支の先の細気管支がウイルスに感染して炎症を起こしている、細気管支炎という病気。気管支喘息とは関係がありません。

呼吸が苦しそうなときは、水分をこまめに与え、加湿器などを使って室内の空気の湿度を上げて。こうするとたんが出やすくなり、呼吸もラクになります。ただ重症化しやすいので、よくならないときはすぐに病院へ。（細気管支炎については224ページも見てください。）

151

Q インフルエンザの予防接種は受けたほうがいいですか？

A 喘息を起こしやすい子は受けたほうが安心

赤ちゃんがインフルエンザにかかると、高熱やせきといった症状が強く出たり、重い合併症を起こすことがあります。予防接種を受けても100％予防できるわけではありませんが、かかったときに軽くすみます。特に喘息を起こしやすい子などの場合は、受けたほうが安心です。ほかの予防接種との兼ね合いも含め、かかりつけの医師に相談してみてください。

Q 便秘気味。一度浣腸したらくせになる？

A 数回使用する程度なら、くせになる心配はありません

1回や2回の浣腸でくせになることはありません。しかし、長期にわたって使い続けていると、浣腸してうんちを出すことが当たり前になり、自力で排便しなくなることはあり得ます。がんこな便秘のときには使ったほうがいいこともありますが、なるべく浣腸に頼らずに、おなかをマッサージしたり、食事の内容、運動、こまめな水分摂取などに気をつけてみて。それでも出ない場合は医師に相談を。

ONE POINT

便はおなかの調子のバロメーター

おなかの調子は、便の色やにおい、排便のとき痛そうにしていないかなどを見て判断を。

Q うんちがかたかったり、ゆるかったりするのは？

A 離乳食の影響でしょう。食欲があれば大丈夫

このころの赤ちゃんのうんちの状態は、離乳食によって変化しやすいもの。初めて食べる食品があったり、かたさや大きさがステップアップしたときは、慣れるまで便がゆるくなることがあります。一方、おかゆやうどん中心で、食物繊維をあまりとらないとかたくなることがあります。でも、これも一時的なこと。排便のリズムや状態が安定しなくても、元気で食欲があれば心配いりません。

ONE POINT

自然な排便を促す便秘解消プログラム

【おなかをクルクルマッサージ】
おへそを中心に、「の」の字を描くようにクルクルとやさしくマッサージします。

【食べものの力を上手に借りて】
野菜類やバナナ、プルーンなど、食物繊維を豊富に含む食材をメニューに。

Q つかまり立ちのとき、つま先で立つのが心配です

A 慣れてくると足の裏全体で立つようになります

つかまり立ち始めは、つま先立ちをする赤ちゃんが多いようです。きっとまだ上手に立つことができないのでしょう。慣れてくると足の裏をしっかりと床につけ、片手で何かにつかまりながら、安定して立っていられるようになります。ですから、今はまだ足の裏全体をつけていなくても心配いりません。赤ちゃんの運動発達のスピードはめざましいものがあります。しっかり足を踏みしめて立つようになるのも、もうすぐです。

ONE POINT

最初は転びやすいので注意

立っちを始めたばかりのころは、バランスを崩して転びがちなので目を離さずに。

PART 7 月齢別 心と体の気がかりQ&A

9カ月の気がかり

ONE POINT

赤ちゃんが立っちするようになったら…ここをチェック!

- 家具の角はコーナークッションでガードする。
- 積み木やブロックなどを床に出しっぱなしにしておかない。
- キャビネットのガラスの前などに赤ちゃんを立たせない。
- つかまり立ちのとき、ママはそばで見ているようにする。

Q つかまり立ちでひっくり返り、頭を打つことが。大丈夫?

A すぐに泣き、その後ケロッとしていれば大丈夫

頭を打って泣いても、あやしているうちに泣きやむようならまず大丈夫です。ただし、脳への影響も心配ないでしょう。ただし、ようすがおかしくないか、しばらくは見ていてください。赤ちゃんは体のわりに頭が大きいため、ちょっとした拍子に転びやすいのです。まずは転んでもけがしないように、お部屋の環境を整えてあげてください。

Q 離乳食で、うどんはよくてそばがダメなのはなぜ?

A そばや中華めんはアレルギーや下痢になることが

同じめん類でも、材料によってはアレルギーや下痢の原因になることがあります。そばは、そば粉に対するアレルギーをもっている場合、反応が強く出るため、また中華めんは、めんのコシを強くするかんすいが下痢の原因となることがあるので、どちらも離乳食には向いていません。パスタはうどんとほぼ同じような原料で作られているので、離乳食に使われることが多いのです。

Q 離乳食に牛乳を使ってもいいの?

A よく火を通したものを与えます

牛乳は1才まで飲ませないほうがいいとされていますが、それは鉄分が母乳や乳児用ミルクより少ないこと、カルシウムやリンが鉄分の摂取に影響すること、牛乳アレルギーになる可能性がないとはいえないことなどがその理由です。母乳やミルクの代わりにはできませんが、離乳食に少量を加熱調理して使うなら問題ありません。

Q パパに人見知り。どうしたら仲良くなれますか?

A ママを通して少しずつ仲良くなれるよう工夫して

まずは安心できるママを通じてパパと仲良くなれるよう、トライしてみましょう。ママとパパが楽しそうにお話しているところを赤ちゃんに見せたり、ママと赤ちゃんが遊んでいるときに、パパも仲間に入ってもらうなど、パパを「いつも周囲にいる人」と認識してもらうことから始めます。その後は徐々に、パパと赤ちゃんだけで遊ぶ時間を長くしていくといいでしょう。

Q うつぶせで寝ています。窒息しない?

A 9カ月なら大丈夫。念のためときようすを見て

もう自分で姿勢を変えることができるので、うつぶせで寝ていても窒息する心配はありません。でも念のため、ベッドやふとんはママの目の届くところに置き、ときどき顔をのぞきこんで、呼吸や顔色を確かめてあげてください。タオルやぬいぐるみなどは鼻や口をふさいでしまう危険があるので、赤ちゃんの顔の周りに置くのはやめましょう。

10カ月の気がかり

Q かぜの後、呼びかけても振り向かないことが

A 鼻詰まりのせいかも。一度診てもらって

鼻が詰まって耳の聞こえが悪くなっているのかもしれません。耳・鼻・のどは管を通してつながっていて、鼻水がたくさん出るとそれが耳と鼻をつなぐ耳管に流れ込み、音が聞こえにくくなることが。また、細菌が鼻から耳管を通って耳の中にまで侵入し、急性中耳炎や滲出性中耳炎を起こしている可能性も。一度耳鼻咽喉科を受診してみましょう。

Q 寒いとほっぺが真っ赤に。どんなケアをしたらいい？

A ママの手で包んで温めてあげて

寒いとほおや鼻の頭が赤くなるのは赤ちゃんも大人も同じです。ただ、赤ちゃんは皮膚が薄いので、大人に比べて赤みが余計に目だつのかもしれません。赤くなったほっぺは冷たくなっているので、ママの手で包むようにして温めてあげて。やさしくこすってあげるのもいいでしょう。一方、乾いた風が当たって皮膚が荒れ、その影響でほおが赤くなっていることもあります。お出かけ前や帰宅後、おふろ上がりなどにはベビーオイルやクリームをぬって皮膚を保護してください。

ONE POINT
手足のしもやけ対策もしっかり！

指しゃぶりで手がいつもぬれていることの多い赤ちゃんは、ぬれた手が冷たい空気にさらされると熱を奪われて、しもやけができやすくなります。あんよをするようになると、雨や雪の日に靴がぬれて、足がしもやけになることも。
冷たくなった手足は急に温めると、かゆみや痛みが起こりやすいので、徐々に室温に慣らしていくのがいいでしょう。

Q キスすると、むし歯がうつりますか？

A 軽いキス程度ではうつらないでしょう

むし歯の原因であるミュータンス菌は生まれたばかりの赤ちゃんの口の中にはいないため、周囲の人からうつると考えられています。でも、ママが赤ちゃんをかわいく思って軽くキスする程度でうつるとは考えにくいことです。あまり神経質にならず、赤ちゃんとのスキンシップを楽しんで。ただし、スプーンや箸などを共用すると、だ液からうつることがあるので気をつけましょう。

Q おむつかぶれがなかなか治りません

A 皮膚カンジダ症かも。病院で診てもらって

軽いおむつかぶれなら、おむつ替えのたびにおしりを洗い、うちわなどであおいでよく乾かしてからおむつをつければ自然に治ります。それでもなかなか治らないときは病院へ。皮膚カンジダ症の可能性もあり、おむつかぶれの薬ではかえって悪化するため、別の薬で治療します。（おむつかぶれと皮膚カンジダ症については234ページも見てください。）

ONE POINT
おむつかぶれと皮膚カンジダ症、ココが違う！

	おむつかぶれ	皮膚カンジダ症
原因	うんち、おしっこ、汗などの刺激	カンジダ菌（カビの一種）
主な症状	おむつがふれている部分が炎症を起こし、赤くただれる	強いかゆみ。おむつの当たっていないしわの奥まで赤い発疹ができて、ただれる
主な治療	清潔と乾燥。炎症を抑えるぬり薬も	菌の増殖を抑え、死滅させるぬり薬

PART 7　月齢別 心と体の気がかりQ&A

10カ月の気がかり

Q　鼻水やせきがよく出るのはかぜ？ 病院に行ったほうがいい？

A　元気がない、たんがからむ、せきが出るときは病院へ

赤ちゃんの鼻やのどの粘膜はデリケート。冷たい風やほこりを吸い込んだだけでも鼻水やくしゃみが出たり、せき込むことがあります。鼻水が出ても元気で遊んでいたり、せきは出ても乾いた音ならかぜではありません。たんがからんだような湿ったせきが出て、ひどく呼吸が苦しそうなときは、病院へ行きましょう。

ONE POINT　温度差でも鼻水が

外出後、急に暖かい部屋に入ったときに鼻水が出ることが。すぐに治まるようなら大丈夫。

Q　ティッシュを飲み込んでも害はないですか？

A　影響ありませんが、誤飲には注意して！

紙などの消化できないものは、ふつうは飲み込んでもそのまま便に出てきます。ティッシュ1～2枚程度なら大丈夫でしょう。ただし、このころの赤ちゃんの誤飲には十分注意して！ ボタン電池やタバコ、針、蚊取りマットなどを食べたり飲んだりしたときは、大至急病院へ。

Q　虫に刺されたところがはれて熱をもっています 市販の虫刺され薬をぬってみて よくならなければ受診を

A

虫に刺されたところに、局所的なアレルギー反応が起こっている可能性があります。こうなるとかなりかゆみが強く、かきこわすととびひになってしまうこともあるので、市販の虫刺され薬をぬってかゆみをしっかり抑えてあげましょう。全体がはれぼったくなっている場合や、触ったときに熱感を持ってはれている場合などには、ステロイドの入った軟膏を使ったほうがいいこともあります。まずは、皮膚科か小児科を受診してみてください。（虫刺されについては235ページも見てください。）

ONE POINT　ぬれタオルで冷やして

冷やすとかゆみが治まることも。ぬれタオルで患部をそっと押さえてあげて。

Q　あせもに桃の葉のエキスやアロエなどの民間療法は効きますか？

A　炎症を起こしていたら使用はやめて

桃の葉を煮出したエキスやアロエには肌の保湿作用があるといわれていますが、あせもそのものをよくする効果は期待できません。つっすらと赤いポツポツが見える程度のごく軽症のあせもなら、皮膚を冷やす程度にはよいかと思いますが、炎症を起こしてジクジクしていたり、真っ赤になっくいるときは、悪化させるおそれがあるので使用を避けてください。

Q　処方された薬が余ったときは取っておいてもいい？

A　基本的にはそのとき使い切って

病院で処方された薬は、もらったときに使い切るのが原則。違う病気にかかったとき、その薬が合うとは限らないからです。顆粒、粉末、ぬり薬、シロップなど、薬はすべて取っておくことはせずに処分しましょう。ただし、坐薬は冷蔵庫に保存しておけば1年ぐらいは品質が変わりません。ただし、体重で用量が変わるので、赤ちゃんの場合、取っておくのは半年ぐらいまでを目安にして。

Q 哺乳びんで果汁を飲ませるとむし歯になりやすいって本当?

A どんな容器で飲ませても、甘い飲みものはむし歯の原因に

果汁や乳酸菌飲料などを飲むと糖分が歯に残り、むし歯の原因になるのは確かですが、それは哺乳びんに限ったことではありません。むし歯は、原因となるミュータンス菌が歯についた糖分を分解しながら増殖し、強い酸を出して歯を溶かすことによって起こります。これは、どんな容器で飲ませても同じこと。これらの飲みものを飲ませた後は、湯ざましなどを与えて、歯の表面についた糖分を洗い流して。むし歯を予防する効果が期待できます。

ONE POINT 歯みがきをスタートして

むし歯予防には歯みがきも大切。乳歯が生えたら1日1回、念入りにみがいてあげましょう。

Q 食べものの好き嫌いが多く、栄養が偏らないか心配です

A 1日単位で食べられるものを中心に栄養を

この時期の好き嫌いの原因の多くは、味というより舌触り。ポロポロ、パサパサしているものは苦手な赤ちゃんが多いので、とろみをつけたり、汁けの多いものといっしょに与えるなど工夫して。栄養の偏りも気になるところですが、1回ごとの食事で見るより1日単位で考えて、赤ちゃんの好きなものを与えながら、バランスを見ていけばいいでしょう。

Q 人見知りしないけど、発達に問題はない?

A 育った環境や性格によっては、あまり人見知りしない子も

人見知りの表れ方は、赤ちゃんの性格や育つ環境によってさまざまです。この時期に大切なのは身近な人とそうでない人との区別がついているかどうかです。試しに、知らない人に会ったときの赤ちゃんの表情を観察してみてください。顔をじっと見つめたり、ようすをうかがっているようなら、パパやママとの区別がついている証拠。発達上も問題ありません。

と手を打ち鳴らすなどのしぐさをさかんにする赤ちゃんもいますが、そういったことをあまりしない赤ちゃんもいます。これも個性ですから、ほかの子と比べてあせったり、心配したりしなくて大丈夫。まねをしなくても大人がしていることを興味深そうにながめたり、ニコニコ笑ったり、呼びかけるように声を出すなど、何らかのコミュニケーションがとれていれば問題ありません。

Q バイバイなどの大人のまねをしないのは、発達が遅れているの?

A コミュニケーションがとれていれば大丈夫

このころになると「バイバイ」と手を振ったり、ママの動きをまねてパチパチ

Q 近くに同じ年ごろの子がいません。発達に影響はないですか?

A 大人とのかかわりができていれば大丈夫

赤ちゃんが周囲に関心を示し始めるのは、1才半を過ぎたころからと言われています。それまでは、パパやママとの信頼関係を作る時期。同じ年ごろの子とかかわる機会が少なくても大丈夫。大人とのかかわりの中で成長していれば、心身の発達にも影響はありません。今はまだ友だちを作るためだけに、わざわざ児童館や公園などに行く必要はないでしょう。

ONE POINT ママといっしょに手遊びを

手遊びなどで楽しみながら、ママの動きをまねすることを覚えていくといいですね。

156

PART 7 月齢別 心と体の気がかりQ&A

11カ月の気がかり

1日の中でも、朝より午後のほうが高めだったり、食後なども高めになります。元気なとき、いろんな時間に体温を測り、平熱を知っておくといいですね。

ONE POINT
熱の測り方のコツ
わきの下で測るときは、わきの下の汗をふき取って、斜め下から差し込むようにして。測り終わるまで抱っこして軽く腕を押さえておきましょう。

Q 男の子のほうが病気をしやすいというのは本当？

A ふつうに見られる病気では男女差はそれほどありません

いくつかの病気の中には、男の子しかかからなかったり男の子のほうがかかりやすいものはあります。でも、かぜや下痢など、ふつうに見られる病気にかかりやすいかどうかは、男女差より個人差や環境の違いです。その子によってかかりやすい病気があることもあります。特別な場合以外に、男の子だから病気をしやすいということはありません。

Q お座りしたままで移動します。どこかに異常がある？

A そういう子もいます。心配いりません

ハイハイをほとんどせず、お座りの姿勢のまま足とおしりで床をこぐようにして前進する赤ちゃんがいます。でも、運動発達に異常があるわけではないので心配いりません。多くの場合、うつぶせの姿勢が嫌いな赤ちゃんにこのような傾向があるようです。このままハイハイをほとんどしないで、立っちやあんよを始める子もいますが、その後の成長に影響はありません。

10～11カ月の気がかり

Q 左右の目の大きさが違っているのが気になります

A 少しくらいの違いはむしろ自然。心配いりません

人間の体は、もともと左右が完全に同じ大きさや形をしているわけではありません。右と左の目の大きさが違っていても、その違いがわずかなら、特に気にしなくても大丈夫。視力にも影響はないでしょう。ただし、ママと赤ちゃんが見つめ合ったときに、明らかに片方の目の視線がおかしいとか、斜視がひどいときなどは、小児科か眼科を受診してください。

Q 平熱が37度以上あることが。大丈夫？

A 37・5度程度なら平熱の範囲です

赤ちゃんの平熱は大人よりやや高めです。個人差はありますが、37・5度くらいまでは平熱と考えてもよいでしょう。

Q 白っぽい色の下痢便が。病気でしょうか？

A ロタウイルス腸炎でしょう。早めに病院で診察を

赤ちゃんが吐いたり下痢をして、便の色が米のとぎ汁のように白っぽいときは、ロタウイルス腸炎を起こしたものと考えられます。この病気は熱が出て激しい下痢や嘔吐を繰り返すのが特徴。便のついたおむつを持参して早めに病院へ連れて行ってください。脱水症状が心配なので、家庭では水分補給を十分に。母乳、赤ちゃん用のイオン飲料や湯さまし、りんごジュースなどをこまめに飲ませてください。（ロタウイルス腸炎については220ページも見てください。）

Q ハイハイの形がヘンですが、いいのでしょうか？

A その子なりの形なので、大丈夫

ひざを床につけずにおしりを上げたり、おなかを床につけたままどこまでも移動したり、左右の形がアンバランスだったり…。ハイハイの姿勢は実に個性的で、さまざまな形のバリエーションがあります。どれが正常で、どれがヘンということはありませんし、運動発達の面から見れば、どんな形のハイハイでも、問題なく成長していると考えられます。足に障害があるのではなど、どうしても気になることがあるときは、健診のときにでも小児科医に相談してみるとよいでしょう。

ONE POINT
ハイハイの形にはたくさんの個性が

いろんなパターンのハイハイがありますが、どれも異常ではありません。安心してください。

Q 湿疹ができているときは、卵を食べさせないほうがいい？

A 卵アレルギーがなければ食べさせても大丈夫

赤ちゃんが卵アレルギーでなければ、湿疹ができていても卵を避ける必要はありません。しかし、これまで、卵を食べた後に湿疹や皮膚のかゆみ、赤みなどの症状が出たことがある子の場合は、皮膚トラブルの程度にかかわらず卵は与えないでください。そして、なるべく早めに卵アレルギーの有無を検査してもらいましょう。

ONE POINT
卵にはしっかりと火を通して

かたゆで卵なら大丈夫だったのに半熟卵にしたら湿疹ができる子も。卵は十分に加熱をしましょう。

Q 息が止まるくらい激しく泣くことが…

A 心配いりませんが頻繁に続くなら受診を

大声で激しく泣いた後、一時的に息が止まり、顔色が青白くなったり唇が紫色になることがあります。これは「憤怒けいれん」とか「泣き入りひきつけ」などと呼ばれる状態。発作中は一時的に脳が低酸素状態になっていますが、すぐに治まってふだんのように戻るようなら心配いりません。しかし、あまり頻繁にこのような状態になるときは、念のため病院で診てもらってください。（憤怒けいれん・泣き入りひきつけについては228ページも見てください。）

Q 後追いが激しく、私がトイレのときなど大泣き

A 離れるときはひと声かけて知らせてから

激しく泣くのは、視界からママが突然消えたと思うから。それに、赤ちゃんはすばやく動くことができないので、ママのペースでどんどんどこかに行ってしまうと、ついていけなくて悲しいのです。赤ちゃんが不安にならないよう声をかけ、ゆっくり歩いてあげるといいでしょう。そして、トイレから出たらすぐに抱っこするなどのフォローをすれば、泣いても心の傷になることはありません。

ONE POINT
声をかけてあげると、安心

トイレにいくときは、「待っててね」などと声をかけ、赤ちゃんに知らせるといいでしょう。

PART 7　月齢別 心と体の気がかりQ&A

11カ月の気がかり

Q タオルケットをけ飛ばして寝ています。暑いの?

A 寝相が悪いのは暑いから。快適に眠れる環境作りを

睡眠中によく動くのは赤ちゃんの自然な姿ですが、暑くて寝苦しいと特によく動きます。タオルケットなどを何度かけなおしてもけ飛ばしてしまうのは、暑がっている証拠。汗をかいていないか、背中に手を入れて確認してみましょう。汗をかいていたら着替えさせ、夏など暑い季節なら室温を27〜28度に設定してエアコンをかけたり、除湿したりして、快適に眠れる環境を作ってあげて。また、扇風機をかけるときは、赤ちゃんに風が直接当たらないように注意してください。

なお、赤ちゃんは体温調節が上手にできないので、タオルケットをかけるときは全身をくるんでしまわずに手足を出したほうが暑がりません。

ONE POINT
おなかが冷えると心配「寝冷え」

睡眠中におなかが冷えて下痢などを起こすのが寝冷え。タオルケットをはいでしまっても大丈夫なように、腹巻きをさせたり、カバーオールや上下がボタンで留められるようなパジャマを選んで着せてあげましょう。

Q 急におふろ嫌いに。どうしたらいい?

A 楽しく遊びながら、サッとすませて

お湯が熱かったとか、シャワーの音にビックリしたとか、何か気に入らないことがあったのでしょう。この月齢になると感情の発達に伴い、今まで好きだったことが何かのきっかけで急に嫌いになるのはよくあることです。こんなときは、遊びながらサッと入浴をすませてしまうのがいちばん。楽しい気分で入れれば、おふろ好きな気持ちがまた戻ってくるでしょう。

Q おんぶばかりしていると、ガニマタになるって本当?

A 迷信です。ただ、長時間だと疲れるのでときどき下ろして

これは迷信だと思います。おんぶでガニマタになる心配はまずありません。赤ちゃんの股関節はもともと開いているので、閉じるより、むしろおんぶされたときのように開いていたほうが自然で無理がありません。ただ、長時間おんぶをしていると赤ちゃんの胸が圧迫されたり、血行が悪くなることも考えられますので、ときどきは下ろして、ママも赤ちゃんもひと休みしたほうがいいでしょう。

Q いただいた歩行器を使うかどうか迷っています

A 時間を決め、ママの目の届くところで

歩行器は、歩く練習のためのものではないので、あくまでも遊びの範囲で使ってください。また、赤ちゃんが歩行器に乗っている間、ひとりにしておいてはいけません。ちょっとした段差にひっかけて歩行器ごと転んだり、玄関のたたきなどに転落したりする危険があります。歩行器で遊ぶ時間は1日1〜2時間を目安にし、必ず大人がそばで見ていてください。

Q ときどき育児がいやに…。赤ちゃんに伝わってしまう?

A 気持ちは伝わります。疲れたら無理しないで

赤ちゃんは周りの大人たち、中でもいちばん身近なママのことをよく見ていて、態度や言葉、雰囲気からどんな気持ちかを感じとっているようです。ですから、頻繁に「育児がいや」という気持ちになるのはよくありません。疲れすぎないよう、パパや実家のお母さんに上手に甘えて、たいへんな時期を乗り切っていくようにしましょう。

1才の気がかり

Q おふろで温まると皮膚に赤いポツポツが

A 血行がよくなると見られる現象です

赤ちゃんは大人に比べて皮膚が薄いので、温まって皮膚の表面の血流がよくなると、ふだんは気づかないわずかな炎症が赤く目立って見えることがあります。また、温度差に反応して軽いじんましんが出ることも。いずれの場合もほてりが冷めるのと同時に赤みが引くようなら心配いりません。いつまでも赤みが残ったり、かゆそうにしているときは病院へ。

Q 単なる湿疹と、アトピーとの違いを教えて

A アレルギー体質がかかわっているかどうかです

湿疹が単なる皮膚トラブルなのに対し、アトピー性皮膚炎は、湿疹の中でもアレルギー反応によって現れる皮膚症状です。つまり、発症に体質的なものがかかわっているという点が異なります。強いかゆみのある湿疹や、皮膚のジクジクした症状が慢性的に続き、よくなったり悪くなったりを2カ月以上繰り返しているようなら、アトピー性皮膚炎の疑いがあります。念のため、皮膚科か小児科を受診してください。

アトピー性皮膚炎が疑われるのは、こんなとき

- 耳の付け根がただれ、切れたようになる
- 赤く、ジクジクした湿疹ができている
- 炎症を起こしてカサカサ・ゴワゴワに
- かゆくてかきむしっている

Q 飛行機に乗せると耳が悪くなるって本当?

A 飛行機に乗っても耳に支障はありません

大人は離陸や着陸時に機内の気圧が急に変わると耳がキーンと痛くなることがありますが、赤ちゃんは耳の構造が未発達なため、このようなことはあまりないとも考えられています。離発着時に泣いたりぐずったりするのは、耳が音に敏感なのと、周囲の緊張感を感じている場合がほとんど。また、もしキーンとしたとしても、一時的なもので問題ありません。

Q 歯と歯の間にすき間が。将来の歯並びに影響しますか?

A すき間があるのはよくあること。歯並びにも影響しません

すき間があいているのは、生え始めのころにはよくあることなので心配いりません。これは、歯が生えるスペースがたくさんあるためと考えられています。生えそろってくると、自然にすき間がなくなってきますし、永久歯が同じようにすき間をあけて生えてくるわけでもないので心配いりません。気になるときは、健診のとき医師に相談してください。

生え始めの "歯" の悩み TOP3

1. なかなか生えてこない
2. すき間があいている
3. 生える順番が違う

歯の生え方や生える時期は個人差が大きいもの。でも、その子なりのペースで生えてきますから大丈夫です。また、生え方や生える順番が違っても、永久歯や将来の歯並びには影響しません。

PART 7 月齢別 心と体の気がかりQ&A

1才の気がかり

Q 解熱剤で熱を下げるとかぜが治りにくい？

A 医師の指示どおり使うことが大事

ウイルスや細菌が体に入ると、脳が体温を上げるように指令を出し、これらが活動しにくい状態を作ります。ですから、熱をむやみに下げることは、抵抗力を奪ってしまう場合もあります。ただし、熱が38.5度を超えると、赤ちゃんの体に負担になることもあるので医師の指示どおり解熱剤を使って。頭やわきの下を冷やすとさらに効果的です。

ONE POINT 発熱のときのケア

- 熱の上がりかけはゾクゾクして寒気がします。ふとんを1枚多めにかけるなどして暖かく。
- 熱が上がりきったら水まくらなどで冷やしてあげて。汗をかいたら着替えを。
- 湯ざましや、赤ちゃん用のイオン飲料などをこまめに飲ませて脱水症予防を。

Q 赤ちゃんがいる部屋以外なら、タバコを吸ってもいい？

A それでも影響はあります。赤ちゃんのためにも禁煙を

別の部屋で吸っていたとしても、ドアの開け閉めの際に煙は室外に出ていきますし、吸った人の衣類や吐く息から煙の成分が検出されたというデータもあります。しかもタバコの煙に含まれる有害物質は、喫煙者が吸い込む主流煙より、点火部分から出る副流煙に多く含まれています。別の部屋でなら吸っても大丈夫ということはありません。思いきって禁煙を！

ONE POINT タバコは、赤ちゃんにこんなによくない

- 目に刺激
- 頭が重くなってふきげんに
- 中耳炎になりやすい
- のどに刺激
- かぜをひきやすい、治りにくい
- 喘息・気管支炎になりやすい

ほかに…
- 乳幼児突然死症候群（SIDS）の要因になる
- 吸い殻の誤飲事故
- 歩きタバコや育児中のくわえタバコによるやけど

Q ここ2カ月、身長があまり伸びていません。心配ない？

A 身長の伸びがゆるやかになる月齢です。心配りません

このころになると、身長や体重の増加ペースがゆるやかになってくるのは自然なことで心配りません。母子健康手帳の身体発育曲線を見てみると、カーブがなだらかになってくることがわかります。身長の伸び方がこのカーブの帯の範囲にあれば大丈夫です。もし、少しくらいカーブの上限や下限からはみ出していたとしても、その子なりに伸びていれば心配いりません。

Q まだつかまり立ちをしないのは、太ってて体が重いから？

A 体重や体型は発達には影響ありません

太っているかどうかが原因ではないでしょう。特にハイハイからつかまり立ち、あんよまでの発達過程は、個人差が大きいものです。そもそも1才なら、まだ立っちしていなくても遅いというわけでもありません。その子なりの時期がくれば必ずできるようになりますから、心配しすぎずに見守ってあげてください。

Q お誕生日にケーキを食べさせても大丈夫？

A 素材や味を考えると食べさせないほうが安心

人人のケーキには牛乳、卵、生クリームなどが使われていて、甘みも強いので、1才で食べるのはまだ早いかもしれません。お祝いの記念なら、ママがちょっと腕をふるってみては？ ベビーフードの蒸しパンにヨーグルトやフルーツを飾りつけ、ロウソクを1本立てるだけでも、かわいらしいバースデーケーキができます。

161

Q キーキー言うのは欲求不満の証拠？

A 必ずしもそうとは言えません。ようすをよく観察して

キーキー言うのは、必ずしも「文句」とは限りません。遊びに夢中になったり、うれしいときにもキーキー言っていることがあります。赤ちゃんがどんなときにキーキー言うのか、まずよく見てみましょう。状況によっては、「どうしたの？」などと声かけをしてあげて。なお、言葉が出始めると、このような声を出すことも少しずつ減ってきます。

Q 長い時間ひとり遊びをします。ひとりで遊んでいるときでもときどき声かけを

A ひとり遊びをしたということなので、心配する必要はありません。親が世話をやきすぎずに見守るということも、育児では大事なことなのです。

このころになると後追いも一段落し、ひとり遊びが見られるようになります。一段階成長したということなので、心配する必要はありません。親が世話をやきすぎずに見守るということも、育児では大事なことなのです。

いい子すぎることで心配があるとすれば、子どもが親にかかわりを求めなくなっている可能性です。そうだとすればその原因は、子どもが求めたときに親にほうっておかれたこと。その意味では、ひとり遊びが長いなと気になったときには、赤ちゃんの遊びに加えてもらう気分で声をかけるといいでしょう。赤ちゃんは、かまってもらったり、声をかけてもらったりすることが、大好きです。

Q 公園の砂場で遊ばせて、不潔ではないですか？

A 遊んだ後の手洗いを習慣づけ、遊ばせてあげて

多少の雑菌があったとしても、砂遊びの後にきちんと手を洗うことを習慣づければ、あまり神経質にならなくても大丈夫です。そもそも、私たちは少なからず雑菌に囲まれて生活しています。雑菌にふれることによって、免疫力が強化されるという一面もあります。赤ちゃんが外の世界に興味を持ち始めたら、あれこれ禁止するより、体験によって得られることの大きさに目を向けてあげましょう。

ONE POINT
砂場遊びをさせるときはこんなことに要注意！

● **キケンなものはないか、まずママがチェックします。**
犬や猫のふん、タバコの吸い殻、ペットボトルのふた、ガラスの破片などは、砂場の表面だけでなく、砂の中にうもれていることもあります。

● **赤ちゃんが砂を口に入れないかよく見ていて！**
砂だんごなどを作って、そのままお口へポイッと入れてしまうことがよくあります。

Q そろそろひとりで寝かせたほうがいい？

A 赤ちゃんのようすを見ながらパパとママで話し合って

そもそも、日本では家族全員がひと部屋で寝ることも多く、ひとり寝文化はありませんでした。ひとり寝は欧米の生活様式の影響です。赤ちゃんをひとりで寝かせるかどうかは、パパやママの考え方しだいです。

赤ちゃんのようすを見ながら決めてはどうでしょうか？ なお、ひとり寝のほうが独立心が高まるという説に根拠はありません。

Q 大人用のシャンプーや石けんはいつから使っていい？

A 1才を過ぎたら使っても。ただし、刺激の少ないものを

1才を過ぎれば、使っても特に問題はないでしょう。ただし、香料の強いもの、メントールなどスーッとする成分が入っているもの、スクラブ剤などが入っているものは、赤ちゃんの肌には刺激が強すぎるので避けます。ただ、カサカサやゆみなど、皮膚にトラブルがある場合は、医師に相談し、使うものを選んでください。

PART 7 月齢別 心と体の気がかりQ&A

1才1カ月～1才3カ月の気がかり

Q ときどきあごを突き出します。受け口なのでしょうか？

A そのときだけなら受け口の心配はありません

遊びに熱中していたり、夢中になっているときにこのような表情をする赤ちゃんがいますが、そのときだけなら受け口ではありません。表情のくせのようなものなので、気にしなくていいでしょう。なお、いつもそのような表情をするようになって、かみ合わせやあごの形が心配な場合は、次の健診のときに医師に相談してみてください。

Q 水ぼうそうのあとが消えません。このまま残ってしまう？

A 消えないこともありますが、目だたなくなっていきます

水疱の程度によっては、比較的早く消えるものもありますが、大きかったり、おなかや背中などやわらかい部分にできた水疱のあとは、消えるのに2～3年かかることもあります。一方、化膿したり、かきこわして傷になってしまったような場合は、少しへこんだ状態で一生残ることも。それも成長するにつれて、少しずつ目だたなくなっていきます。あまり気にしすぎないほうがいいでしょう。

ONE POINT どうしても気になったら医師に相談を

顔など目だつところにあとが残り、どうしても気になるときは形成外科で相談してください。

Q おしりが後ろに突き出て、背骨がそり気味ですが、大丈夫？

A 筋肉がしっかりしてくれば姿勢もよくなります

背骨がそり気味なのは、赤ちゃんに特有の体型。これは、背骨をまっすぐに支える筋肉が十分に発達していないために起こることです。おしりが突き出ているだけでなく、両足を肩幅くらいに広げ、やや前に傾いた感じで立つのもこの時期の姿勢の特徴です。たくさん歩いたり、体を動かして遊ぶようになってくると、腹筋と背筋がバランスよく発達して少しずつ姿勢もよくなってきます。

ONE POINT そりが強すぎたら検査してもらって

あまりにもそりが強い場合は、調べてもらったほうがいいことも。気になるときは病院へ。

Q 処方されたステロイド剤の副作用が心配

A 医師の指示どおりに使っているなら大丈夫

医師の指示どおり、決められた期間、決められた量を守って使っていれば副作用の心配はありません。ステロイド剤は、皮膚の炎症を抑えるのに有効な薬です。ママの判断で勝手にやめたりすると、かきこわしたりして症状を悪化させてしまうこともあります。医師は炎症の状態を見ながら薬を処方しているので、安心して使ってください。

ONE POINT 皮膚のぬり薬の種類と使い方

種類	効き目・使い方
ステロイド剤	炎症を抑える効果が優れています。短期間に集中して使うのが一般的な使い方。強さが5段階に分かれています。
非ステロイド剤	効き目はおだやか。軽い症状のときや生後間もない乳児の場合、顔などの部位に使われます。
保湿剤	皮膚の乾燥を防ぎ、外の刺激から皮膚を守ります。主にスキンケアの目的で使われます。
免疫抑制剤軟膏	ぬることによって免疫反応そのものを抑制し、アレルギー反応を起こりにくくします。

Q まだ突発性発疹症にかかっていないけれど、大丈夫？

A 気づかないうちに軽くかかってしまったのかも

突発性発疹症とは、単純ヘルペスウイルス6型・7型に感染することで起こります。初めての発熱がこの病気だったというケースも少なくなく、4カ月ごろからかかる赤ちゃんが多いようです。まだかかっていない場合、気づかないくらい軽くかかった可能性も考えられます。これからかかるとしても、悪い影響はないので安心して。（突発性発疹症については213ページも見てください。）

Q 赤ちゃんが乗り物に酔わないというのは本当ですか？

A このくらいの月齢になると酔う子もいるようです

乗り物で揺られると、内耳の平衡感覚をつかさどる神経が刺激され、自律神経の働きが乱れてめまいや吐き気などを感じることがあります。これが乗り物酔いです。月齢が低いとこのような感覚が発達していないので酔いませんが、このくらいの月齢になると酔う子もいないようです。赤ちゃんの気分が悪くなっていないか、気をつけてあげましょう。

Q 食べたものがそのままうんちに！よくかんでいない証拠？

A 便にそのまま出てくるのは丸飲みしている証拠です

そのまま出てくるのは、よくかまずに飲み込んでいるから。このころの赤ちゃんの多くは、前歯は生えていますが、食べものをすりつぶす役目の奥歯はまだ生えていません。やわらかめの肉だんごくらいのものなら歯ぐきでつぶして飲み込めますが、それ以上かたくなるとかめずに丸飲みしてしまい、食物が消化・吸収されずに便に出てきてしまいます。離乳食は時期に合わせて小さく切り、やわらかく煮たものを与えてください。

ONE POINT
かんでる？かんでない？のチェックポイント
- 食べものを前歯でかじり取る。
- 食べものを口に入れた後、唇をしっかり閉じている。
- 片方のほおをふくらませてモグモグしている。
- 口の中のものを左右に動かして食べている。

Q 母乳をやめたら指しゃぶり開始。寂しさやストレス？

A 口寂しいのかも。自然にやめるので見守っていて

ママのおっぱいから離れたことで口寂しくなったり、ちょっぴり不安になっているのでしょう。何かを口に入れることで気持ちが落ち着くのです。本人は無意識にやっているので、ママが気にして無理にやめさせようとすると、かえって執着するようになってよくありません。成長に伴って自然にしなくなりますから気にしないこと。今はのんびり構えて見守ってあげてください。

Q 食欲旺盛で肥満が心配。食べるだけ与えていいの？

A 離乳食を制限する必要はありません

赤ちゃんが太って見えるのは、ほとんどの場合、細胞が水分をたくさん含んでいることによる、いわゆる「水太り」で、大人の肥満とは違います。母子健康手帳の身体発育曲線と照らし合わせて身長と体重のバランスがとれていれば大丈夫。離乳食を制限する必要はありません。ただし、生活リズムの乱れが将来の肥満の原因になることがあるので、食事やおやつの内容、体を動かす遊びの量について1才半健診のときに相談してみて。

ONE POINT
退屈なときに指しゃぶりが多い

指しゃぶりは退屈なときにすることが多いもの。遊びに誘ったりして気を紛らわせて。

PART 7 月齢別 心と体の気がかりQ&A

1才1カ月～1才3カ月の気がかり

Q 肉も魚も嫌いで豆腐や卵しか食べません

A 大丈夫ですが、肉や魚にもときどきチャレンジを

肉や魚を食べなくても、豆腐や納豆などの植物性たんぱく質をとれていれば大丈夫。卵や乳製品もたんぱく源となります。たとえば鶏ひき肉大さじ1強に含まれるたんぱく質の量は、豆腐なら約1/7丁、卵なら約1/2個に含まれる量に相当します。
なお、肉や魚は食べないとあきらめず、少し味をつけたり、とろみをつけてのどごしをよくしたりして、工夫して与えてみてください。

Q 食事中、動き回ってばかり。追いかけてでも食べさせるべき？

A きちんと座って食べることを教えて

食事中も、周りのことに興味が移るのは成長のプロセス。ある程度は大目に見てあげてもいいですが、きちんとけじめをつけることが大切です。動き回る子を追いかけて食べさせるのではなく、たとえ短時間でも、席について食べることを習慣づけて。また、食事中はテレビを消したり、おやつを与えるときは次の食事にひびかない程度の量にするなど、食事に集中できる環境作りも大切です。

Q いたずらをしかってもやめません。どうしたらいい？

A しかるより原因になるものを赤ちゃんから遠ざけて

この時期の赤ちゃんには、いたずらをしているという自覚はありません。パパやママが使っているものをなめたり触ったりして好奇心を満たしているのです。しかったり教えたりしたことを理解できるのもずっと先のこと。赤ちゃんのすることをいたずらと決めつけず、触ってほしくないものは赤ちゃんから遠ざけるようにしましょう。

ONE POINT
触られて困るものは赤ちゃんの手の届かないところに置きます
- 高さ1m以上の台の上にのせるようにすると安心です。
- 引き出しに隠したつもりでも、赤ちゃんの手の届く高さはNG！引っ張り出されてしまいます。
- 市販のいたずら防止グッズも上手に利用しましょう。

Q 食べるときはいつも左手。左利きなのかと心配です

A まだはっきりしませんが、左利きでも個性と認めて

最初の段階では、赤ちゃんはものをつかむのに左右両方の手を上手に使っています。遊んでいるときなどのようすをよく観察してみてください。おもちゃなどを器用に両手で扱っているはずです。今の段階ではまだ、右利き左利きを決めるのは早いでしょう。そのうちに主に使う手が決まってきますが、もし左手をよく使うようでも、それも個性と考えて。

ONE POINT
利き手は就学前ぐらいに決まる

利き手は2～3才ごろにははっきり始め、小学校に入る前くらいに決まってきます。

Q 1才3カ月ですが、「ママ」など意味のある言葉を話しません

A 1才3カ月なら、まだ話さなくても大丈夫

1才3カ月なら、まだ意味のある言葉を話さなくても心配いりません。あと2～3カ月もすれば話せるようになるでしょう。この時期は、大人から話しかけられた言葉の意味がわかっていれば大丈夫です。名前を呼ばれたり、「かわいいね」「ダメよ」などと言われたときに、それなりの反応があれば十分です。

1才4カ月〜1才6カ月の気がかり

Q かぜをひくたびに抗生物質が処方されます。飲ませすぎ？

A 医師に相談して本当に必要なときだけに

抗生剤は体内に侵入した細菌を殺すための薬で、溶連菌感染症や、中耳炎など、細菌性の病気に感染したときに効果を発揮します。一方、かぜなどのウイルス性の病気で体力が弱っているとき、細菌性の病気に二次感染するのを予防する目的で使用されることも。ただ、こういった使われ方が頻繁なため、最近では細菌自体が進化して、抗生剤の効かない耐性菌が増えていることが問題になっています。

ONE POINT
処方薬の使い方はきちんと確認を

薬の処方を受けるときは、種類や効き目、飲ませ方などを医師や薬剤師に確認しましょう。

医師とよく話し合い、本当に必要なときだけ処方してもらいましょう。

Q 熱性けいれんは遺伝するって本当？

A けいれんを起こしやすい体質は、遺伝することがあります

熱性けいれんの発症には体質や遺伝がかかわっているといわれています。親やきょうだいが熱性けいれんの経験があると、赤ちゃんも起こす可能性があります。

赤ちゃんの脳は未成熟なため、熱の上がり際に脳細胞が興奮することがあります。熱性けいれんを起こしやすい赤ちゃんの場合、このときにひきつけることがあるのです。でも、単純な熱性けいれんなら成長とともに少しずつ治まっていくので心配いりません。発作時の対処の仕方を念のため頭に入れておき、かぜをひいたときなど、気をつけてようすを見るようにすると安心です。（けいれんについては227ページも見てください。）

ONE POINT
赤ちゃんが熱性けいれんを起こしたら…

1. 平らな場所に寝かせ、衣類をゆるめて安静にします。
2. 揺さぶったり、大声で名前を呼んだり、舌をかまないようにと口にものを入れるなどしてはいけません。
3. 嘔吐に備え、横を向かせます。
4. 赤ちゃんのようすや、ひきつけが何分続いたかをチェックします。

Q うんちがかたく肛門から出血が。痔ですか？ケアは？

A かたい便で肛門が切れることが。水分補給でやわらかく

肛門が切れ痔（裂肛）になっているかもしれません。切れ痔はかたくてコロコロした便の通過や、強いいきみで肛門が無理に広げられて起こります。ケアのポイントは水分補給。授乳メインだった今までと違い、食事からとる水分の割合が減って便がかたくなりがちなのでこまめに水分を。それでもかたいときやおなかが張って苦しそうなとき、肛門の痛みで排便のたびに泣くときは病院へ。（裂肛については243ページも見てください。）

Q まだ歩きません。発育が遅いようで心配です

A 1才6カ月になっても歩く気配がなければ受診を

赤ちゃんの発達は個人差がとても大きいものです。足の筋肉がフニャフニャでなければ、1才6カ月になるまでは歩かなくても発達が遅いとは言いきれません。ただ、まったく歩き始めるようすがなく心配な場合は、受診してください。

PART 7 月齢別 心と体の気がかりQ&A

1才4カ月〜1才6カ月の気がかり

Q 歩いていて、よく転びます。歩き方に問題がある？

A 歩くのに不慣れなだけ。そのうち転ばなくなります

このころの赤ちゃんが転びやすいのは、まだまだ歩くのに慣れていないから。歩き方が悪いのではなく、うまく歩くことができないから、と言ったほうがいいでしょう。また、体のわりに頭が大きく、平衡感覚が発達していないのも転びやすい原因です。多くの場合、成長に伴って少しずつ上手に歩けるようになり、3才を過ぎると転ぶことも少なくなってきます。

Q 眠る前の母乳、そろそろやめなくてはダメ？

A 無理にやめなくても。2才ごろまでにやめられれば大丈夫

この時期の母乳にはもう、空腹を満たしたり栄養をとるといった意味合いはありません。言うなれば、赤ちゃんが安心して眠るための儀式のようなものです。昼間活発に体を動かして遊ぶようになると寝つきがよくなり、自然に離れていくこともよくあります。あせってやめさせる必要はありません。2才ごろを目安に、赤ちゃんのようすを見ながらママがやめどきを決めていけばよいでしょう。

Q 食べもので遊ぶので困っています。食べものを大切にと教えるには？

A 自分で食べたい気持ちの表れ。大目に見てあげて

食器に手をかけ、食べものを手づかみしたり、こねまわしたり…。ママには遊んでいるように見えますが、赤ちゃんにとっては大事な成長の過程。自分で食べたいという気持ちが出てきた証拠です。まだまだ手先があまり器用ではないので、こぼしたり、ひっくり返したりしてしまいますが、「失敗」や「いたずら」ではないので、赤ちゃんの気持ちを認め、見守ってあげて。

なお、食べものをむだにしない、食べもので遊ばない、など、「食べものの大切さ」を本格的に教えるのは3才を過ぎたころからで十分です。

ONE POINT
赤ちゃん用としてひと皿用意してあげると大満足！

スプーンですくったり、手づかみで食べものの感触を確かめたり。ママが食べさせるのとは別に、赤ちゃんが自由に挑戦できるひと皿を用意してあげるといいようです。少しくらいこぼされても、一生懸命チャレンジしているのを認めて、ほめてあげて！

Q おやつにアイスクリームやかき氷を食べさせても大丈夫？

A かき氷を少しなら…。でも、食べさせすぎてはダメ

この月齢なら、かき氷をスプーンに2〜3さじ程度あげるなら問題ないと思いますが、それ以上になるとおなかが冷えて下痢をすることも。また、市販のアイスクリームには生卵、食品添加物が入っているので、赤ちゃんにはあまりおすすめできません。乳幼児用に調整されたアイスクリームでも、2〜3さじ程度食べさせてようすを見てください。

Q 暑くなると食中毒が心配。生野菜を与えても平気？

A 生野菜自体は大丈夫。調理器具を清潔に

牛野菜で食中毒になることはまずありません。野菜スティックなどを作るときは、流水でよく洗った野菜を使えば大丈夫。ただし、包丁やまな板は、肉や魚用と生で食べる野菜用とを別にする、調理後は漂白剤や熱湯で除菌するなど、衛生を心がけてください。ママも石けんで手を洗ってから調理に取りかかって。また、ママの手に傷があるときは、生の食品を与えるのはやめておきましょう。

167

Q 少しの間でもじっとしていられず、多動なのではないかと心配です

A この時期特有のもの。ゆったり見守っていて

落ち着きがないのは、この時期によくあること。病的なものではないことがほとんどです。赤ちゃんにとって、周囲は興味のあるものばかり。自分の足で歩いて行って、見て、触って確かめたいのです。あまりにも落ち着かないようなときはギュッと抱きしめて気持ちを静めてあげるとよいでしょう。どうしても気になるときは、医師に相談を。

Q 気に入らないことがあるとお友だちにかみつきます

A 「かんではダメ」と、繰り返し言い聞かせて

赤ちゃんは言葉で自分の気持ちをうまく表現できないため、気に入らないことがあるとかみつくことがあります。そんなときは、赤ちゃんの気持ちをくみ取ることが大事です。力加減せずにかむので、相手にとっては相当痛いはず。ちゃんと止めなくてはいけません。ママの言うことがだんだんわかってくるころなので、「かんだら痛いよ」とやさしく教え、そのつどやめさせるのがよいでしょう。

Q ひとつのおもちゃで集中して遊べません

A この月齢ではまだ集中できないのがふつうです

このくらいの月齢なら、同じおもちゃで長時間遊べなくても飽きっぽいということではありません。2〜3才になれば、好きなことならある程度まとまった時間集中できるようになるでしょう。今はまだ、興味のあるものを次々と探して、触って、確かめている段階です。ひとつのおもちゃに集中させようと働きかけるよ り、赤ちゃんの興味や動きの変化に合わせて、ママもいっしょに楽しむことが大切です。

Q 靴をはくのをいやがります。どうしたらいいですか?

A 赤ちゃんの足に合った靴かどうか確かめて

「靴をはく＝お外で遊べる、楽しい」と繰り返し教えて。赤ちゃん自身、それがわかるようになると、喜んではくようになると思います。また、慣れない感覚にとまどっているだけかもしれませんが、サイズや形が合っていないことも考えられます。右下のポイントを参考に、足に合った靴に替えてあげましょう。

Q 下の子を妊娠。抱っこしてあげられないときの対処法は?

A 抱っこできなくても、しっかり気持ちを向けてあげて

抱き上げることはできなくても、ママのひざの上に座らせていっしょに絵本を見たり、添い寝をしたりと、スキンシップの方法はたくさんあります。ただ、ママが自分の体調や、おなかの子のことを気にかけすぎるあまり、赤ちゃんへの言葉かけや対応が形だけのものになってしまうと、赤ちゃんは敏感にそのことを感じとってしまいます。たとえ抱っこができなくても、赤ちゃんとと接するときは、ママの気持ちをきちんと向けてあげて。そうすれば、少しくらいのママの変化も、赤ちゃんは乗り切っていけますよ。

ONE POINT

ファーストシューズ選びのポイント

- **つま先は？**：かかとからつま先にかけて広がっていて、横から見たとき適度につま先がそり上がった形のものを。
- **甲の部分は？**：ひもや面ファスナーなどの締め具がついていて、足に合わせて靴をしっかりと固定できるものを。
- **かかとは？**：赤ちゃんはかかととつま先を同時について歩くため、かかとに負担がかからない、適度なかたさのものがいいでしょう。
- **ソールは？**：やわらかいほうが歩きやすいので、曲げてみて、つま先から1/3くらいのところが曲がるものを。
- **カットは？**：足首の骨をまっすぐ成長させるためにも、くるぶしの上まですっぽり包むハイカットのものを。
- **大きさは？**：足のかかとを靴のかかと部分にしっかり合わせたとき、つま先に5〜10mmのゆとりがあるものがいいでしょう。

PART 7 月齢別 心と体の気がかりQ&A

1才7カ月～2才の気がかり

Q おむつをはずしたいのですが、早すぎますか?

A 本格的に取り組むのはまだちょっと早いかも

赤ちゃんの排泄機能が整うのは2才を過ぎたころから。2才前でのおむつはずしは少し早いかもしれません。おしっこやうんちが出たことを教えられるようになったり、おむつにときどき触ってみて、2時間以上ぬれていないのを目安にスタートするとよいでしょう。まずは昼寝の後などに便座やおまるに座らせ、「しーしー」などと声をかけてみて。繰り返すうちに、だんだんとおしっこの出る感覚がわかってきます。

Q 寝るときの指しゃぶり、やめさせたほうがいい?

A 赤ちゃんが自分からやめるまで見守っていて

寝る前の指しゃぶりは、不安を取り除き、気持ちよく眠りに入るための儀式のようなもの。この時点ではまだ、無理にやめさせる必要はありません。指しゃぶりのほかにも、お気に入りのタオルやママの体の一部を触りながら眠りにつくといった行動も同じような意味を持っています。いずれにしても、3才くらいまでには自然にしなくなりますから、あまり気にせず見守って。この時期の寝る前の指しゃぶりなら、歯並びへの影響はありません。

1才7カ月～2才の気がかり

Q イヤイヤが激しくて手に負えません

A 自分でやってみたい気持ちを受け入れてあげましょう

この時期の赤ちゃんは、何でも自分でやってみたい年ごろです。ママの働きかけにイヤイヤで抵抗するのは、自分の思いどおりにやってみたいから。これも成長のひとつととらえ、よほど危険なことでない限りそばで見守ってあげてください。赤ちゃんの好きなようにいっしょに喜んで、うまくできたらいっしょに喜んで。ママに認められ、受け入れられた実感を持つことは大切です。そうこうしているうちに、イヤイヤも少しずつなくなっていきますよ。

ONE POINT
自然にやめるのを待ってて、大丈夫

ママを悩ます寝る前のくせ。赤ちゃんにとって必要なくなれば、自然にやめていきます。

Q しかりながら、たたいてしまった。心の傷になる?

A たたいても気持ちは伝わりません。言い聞かせることが大事

しかりながらたたいても、なぜたたかれたのか理解できません。赤ちゃんは今の月齢で、一度だけたたいた程度なら、たたかれたことが心の傷になって残るというのは考えにくいことですが、しかるときにたびたびたたくことは、恐怖心を植えつけるだけで効果はありません。

たとえ赤ちゃんでも、いけないことをしたときは言い聞かせることが基本です。赤ちゃんの目を見て、やさしく、でも強く語りかけてみて。しつけは時間がかかるものです。1才半を過ぎるとだいぶ言葉の意味を理解できるようになるので、感情的にならず、しんぼう強く赤ちゃんと接していきましょう。おりこうのときには、しっかりほめることも大切です。

169

2才1カ月〜3才 の気がかり

Q 最近、おちんちんをよく触っているので心配です

A 無理にやめさせようとせず、さりげなく気をそらせて

これは性的な意味があるわけではなく、指しゃぶりのようなものなので心配いりません。男の子の場合、触りやすいのでくせになりやすいようです。親がこだわって強くしかったりすると、かえって子どもは意識しておちんちんを気にするようになります。さりげなく遊びに誘ったりして、別のことに興味をもたせるようにしていくうちに、自然に触らなくなります。

Q よく鼻血を出しますが、くせになっているの？

A 粘膜が傷ついているのかも。繰り返すようなら耳鼻科へ

鼻血を出しやすい原因は、子どもが無意識のうちに鼻をいじっていること。鼻の中の粘膜はやわらかく、ちょっとひっかいたりするだけでもすぐに傷ができてしまいます。また、一度傷ついた粘膜は刺激されるとまたすぐ傷つき、出血しやすい状態になっています。鼻血が出たら、抱っこして顔をうつむかせ、小鼻を押さえて止まるのを待って。

頻繁に繰り返すようなら耳鼻科で鼻の中をチェックしてもらい、傷ができているところに軟膏をつけるなどして治療してもらいます。なかなか止まらない、両方の鼻の穴から出血する、あざができやすいなどの症状があるときは、念のため小児科で診察を。

ONE POINT
やってはいけない鼻血ケア

× **上を向かせる**
血液がのどに回って気分が悪くなることも。

× **首の後ろ側をたたく**
コレは迷信です。効き目はありません。

× **ティッシュや脱脂綿を詰める**
鼻の奥に押し込んでしまったらたいへん！ 子どもにはNGです。

Q 引っ込み思案で、公園に行ってもみんなと遊べません

A お友だちに興味を示すようになるまで見守って

2才代では、複数の子どもといっしょに遊ぶのはまだ無理で、ようやくお友だちと一対一で遊び始めるころです。また子どもにもいろいろな個性があり、初対面ですぐに遊べる子もいれば、時間がかかる子もいます。お友だちがいる環境に慣れさせることは大切なので、子どもといっしょに外に出ることは必要ですが、今は無理にお友だちと遊ばせようとしないで。本人がお友だちに興味を示すまでは、そばで遊ばせるのでいいでしょう。

Q 2才半ですが、自分で着替えず、甘えて泣き出します

A 遊びの延長で楽しく誘ってみましょう

簡単な衣類の脱ぎ着ができるのは3才ごろなので、まだできなくてもしかたありません。着替えは脱ぐことのほうが簡単なので、まずは「バンザイしてみようか」などと遊びの延長で脱ぐことから始めてみましょう。「〜しなさい」ではなく「〜しようか」と子どもに主導権を渡して、楽しい雰囲気で誘うのがコツです。上手にできたらいっぱいほめて、またやってみようという気持ちにさせてあげるといいですね。2才半過ぎにはズボンなどがはけるようになってくるので、「トンネルから足が出るかな？」などと誘ってみて。甘えたい気持ちが強いときは、突き放さずに抱っこなどで甘えを受け止めて。そのうえで、さりげなく手伝いながら、やる気を育てましょう。

健診と予防接種

心も体も成長めざましいこの時期、
節目ごとの健診で、成長を医師などと確認します。
また、赤ちゃんを病気から守る
確実な方法のひとつが予防接種です。
基礎知識をおさえて、きちんと受けるようにしましょう。

PART 8

健診の基本を知っておこう

[赤ちゃんの発育・発達をドクターが確認]

赤ちゃんが健やかに成長しているかを、チェックするのが健診。検査ポイントや上手な受け方を知っておきましょう。

トラブルの早期発見が目的。育児のアドバイスももらえます

赤ちゃんの健診は、母子保健法という法律に基づき各自治体によって実施されている、正しくは乳幼児健康診査といわれるものです。赤ちゃんが幸せな環境の中で、すくすくと健康に育っているかを確認する場です。

赤ちゃんの発育・発達やいろいろな病気の発見の節目となる月齢に設定されているので、定期的に受けると安心です。健診のいちばんの目的は、親が気づかない赤ちゃんの心身の異常を、できるだけ早く発見することと。身長や体重の伸びぐあい、運動機能などを総合的にチェックするとともに、隠れた病気にも気を配ります。早期発見ができれば、専門機関で詳しく検査をしたり治療をしたり

できます。

また健診には、医師のほかにも保健師や栄養士、歯科医師などが加わる場合もあります。さまざまな視点から育児に関する専門的なアドバイスを受けられる機会でもあるので、不安や悩みを解消できます。

何回かは公費で受けられ、無料。それ以外は料金がかかります

集団健診をはじめ、個別健診でも、自治体が案内をするものは公費の補助が出るので無料です。ただし、公費負担の回数や内容は自治体によりさまざまです。ちなみに東京都23区では、3〜4カ月、6〜7カ月、9〜10カ月、1才6カ月、3才の健診は公費負担がありますが、それ以外の月齢では公費負担がありません。公費負担のない健診は健康保険の適用がないので、全額自費で受けることになります。費用は病院ごとに設定するため、1000円から数千円以上かかる場合もあり、幅があります。あらかじめ病院に問い合わせてみましょう。

集団健診は自治体の施設で、個別健診は指定の病院で

集団健診は、決められた日に地域の保健所などに集まり、身体測定、診察、栄養相談などを受けます。歯科健診や予防接種をあわせて行う自治体もあり、いろいろな専門家が集まっているので、幅広い診査が受けられます。

個別健診は、自治体が指定した病院で受診します。健診の時間や曜日を設けている病院が多いようです。いつものかかりつけ医に診てもらえると安心なので、そこが自治体指定の乳幼児健診を行っているかどうか確認してみましょう。

PART 8　健診と予防接種

健診の基本を知っておこう

健診を受けるまでの流れ

集団健診

- **自治体から案内がある**
  健診のお知らせがあります。自治体からの保健師などによる訪問指導で説明がある場合も。
- **予約が必要なら予約する**
  お知らせをよく読んで、健診の予約が必要な場合は、予約先（保健所など）に連絡をします。
- **指定された日時に指定された場所へ行く**
  地域の保健所など、指定された場所、時間に行きます。交通機関や持ちものなどはしっかり確認。
- **健診を受ける**
  問診票や母子健康手帳など必要なものを準備し、案内された順序で身体測定や診察を受けます。

個別健診

- **自治体から案内がある場合も**
  公費負担のある個別健診は、自治体から郵送で通知が来ます。自費健診の場合、通知は来ません。
- **提携病院の中から選んで予約を入れる**
  指定された提携病院の中から自分で選び、個別健診であることを告げて、予約を入れます。
- **予約した日時に病院に行く**
  病院によっては、一般の患者さんとは入り口が別になっていることもあるので気をつけましょう。
- **健診を受ける**
  受付をすませたら、指示に従って診察や検査を受けます。

健診 知りたい Q&A

Q ふだんの赤ちゃんのようすを伝えれば大丈夫ですか？

A 家でできることが健診の場でできなかった。遅れていると診断されますか？

健診の場はふだんとようすが違うので、赤ちゃんも泣いたり人見知りをしがち。ママとしては、いつものようすを診てもらえず心配になるでしょう。でも、医師は、その日の赤ちゃんの動きや筋肉の状態などをきちんと診ています。問診で、ふだんの赤ちゃんのようすを伝えればいいのです。

Q 集団健診を体調が悪くて欠席。どんな手続きをすれば受け直せますか？

A 自治体の担当窓口に問い合わせ、今後のスケジュールを確認しましょう

集団健診の実施回数や方法は、自治体によってまちまちです。同じ月に何度も同じ月齢の赤ちゃんの健診の日を設けているなら、スケジュールを確認して、別の日に受診できるかもしれません。欠席することになったら、できればその時点で、保健所など自治体の担当窓口に連絡を。そのときにどうすればよいかを相談してみましょう。

Q 当日、赤ちゃんのぐあいが悪かったら、取りやめたほうがいいですか？

A 発熱や下痢のとき、病気回復期もできれば控えましょう

発熱、ひどい鼻水やせき、下痢、嘔吐（おうと）をしているなど、赤ちゃんのぐあいが悪いときは、病院や保健所に連絡して延期しましょう。病気の回復期は一見元気そうに見えますが、体重が減っていたり、体力が落ちていたりすることが多いもの。

Q 「ようすを見ましょう」と言われたら、心配な点があるということですか？

A すぐに検査や治療をする必要がないということです

健診の場で判断を下すには時期が早すぎる場合や、自然に治っていく可能性があるときなどは「ようすを見ましょう」と言われ、経過観察をすることになります。不安に感じるママも多いと思いますが、すぐに検査や治療が必要なわけではないので、心配しなくて大丈夫。次の健診時か指定された時期に受診して、確認してもらいましょう。

赤ちゃんの負担も大きく、正確な診査ができない場合もあるので、控えたほうがいいでしょう。

173

※健診へ出かけるときの準備などについては、とじ込み②（うら）を見てください。

どの月齢でも行う基本的な検査

赤ちゃんの発育の確認と、病気の早期発見のために、比較的どの月齢でも行われる計測と診察です。

計測

頭囲
メジャーで頭囲を測ります。1カ月健診では水頭症などがないかの目安にも。6～7カ月で出生時より10cm前後大きく。

胸囲
メジャーで胸囲を測ります。順調にふっくらしてきているかを確認。頭囲と胸囲はそれほど変わらない数値になります。

体重
ベビー用の体重計を使います。順調に発育していれば、3カ月ごろには出生時の体重の約2倍、1才で3倍くらいになります。

身長
赤ちゃんを寝かせ、脚を伸ばして計測。6～7カ月までがもっとも伸びる時期。1才で出生時の1.5倍くらいになります。

診察

大泉門
頭蓋骨がまだ閉じきっていない、すき間のやわらかい部分が大泉門。1才半ごろまでに閉じるこの大泉門のようすをチェックします。

皮膚
1カ月健診では、黄疸が出ていないかのチェックが重要。あざはないか、ひどい皮膚炎はないかなど、肌の状態も観察します。

触診
手で赤ちゃんのおなかを触り、内臓がはれていないか、しこりはないかを確認。脊椎や姿勢に異常がないかなども観察します。

聴診
胸と背中に聴診器を当て、心音や呼吸音を聴き、雑音などの異常がないかを調べます。心肺の疾患は早めの発見が重要なので、ていねいに診察します。

問診
家でのようすを医師がママに尋ねます。母子健康手帳のチェック項目のほか、授乳量、離乳食の進みぐあいなどを月齢に合わせて確認します。

性器
男の子は月齢に応じて、陰嚢に水がたまっていないか、睾丸がふたつあるか、包茎でないか、女の子は外陰部に異常はないかなどを調べます。

耳の中
耳の中をライトで照らして、耳あかが詰まっていないか、はれたりただれたりしていないかを調べます。耳の聞こえを観察することもあります。

口の中
舌や歯肉の状態など口の中に異常はないか、のどがはれていないか、月齢に応じた歯の生えぐあいや歯の異常はないかなどを確認します。

高橋悠人くん(2カ月)　　　協力：小坂こども元気!!クリニック(東京)

PART 8　健診と予防接種

健診の基本を知っておこう

原始反射のチェック

新生児特有の反射が備わっているかを診ます。原始反射は数多くあり、すべてをチェックするわけではありません。

把握反射
手のひらにふれると、指を丸めてしっかりつかみます。足の裏をこすると足の指も丸めます。

原始歩行
両手で体を支えて立たせると、まるで歩いているかのように、足を交互に出します。

モロー反射
両手を少し持ち上げて離すと、ビクッとして両手を広げ、その後しがみつくように腕を閉じます。

ガラント反射
背中の脊椎の外側あたりをなぞると、なぞったほうに体をくねらせて下半身を曲げます。

目が見えている？
目に光を当てたり、目線が合ってじっと見ているかを観察したりしてチェックします。

股関節脱臼ではない？
ひざとももをつかみ、脚をゆっくり曲げたり開いたりして、股関節の状態を診ます。

おへその状態は？
臍ヘルニア（腹圧がかかると出べそになる）やおへそが乾いているかを確認します。

斜頸ではない？
首を触って斜頸の原因になるしこりはないかを調べます。

● その他こんな検査も

黄疸は？ 皮膚や白目が黄色くなっていないかをチェックします。

脊椎の状態は？ 背骨がまっすぐかどうか、赤ちゃんの姿勢を診ます。

1カ月健診

この月齢での確認項目

- 原始反射（把握反射、モロー反射、原始歩行、ガラント反射）
- 斜頸
- 股関節脱臼
- 黄疸
- おへそ・脊椎・おしりの状態
- 目が見えるか
- 先天性の病気 など

体重増加は順調か病気がないかを中心に調べます

体重は生後一時的に減りますが、順調に発育していれば出生時より1kg前後増加。この体重の増加から、おっぱいやミルクの量が足りているかなどを判断します。先天性の病気、黄疸や股関節脱臼がないか、おへそや湿疹など、全身を細かく診察します。また、外部からの刺激に対して無意識に起きる反射の動きのうち、生まれたときにあって、成長するうちに消えていく反射のことを原始反射といますが、1カ月健診ではその反射のようすから中枢神経の発達が順調かどうかを確認します。頭蓋内出血の予防のため、ビタミンK2シロップが投与もしくは処方されます。授乳の回数や飲む量、ねんねの状態やうんちのリズムなど、育児不安は遠慮せずに相談しましょう。

175　渡辺優騎くん（2カ月）

3〜4カ月健診

この月齢での確認項目
- 首すわり
- 立ち直り反射
- 斜視
- 追視
- 音への反応
- 斜頸
- 股関節脱臼
- あやすと笑うか など

首のすわりぐあいや、あやすと笑うかなどを確認します

首のすわりぐあいの確認がいちばんのチェックポイントです。寝てばかりだった赤ちゃんも、このころになると首がだんだんすわってきて、抱っこがしやすくなってきます。健診では、両手を持って引き起こすと首がついてくるか、体を支えて座らせたとき首がグラグラしないか、うつぶせにしたとき頭を持ち上げるかなどを診ます。

また、追視をするか、音に反応するか、あやすと笑うかなど、発達を確認する重要なチェックポイントが多くあります。

そのため、ほとんどの自治体で公費による健診が行われています。予防接種を受けられる月齢になってきているため、集団健診を行っている自治体では、同時に予防接種を行っているところもあります。

音のするほうを向く？
音の出るおもちゃを鳴らし、そちらを向くかどうかで耳の聞こえをチェックします。

斜視ではない？
目に光を当て、黒目に映る光の位置で、斜視ではないか、左右同じように見えているかを確認します。

お座り姿勢で頭がグラグラしない？
体を支えて座らせ、頭がグラグラしないかを診ます。4カ月の終わりまでにしっかりすれば大丈夫。

立ち直り反射がある？
体を傾けると元の位置に戻ろうとする動作があるかや神経と筋肉の協調や発達のぐあいを調べます。

あやすと笑う？
あやすとニッコリ笑うかどうかで心の発達を確認します。健診で笑わなくてもふだん笑っていれば大丈夫。

追視をする？
少し離れた距離でおもちゃを見せ、目で追うかどうかを調べます。医師が赤ちゃんとそれを目で追うかどうかを調べます。医師が赤ちゃんと目を合わせ、顔を動かしてチェックすることも。

●その他こんな検査も

斜頸ではない？
首の周りを触ってしこりがないか確認します。

股関節脱臼ではない？
1カ月健診で行った股関節の開きぐあいを再度確認。

PART 8　健診と予防接種

健診の基本を知っておこう

6～7カ月健診

この月齢での確認項目
- お座り　● 寝返り
- 引き起こし反応
- 手指の発達
- おもちゃに興味を示すか
- ハンカチテスト
- 股関節脱臼
- 音への反応
- 立ち直り反射　● 斜視
- 歯が生えているか　など

寝返りやお座りのようす、手指の動きをチェックします

少しの間でも、自分の体を手で支えてお座りができるか確認します。この時期は一瞬でもできればOK。まだちゃんとできなくても問題はありません。あおむけから、自分で好きなように寝返りできる赤ちゃんが多くなる月齢。健診でできなければ、家でのようすを伝えましょう。

また、ものを自分から手を伸ばしてつかみ、片方の手からもう片方の手へと持ち替えるかなど、手指の運動機能の発達を確認します。さらに手を伸ばすのと同時に、おもちゃに興味を示すかもチェックして、手の機能だけでなく、周囲への関心など心の発達のようすも診ます。個人差はありますが、そろそろ歯が生え始める赤ちゃんも出てくるので、生えぐあいを確認します。

おもちゃに興味を示す？
おもちゃに興味を示して手を伸ばすかを観察します。目で対象物の方向や距離が測れるようになってきた証拠。

寝返りをする？
あおむけに寝かせて、自分で寝返りができるか観察します。その場でしなくてもふだんしていればOK。

引き起こすと体を起こそうとする？
腕をつかんであおむけから体を引き起こし、体を丸め腕も曲げて体を起こそうとするかを確認。

おもちゃを持ち替える？
おもちゃをもう一方の手に持ち替えるかを診ます。この時期にまだできなくても大丈夫。

お座りをする？
お座りをするかどうか確認します。体が傾くほうに手をついて体を支えるかもチェック。

顔にかかったハンカチを自分ではずす？
赤ちゃんの顔にハンカチをかぶせて自分で取るかを観察し、手指の動きを確認します。泣いていると取らないことも。

● その他こんな検査も

股関節脱臼ではない？	股関節の開きぐあいに左右で差がないかを確認します。
耳は聞こえる？	音を鳴らして、その方向を向くかを診ます。
立ち直り反射はある？	体を傾けるとまっすぐになろうとするかを確認します。
斜視ではない？	目に光を当て、左右の黒目に映る光の位置を確認。
歯が生えてきた？	最初の歯が生えてきたかや歯肉の状態を観察。

植村美咲ちゃん（6カ月）

9〜10ヵ月健診

この月齢での確認項目
- お座り
- ハイハイ
- パラシュート反射
- つかまり立ち
- 歯の生えぐあい
- 手指の発達
- 股関節脱臼
- 音への反応
- 斜視
- 言葉の理解 など

ハイハイやつかまり立ちなどを中心にチェックします

この月齢では、さまざまな運動発達が確認事項の中心となります。ハイハイやつかまり立ちなどで活発に動き回り、どんどん移動する赤ちゃんも多くなります。また、床に両手をつかなくてもお座りが安定するようになります。赤ちゃんの体を逆さにしたときに、体を支えるように両手を広げるパラシュート反射があるかどうかで、中枢神経の発達も確認します。手指の動きもスムーズになるころ。小さなものをつかめるかなども診ます。

ママの話しかけに反応するかなどで言葉を理解しているか、人見知りや後追いなどについても問診し、心の発達を確認します。人見知りが激しくなる時期なので、健診では多くの赤ちゃんが大泣きしますが、心配いりません。

ハイハイをする?

ハイハイのようすを観察します。個人差が大きく、ずりばいの赤ちゃんやハイハイをしない赤ちゃんも。

小さなものをつまめる?

小さなおもちゃをつまむようすを観察。上手につまめなくても指を動かしていれば大丈夫。

お座りをする?

両手で体を支えなくても、グラグラすることなく安定したお座りをするかを確認します。

パラシュート反射はある?

体を支えて頭を下に体を傾けると、体を支えようとしてパラシュートのように両手を広げます。

ママとのコミュニケーションがとれる?

差し出されたおもちゃを受け取るなど、ママの話しかけに反応しているかどうかを確認します。

つかまり立ちをする?

どこかにつかまって自分で立ち上がり、そのまま立っていられるかを確認します。

● その他こんな検査も

歯の生えぐあいは? 上下2本ずつの歯が生えてくるころ。歯と歯肉を調べます。

斜視ではない? この時期までには斜視かどうか確認できます。

股関節脱臼ではない? 両脚をつかんで左右の開きぐあいをチェック。

耳は聞こえる? 見えないところで音を鳴らし、聴力を確認。

布川翔大くん(10カ月)

178

PART 8　健診と予防接種

健診の基本を知っておこう

1才健診

この月齢での確認項目
- つかまり立ち
- 伝い歩き
- ひとり立ち
- 歯の生えぐあい
- 手指の発達
- 言葉の理解
- 視覚
- 聴覚 など

伝い歩きやひとり立ちのほか、言葉や心の発達を確認します

体重が出生時の3倍前後になり、手足が伸びて体がややスラリとしてきます。つかまり立ちから伝い歩き、さらにはひとり立ちができるようになる赤ちゃんも出てきます。このような運動機能をチェックしますが、まだできなくても大丈夫。しばらくようすを見ることになります。歯が何本生えているかとあわせて、のどや口の中を診ます。ものを見るようすから視覚、かすかに鳴る音にも反応するかで聴覚の状態などを確認します。

また、声かけに反応するか、言葉を理解しているかなど、ママとのコミュニケーションから心の発達を診ます。きげんがよければ、人の動作のまねをするかも試したりします。健診でできなくても、日常のようすを伝えましょう。

言葉を理解している?
「どうぞ」と差し出されたものを受け取るなど、言葉を理解して反応することができるかを診ます。

小さなものを上手につまめる?
親指とひとさし指で、積み木やブロックなどの小さなものをつまんだりつかんだりするかを観察します。

ひとりで立つ?
つかまり立ちをして一瞬立っていられるかを診ます。まだ立っちをしなくても大丈夫。

伝い歩きをする?
伝い歩きをする赤ちゃんが多くなります。健診でしなくてもふだんのようすを伝えればOK。

つかまり立ちをする?
つかまって立っていられるかを診ます。立っちやあんよをする子はそのようすも確認。

大人のまねをする?
「バイバイ」など大人のまねをするかを確認します。ふだんのようすを伝えればOK。

● その他こんな検査も

歯の生えぐあいは?　個人差はありますが上下4本くらい歯が生えてきます。

坂本陽香ちゃん(1才)

1才6カ月健診

この月齢での確認項目
- 心の発達
- 言葉の理解
- 言葉の発達
- 手指の発達
- ひとり歩き
- 歯の生えぐあい
- 視覚
- 聴覚 など

ひとり歩きやコミュニケーションが重要な確認ポイントです

ひとり歩きができるようになっているか、積み木など小さなものを手指を自由に使ってつまめるかなどの運動機能をチェックします。また、絵本を興味を持って見ているか、言われたことに反応して指さしをするか、楽しいときやぐずるときの感情の表し方はどうか、言葉を理解して周囲とのコミュニケーションがとれるか、いくつかの単語を話すかなど、心の発達を確認します。

体型が乳児から幼児らしく変わり、離乳食も卒業するころ。心身ともに発育の重要な確認ポイントがある時期なので、公的な健診が行われています。歯科健診は同時にせず、あらためて別の日に行われる自治体もあり、歯みがき指導などを受けられるところもあります。

感情を表現している？
泣く、笑う、怒る、すねるなど、子どもらしい豊かな感情表現をしているかで、心の発達が確認できます。

指さしをする？
興味を持ったこと、言われたことに、指をさして伝えたり答えたりするかを観察。

ひとりで遊べる？
好きなおもちゃを持って、ひとりで遊ぶかを観察。手指の動きなども確認します。

言葉を理解している？
「もしもし」など、大人の呼びかけを理解して、言葉やしぐさでふさわしい反応ができるかを確認します。

後ろから名前を呼んで振り向く？
後ろから名前を呼ばれて自分だと気づくか、コミュニケーションのようすを診ます。

ひとりで歩く？
個人差があるものの、このころにはひとりでしっかり歩けるかが大事なポイント。

● その他こんな検査も

指を器用に使える？ 遊びや生活場面で指を器用に使うか確認します。

大人の動作のまねをする？ バイバイ、おじぎをするなど、大人のまねをするかを診ます。

歯の生えぐあいは？ 奥歯が生えてくるころ。歯のようすや上手にみがけているか確認。

梅田真志くん（1才7カ月）

PART 8 健診と予防接種

健診の基本を知っておこう

3才健診

この月齢での確認項目
- 心の発達
- 手指の発達
- 運動能力の発達
- 歯の生えぐあい
- 視覚
- 聴覚
- 尿（腎臓）など

階段を上るなどの運動面や心理面での発達を確認します

ひとりで階段を上れるか、丸が描けるかなどの足や手の運動機能をチェックします。また、衣類の着脱を自分でしたがるか、歯みがきや手洗いをしているか、ごっこ遊びをするか、自分の名前を言えるか、遊び友だちがいるかなど、精神面の発達も確認。多くの自治体では、このような内容を、ふだんのようすとあわせてママから聞き取ります。

また事前に聴覚・視力検査のキットが家庭に送付され、ママが子どもに検査を行い、その結果を記入して、健診当日に提出してもらう自治体や、腎臓機能の検査のために、尿検査用セットが家庭に送られ、当日尿を持参し提出したりする自治体もあります。しつけや発達など気になっていることがあれば、相談を。

歯みがきをしている？
持ちやすい筆記用具でお絵描きを。最初と最後の線がくっついて、グルリととじた丸を描けるかを確認。

歯みがきをいやがったりしませんか？ 子どもがみがいた後は、ママが仕上げみがきをしてあげる習慣をもちたいですね。

丸を描ける？

ごっこ遊びをしている？
服の後ろ前や裏表を間違ったりすることはまだまだあります。自分で着脱したい気持ちがあるかどうかをチェックします。

何かを何かに見立てて、ごっこ遊びをするかどうかを見ます。

ひとりで着替えをする？

聴力・視力・尿検査

家庭で検査するためのキットが送られてくる自治体も。

視覚検査
子どもを座らせて、片方の目をティッシュペーパーでおおいテープではります。そこから2.5m離れたところでママが検査用の絵を持って、何の絵かを聞き、答えられるかを見ます。

尿検査
折りたたみの紙コップに子どもの尿をとり、ポリ容器に移して提出します。

聴覚検査
ママは口元を手で隠し、ささやき声で絵の中の何かの名前を言います。子どもがその絵を指さしたら、聞こえているとみなす検査です。

次は就学前の5才健診があります
3才健診の後の集団健診としては、多くの自治体で5才健診を行っています。これは小学校入学前の子どもに実施しているもので、就学前健診とも言われ、運動・精神の発達状態、言葉の発達、視覚・聴覚などについて確認します。

久保 葵ちゃん（3才4カ月）

［赤ちゃんを病気から守るために］

予防接種の基本を知っておこう

受ける意味、種類や時期、スケジュールなど、予防接種の基本をしっかり理解して。納得してから受ければ安心です。

うつると重症化のおそれのある病気にかかるのを防ぎます

現在、予防接種の対象となっているのは、どれも実際にかかると生命にかかわる病気や、多くの人は軽くすんでも、しばしば重症化したり、重い合併症を引き起こしたり、後遺症が残る場合もある病気です。このような病気から赤ちゃんを守るために実施されているのが、予防接種です。

予防接種は、原因となる病原体から作ったワクチンを接種することで体内に抵抗力（免疫力）をつくり、一生その病気にかからないか、かかったとしても軽い症状ですむようにします。

みんなが受けることによって、病気が広がるのを予防します

あまり聞いたことのない病名の予防接種があったり、その病気にかかった人が身近にいなかったりすると、「接種する必要があるの？」と思うかもしれません。でも、予防接種の普及によって流行が抑えられているだけで、その病気がなくなったわけではないのです。

また、感染症は主に人から人へ伝染する病気ですから、自分が感染しなければほかの人にうつすこともありません。病気が大流行するのをくい止めるのにも、予防接種は重要な役割を果たしているのです。

●定期接種の場合

受けることが望ましいと法律で国が奨励しているのが「定期接種」。四種混合（DPT-IPV）、BCG、麻疹風疹混合（MR）、日本脳炎などがこれに当たります。接種が定められている年齢の期間内であれば公費の補助を受けることができるので、無料か、自治体によっては一部有料で受けられます。

●任意接種の場合

周囲の環境などを考慮して、受けるかどうかを親が選択するのが「任意接種」。任意となっていても、接種しなくていいという程度の軽い病気というわけではありません。水ぼうそう（水痘）、おたふくかぜ（流行性耳下腺炎）、インフルエンザ、B型肝炎、Hib、小児用肺炎球菌、ロ

タウイルスなどが対象です。費用はワクチンによっては自治体からの助成があるものもありますが、多くは全額自己負担です。B型肝炎はママがキャリアの場合、健康保険が適用されます。

定期接種は無料か一部自己負担、任意接種原則は全額自費

集団接種は決まった日時と会場で、個別接種は都合のよいときに

●集団接種の場合

市区町村ごとに組まれたスケジュールに従って、決められた日の決められた時間に、公民館や保健所などの会場で受けます。一般に、BCGなどは集団接種の地域が多いようです。

告知の方法は、個別のはがきや広報紙などさまざま。保健所に問い合わせて確認しておきましょう。

●個別接種の場合

親がスケジュールを組み、かかりつけの病院などに行って接種を受けます。赤ちゃんの体調がよいときに合わせて日程を選びましょう。

予防接種に対する不安や疑問があるときは、赤ちゃんのふだんのようすや体質をよく知っている医師に相談してから受けるとよいでしょう。

※予防接種についてはとじ込み②もあわせて見てください。

PART 8　健診と予防接種

予防接種の基本を知っておこう

よくわかる！赤ちゃんが受けておきたい予防接種

	予防接種名	予防する病気	ワクチンの種類	受け方
定期接種	四種混合（DPT-IPV）Ⅰ期	ジフテリア、百日ぜき、破傷風、ポリオ	不活化ワクチン、トキソイド	Ⅰ期は3カ月〜1才未満の間に、3〜8週間おきに3回。追加は初回接種終了後、12カ月以上経過し18カ月に達する間に1回接種。Ⅱ期は11〜12才になる前までにジフテリアと破傷風の混合ワクチン（DT）を1回。
	BCG	結核	生ワクチン	6カ月になる前日までに1回接種。
	麻疹風疹混合（MR）	麻疹（はしか）、風疹（三日ばしか）	生ワクチン	Ⅰ期は1〜2才未満の間に1回接種。できるだけ早期の接種が望ましい。Ⅱ期は5才以上、7才未満で小学校就学前の1年間に1回。
	日本脳炎Ⅰ期	日本脳炎	不活化ワクチン	Ⅰ期初回は3才で6〜28日の間隔をあけて2回接種。追加はその約1年後の4才で1回の計3回。Ⅱ期は9才で1回接種。
任意接種	Hib	細菌性髄膜炎 など	不活化ワクチン	2〜7カ月未満で始める場合は4〜8週間隔で3回接種し、その約1年後に追加で1回の計4回接種。7カ月〜1才未満で始める場合は4〜8週間隔で2回接種し、その約1年後に追加で1回の計3回接種。1〜5才未満で始める場合は1回のみ接種。
	小児用肺炎球菌	肺炎球菌感染症	不活化ワクチン	2〜7カ月未満で始める場合は27日間以上の間隔で3回接種し、その後1才〜1才3カ月の間に追加で1回の計4回接種。7カ月〜1才未満で始める場合は27日間以上の間隔で2回接種し、その後60日間以上の間隔をあけて1才以降に1回の計3回接種。1才で始める場合は60日間以上の間隔をあけて2回接種。2〜9才で始める場合は1回のみ接種。
	ロタウイルス	ロタウイルス感染症	生ワクチン	2つのワクチンがあって、ロタリックス（1価）は生後24週までに、4週間以上の間隔をあけて2回接種。ロタテック（5価）は生後32週までに、4週間以上の間隔をあけて3回接種。
	B型肝炎	B型肝炎	不活化ワクチン	HBs抗原陽性のママから生まれた子は健康保険で接種可能。その場合、生後48時間以内と2カ月でガンマグロブリンを計2回、2〜5カ月の間にワクチンを計3回接種。キャリアでなくとも任意接種でき、その場合ははじめに4週間隔で2回、5〜6カ月後に1回の計3回接種。
	水ぼうそう（水痘）	水ぼうそう（水痘）	生ワクチン	水ぼうそうにかかったことのない人が、1才以降に1回接種。
	おたふくかぜ（流行性耳下腺炎）	おたふくかぜ（流行性耳下腺炎）	生ワクチン	おたふくかぜにかかったことのない人が、1才以降に1回接種。
	インフルエンザ	インフルエンザ	不活化ワクチン	生後6カ月以降に、1〜4週間の間隔をあけて2回接種。

ワクチンは3種類

予防接種に使われるワクチンは、その性質によって3つの種類に分けられます。接種スケジュールを立てるときに重要ですので、頭に入れておきましょう。

トキソイド
ほかの接種まで6日以上あける

二種混合（DT※）

病原体が作る毒素だけをあらかじめ抽出して取り出し、無害なレベルにまで薄めてから接種するもの。不活化ワクチン同様、免疫をつける力が弱いので、複数回の接種が必要。接種後、1週間たてばほかのワクチンの接種が可能です。

不活化ワクチン
ほかの接種まで6日以上あける

四種混合、インフルエンザ、B型肝炎、Hibなど

死んだ病原体の成分の毒素を無毒化したり、予防に効く抗原を取り出して作ったワクチン。病原体が体内で増えず、免疫の続く期間も短いので、何回か繰り返しての接種が必要。接種後は1週間たてばほかのワクチンを接種することができます。

生ワクチン
ほかの接種まで27日以上あける

BCG、麻疹風疹混合、水ぼうそう、おたふくかぜなど

生きている病原体の毒性を弱めて作ったワクチン。接種によりその病気にごく軽く感染させることで、免疫力をつけます。ウイルスや細菌などの病原体が体内で増えるため、一度接種すると、その後4週間はほかの予防接種を受けることができません。

※DTとは、11才から12才になる前までの間に定期接種する、ジフテリアと破傷風の混合ワクチン。

予防接種を受けるまでの流れ

実際にどんなふうにして受けるのか、接種までの流れを確認しておきましょう。

前日まで

1 予防接種の資料を読む

自治体から配布、あるいは保健所などでもらう予防接種に関する通知や冊子を必ず読んで、各接種の必要性、受ける時期、副反応などについて理解しておきましょう。

2 日程を決める

集団接種の日程は自治体からお知らせが届くか、広報紙に掲載されます。日時・会場を確認し予定に入れて。個別接種は自分で予定を決め、かかりつけの病院に予約します。

3 予診票に記入し、体調確認

赤ちゃんの体質や既往歴（きおうれき）、家族の病歴などを医師に伝える資料が予診票。事前に配布されたら、必要事項を記入しておきます。接種前日は体調に変わりはないか、観察しつつ過ごします。

当日

家で

4 体調を再確認

きげんや食欲、うんちはゆるくないかなど、赤ちゃんの体調を改めてチェック。体温も測っておきましょう。

5 早めに出かける

ギリギリの到着だと赤ちゃんも落ち着かないので、ゆとりをもって早めに出発します。

> **出かける前のポイント**
> - 飲食は早めにすませて。
> - 服は診察や接種のしやすいものを着せて。
> - 当日の朝、天気予報を調べ、必要ならば着替えや雨具なども用意して。
> - おむつは替えてから出発を。

会場で

6 受け付け後に検温

母子健康手帳、予診票などを出し、受け付けをすませます。赤ちゃんが落ち着いたら検温を。37.5度以上でも、平熱が高めの赤ちゃんなどは受けられることがあるので医師に相談しましょう。

7 問診や診察を受ける

体調や今まで出た副反応などについて問診があり、診察も行われます。問題がなければ保護者は同意のサインをし、医師も同様にサインします。

8 いよいよ接種！

看護師さんが腕を押さえてくれることもありますが、ママは赤ちゃんが動かないよう、しっかりと抱きかかえます。両腕に接種の場合は、前回と違う腕に接種できるよう医師と話します。

接種後

9 会場でようすを見ることも

接種後、全量吐いたら再接種が必要なものもあり、接種後30分ほどは会場や病院で待機します。アレルギー反応が起こる心配のある予防接種の場合も同じです。

10 家でゆっくり過ごす

副反応か食後の嘔吐（おうと）か見分けるためにも、接種後30分は飲食を避けて。特別な生活を送る必要はないですが、人ごみをなるべく避けて、早めに帰宅し、家でゆっくりと過ごしましょう。

11 入浴は当日からOK

どの予防接種でも、接種した日からおふろに入れて大丈夫。汗を流し、肌を清潔にします。ただし、接種した部分をもんだりこすったりしないで夜は早めに寝かせましょう。

※予防接種を受けられないときはどんなときか、とじ込み②（うら）で確認しておきましょう。

PART 8　健診と予防接種

知っておきたい！ 予防接種の副反応

気になる予防接種の副反応。きちんと理解して、対処法を知っておきましょう。

予防接種の基本を知っておこう

ごく軽く、自然に治る副反応がほとんど

そもそも予防接種は、病原体をもとに作ったワクチンを接種し、軽く病気に感染させることで免疫をつけるもの。ワクチンの量や成分は安全に調整されていますが、赤ちゃんによってはその病気のごく軽い症状が現れたり、ワクチンに含まれるほかの成分に敏感に反応し、接種部位のはれや軽い発熱、発疹などが出ることがあります。これが副反応です。

赤ちゃんが強いアレルギー体質である場合などを除けば、重い症状が現れることはごくまれで、副反応をおそれることはないといっていいでしょう。気になる場合は、接種前にかかりつけの医師に相談しましょう。

副反応が起きたときの救済制度

接種後に強い副反応が出たときは、医師の診察を受けたうえで自治体の予防接種担当課に申し出てください。定期接種の場合なら、予防接種健康被害救済制度の対象になり、医療費や医療手当、障害児養育年金などの給付を受けられます。任意接種の場合は薬害補償制度の対象となり、救済措置が取られます。

予防接種の副反応チェック表

予防接種名	ときどき見られる副反応	受診したほうがいい副反応
四種混合（DPT-IPV）Ⅰ期	1〜3日後に、接種部位が赤くはれたりしこりができることが。2回目以降のほうが症状が強い。微熱、不きげんになることも。	はれが強く、痛がるとき。ひじより先のほうまで大きくはれてきたとき。
BCG	10日〜4週間後に針のあとが赤くなったり、ジクジクすることが。1〜2カ月後に、わきの下のリンパ節がはれることも。	接種部位の化膿が2カ月以上続いたり、うみがひどいとき。わきの下のはれが2〜3cm以上になったとき。
麻疹風疹混合（MR）	接種すぐから、接種部位がかゆくなることが。4〜14日後に、発熱、発疹など軽いはしかのような症状が出ることも。	約300人に1人の割合で熱性けいれんや、100万〜150万人に1人の割合で脳炎・脳症が起きることも。発熱、熱性けいれんは受診。
日本脳炎Ⅰ期	1〜3日後に、接種部位が赤くなることが。せき、鼻水、発熱などが起こることも。	39度以上の発熱や発疹などが出たら受診。ただし、2010年に今のワクチンに替わってから重い副反応はまだ報告されていない。
Hib	1〜2日後に、接種部位が赤くなることが。はれたり、しこりになったりすることも。	接種部位がひどくはれ、痛がったり、発熱を伴うとき。
小児用肺炎球菌	1〜3日後に接種部位が赤くなったり、はれたり、しこりになったりすることがある。発熱することも。	接種部位がひどくはれ、痛がったり、発熱を伴うとき。
ロタウイルス	ほとんどない。	高熱やけいれん、腹痛、繰り返す嘔吐、下痢、血便などが見られたら受診を。
B型肝炎	特にない。	4〜14日後、1〜2%程度の割合で接種部位がゆくなったり、赤くなったりすることが。症状が現れたら受診を。
水ぼうそう（水痘）	ほとんどない。	ほとんどない。
おたふくかぜ（流行性耳下腺炎）	2〜3週間後に微熱が出たり、耳の下のはれや痛みを感じることも。	2〜3週間後の耳下腺のはれが長引くとき。2000〜6000人に1人の割合で無菌性髄膜炎になることも。
インフルエンザ	1〜3日後に接種部位がはれ、痛みを伴うことが。微熱、悪寒、頭痛、嘔吐などが起こることも。	強い卵アレルギーがあると、じんましん、呼吸困難などアレルギー反応が出ることが。接種後30分は帰宅せずに観察を。

定期接種 四種混合（DPT-IPV）Ⅰ期

● 予防する病気
ジフテリア（D）、百日ぜき（P）、破傷風（T）、ポリオ

● 接種時期
Ⅰ期は3カ月～1才未満の間に、3～8週間おきに3回。追加は初回接種終了後、12カ月以上経過し18カ月に達する間に1回接種。Ⅱ期は11～12才になる前までにジフテリアと破傷風の混合ワクチン（DT）を1回接種。

● ワクチンの種類
不活化ワクチン（百日ぜき、ポリオ）、トキソイド（ジフテリア、破傷風）／皮下注射。

接種前後の注意点

〈接種前〉
百日ぜきは新生児期からでもかかる病気なので、接種できる時期になったら早めの接種が安心。

〈接種後〉
接種部位がはれたりしこりになるのは、よくある副反応。腕全体がはれたりしなければ、心配ありません。

三種混合＋ポリオの新しい混合ワクチン

四種混合はジフテリア、百日ぜき、破傷風、ポリオの4つの病気を予防するワクチンで、2012年11月に始まったばかりです。それまでは4つの病気からポリオを除いた三種混合ワクチンが使われていました。

ところが、2012年9月にポリオが生ワクチンに替えて不活化ワクチンを導入したことを受け、さらに赤ちゃんの負担を減らそうとポリオを加えた4種類の混合ワクチンが開発されたのです。そして、その2カ月後の11月には定期接種として接種できることになりました。

三種混合やポリオを一度も接種したことがない場合は、四種混合を接種することが決められています。また、百日ぜきに自然にかかったことがあった場合でも、四種混合を受けます。

絶対に防ぎたい4つの病気を一気に予防

百日ぜきは新生児期にかかるおそれのある病気で、呼吸異常をきたしてしまうなど命の危険をともなうこともあります。

破傷風は土の中にいる菌に感染すると、筋肉が硬直したり呼吸まひを起こす心配のある病気です。

ジフテリアは呼吸困難や神経障害を起こすことがあり、いずれも命にかかわります。

ポリオは便などを介してポリオウイルスに感染して起きます。感染すると、下痢やかぜのような症状で軽くすむことも多いのですが、約1000人に1人の割合で手足にまひが残ったり死亡するおそれもある病気です。

これらの病気を防ぐため、四種混合は欠かせません。特に百日ぜきを考えると、早めの接種がすすめられます。

四種混合 Q&A

Q 4種類のワクチンが一度に体に入っても平気なの？

A 大丈夫です
数種のワクチンが影響し合って効果が薄れたり、逆に副反応が強く出る心配はありません。むしろ、予防接種を4回も受けるほうが赤ちゃんにとって負担。世界的にも、数種を混合して打つ考え方が主流です。

Q 免疫効果をより高めるために必要？

A 4回も接種するのはどうしてですか？
四種混合のワクチンは、不活化ワクチンとトキソイドで、生ワクチンと違って一度では十分な抗体がつきません。そこで、最初に打ったワクチンの免疫が衰えるころ次回を接種し、免疫をより確実にするのです。

Q 三種混合と不活化ポリオワクチンを受けてもいいの？

A どちらも未接種なら四種混合を
三種混合や不活化ポリオワクチンは、基本的にはすでにどちらか、あるいは生ポリオワクチンを受けた赤ちゃんが引き続き受けるために用意されています。まだどちらも受けていない場合、四種混合を接種するのが原則です。

※三種混合や不活化ポリオワクチンの接種については、かかりつけの医師に相談してください。

PART 8 健診と予防接種

定期接種 BCG

- ●予防する病気
  結核
- ●接種時期
  6カ月になる前日までに1回接種。
- ●ワクチンの種類
  生ワクチン／上腕にワクチンをたらし、9本の針があるスタンプを2カ所に押し付ける。

接種前後の注意点

〈接種前〉
接種する腕にひどい湿疹や虫刺されがあると、接種できないことがあり。治療後に接種します。

〈接種後〉
ワクチンが自然に乾くまで、服が肌にふれないようにします。ばんそうこうなどは貼らないように注意します。

予防接種の基本を知っておこう

結核は結核菌によって感染し、せきと熱が続く病気。重くなると血を吐いたり、呼吸困難になったりし、以前は死亡率の高い病気でした。現在は薬により治すことができますが、抵抗力の弱い赤ちゃんがかかると悪化が早く、結核菌が血管の中に入り込んで大量の菌が全身にまき散らされると、重症の粟粒結核になったり、結核性髄膜炎を併発する心配もあります。

粟粒結核は呼吸困難や高熱を引き起こし、結核性髄膜炎は結核菌が脳に入ることにより発症し、意識障害や手足のまひを起こして後遺症が残ることもあります。

日本では高齢者の患者数が増加傾向にあり、また、乳幼児は両親や祖父母からうつるケースが大半なので、予防は欠かせません。

赤ちゃんがかかると、悪化しやすい結核を予防

ツベルクリン反応チェックがなくなり、全員が接種

パパやママの世代が経験したツベルクリン反応によるチェックは、2005年4月からは行われず、直接、全員が生後6カ月までに接種することになりました。これは、結核に対する免疫がしっかりあるわけではないのに、ツベルクリン反応でたまたま陽性が出て、BCGを受けないままになってしまうケースをなくすためです。

もし、すでに免疫を持っていたとしても、免疫がなかった場合より早く接種部位が赤くはれるだけで心配はないので、安心して受けてください。

また、BCGのあとは時間がたてば薄れてくるものの、抗体ができていればうっすら残るのがふつう。逆に赤くもならず、スタンプのあとが消えてしまったら抗体がついていない心配があるので、医師に相談しましょう。

BCG Q&A

Q 接種のあとが乾かないうちに触ったら、もう一度やり直す？

A 触らないように言われるのは、確実にワクチンを体内に入れるため。でも、実際は針を刺したときにワクチンは体内に入っているので、少し触ったり服ですれた程度なら大丈夫です。

Q 接種のあとが少なければ小児科で相談を

A 抗体がついていれば、接種後3〜4週間で赤くなってきます。18カ所の針のうち、10〜12カ所程度が赤くなっていれば大丈夫。でも、接種後2カ月たって反応がないときは、抗体ができていない可能性があるので小児科で相談してください。

Q BCGのあとが、ジクジクしてうみを持っているみたい

A 多少のジクジクは正常な反応です

接種後3〜4週間で、接種のあとが赤くなったり多少うみが出てジクジクするのは正常な反応です。でも、うみがひどく出たり、はれが大きくなって痛がったりするときは受診してください。

定期接種 麻疹風疹混合（MR）

症状の重い麻疹、油断できない風疹

Mの麻疹とRの風疹、どちらも感染力の強い病気で、これらを一度の接種で予防します。麻疹は潜伏期間が10～12日くらいで、その後、高熱や全身に赤い発疹が出て、ひどいせきを伴うなど重症感があります。気管支炎や肺炎、中耳炎を併発したり、まれに麻疹脳炎を起こして、まひや知的障害などの後遺症が残る場合もあります。命にかかわることもあるので、注意が必要です。

風疹は軽い麻疹つまり、はしかによく似た症状になることから「三日ばしか」とも呼ばれます。発熱や赤い発疹が出ますが、潜伏期間が2～3週間で、麻疹ほどは重くなく2～3日で治ります。首や耳の下のリンパ節がはれることがあっても、もう一方にかかっていなければ、定期接種で麻疹風疹混合ワクチンを受けられます。その場合、副反応が強く出る心配はありません。

まれに脳炎などの合併症を起こすこともあります。妊娠初期のママがかかると、難聴や白内障、心臓障害を伴った先天性風疹症候群を持った赤ちゃんが生まれるおそれもあります。

1才を過ぎたら最優先で受けたい

麻疹も風疹も、ワクチン以外には予防の手段がありません。特に麻疹ウイルスは感染力が強く、いまだに流行があります。定期接種で受けられる1才を過ぎたら、最優先で受けましょう。

なお、保育園など集団生活に入る場合や、流行があったりした場合には、自費になりますが、1才前でも接種をしましょう。ただし、1～3才未満の間に、再度、麻疹風疹混合ワクチンの接種を受けます。

また、麻疹や風疹の片方にかかった

- ●予防する病気
  麻疹（はしか）、
  風疹（三日ばしか）
- ●接種時期
  1～2才未満の間に1回。その後、5才以上、7才未満で小学校就学前の1年間に1回。
- ●ワクチンの種類
  生ワクチン／皮下注射。

接種前後の注意点

〈接種前〉
発熱やせきなど、病気が起こる前兆があれば接種を見合わせましょう。

〈接種後〉
接種後4～14日で軽い発熱や発疹などの症状が出ることも。1～3日で自然に治ります。

麻疹風疹 Q&A

Q 地域周辺で、はしかが流行。1才前でも受けたほうが？

A 地域で流行があったときは、生後9カ月を過ぎていたら接種したほうがいいでしょう。当然1才前でも感染する心配があります。ただしその場合は、1才前なので任意接種となり自己負担になります。

Q お友だちがはしかに。もう予防接種しても遅い？

A 予防接種またはガンマグロブリンで
はしかのウイルスに接触してから48時間以内なら、予防接種を打てば発症を防げる可能性があります。それ以降72時間以内はガンマグロブリンを接種すると、発病を抑えたり症状を軽くする可能性があります。

Q ママが次の子を妊娠中。赤ちゃんが接種してもいい？

A ママや胎児にはうつらないので、接種しても大丈夫です
ワクチンに含まれている風疹のウイルスが接種した赤ちゃんからママにうつったり、胎児に影響する心配はないので接種して大丈夫です。それよりも、もしママが抗体を持っていないなら、妊娠していないときに予防接種を受けてください。

PART 8　健診と予防接種

定期接種 日本脳炎Ⅰ期

予防接種の基本を知っておこう

高熱や嘔吐、頭痛を伴う悪性の脳炎

日本脳炎は、日本脳炎ウイルスを持ったブタを刺した小型アカイエカが人を刺すことによって感染する病気。約2週間の潜伏期間の後、40度以上の発熱と激しい頭痛、嘔吐、下痢などが起こる、きわめて悪性の脳炎です。けいれんを起こしたり、意識障害を起こして亡くなるケースもあります。

日本脳炎に感染しても、不顕性感染といって発病しないですむ例がほとんどですが、いったん発症してしまうと有効な治療法はなく、脳炎を発症した場合20～40％は死に至ると言われています。

今のワクチンはVero細胞といってミドリザルの腎臓由来になり、急性散在性脳脊髄炎の心配の少ないものになっています。副反応としては、発熱やせき、鼻水、接種部位の赤みなどが報告されていますが、こういった症状はワクチンとの因果関係はなく、副反応とは限らないものも含まれています。

近年、日本での発症例は年間10名以下と減りましたが、国内のほとんどのブタは日本脳炎に感染しているため、流行する心配もあり、予防接種が唯一の防御手段となっています。

2010年のワクチン変更後接種がすすめられている

以前は、日本脳炎のワクチン接種後に急性散在性脳脊髄炎（ADEM）という重い病気になった例があったため、しばらく積極的な勧奨接種が控えられていたのですが、安全性の高いワクチンが開発された後、2010年より定期接種として受けられるようになっています。

●予防する病気
日本脳炎
●接種時期
Ⅰ期初回は3才で6～28日の間隔をあけて2回接種。追加はその約1年後の4才で1回の計3回接種します。Ⅱ期は9才で1回接種。
●ワクチンの種類
不活化ワクチン／皮下注射。

接種前後の注意点

〈接種前〉
発熱やせきなど、病気が起こる前兆があれば接種を見合わせましょう。

〈接種後〉
発熱したり、せき、鼻水が出たり、接種部位が赤くなったりすることがあります。

日本脳炎 Q&A

Q 接種対象年齢なら定期接種で早めに接種を
A 生後6カ月～7才6カ月までの接種対象年齢なら定期接種で受けられます。早めに決められた回数を接種しましょう。

Q Ⅰ期の1回目を受けた後、間隔があいてしまいました
A 2007年以降に日本脳炎の勧奨接種が控えられていたため、一度も受けていない子どもがいます。1995年6月1日から2007年4月1日までに生まれた子どもは20才になるまで定期接種で受けられるので、自治体に相談してぜひ受けましょう。

Q 定期接種での接種が可能。これからでも受けたほうが？
A 接種しないまま6才に。自治体に相談を

Q 近くにブタがいないなら予防接種を受けなくていい？
A 蚊が病気を運ぶので、安心はできません

ブタを刺した蚊が病気を運んでくるので、油断はできません。特に九州・中国・四国地方で、ブタの日本脳炎ウイルスの抗体保有率が高くなっています。これらの地域に住む場合は、特に優先的に受けたほうがいいでしょう。それ以外の地方でもなるべく早めに受けて。

任意接種 小児用肺炎球菌(はいえんきゅうきん)

- ●予防する病気
  肺炎球菌感染症(細菌性髄膜炎など)
- ●接種する時期
  2～7カ月未満で始める場合は27日間以上の間隔で3回接種し、その後1才～1才3カ月の間に追加で1回の計4回接種。7カ月～1才未満で始める場合は27日間以上の間隔で2回接種し、その後60日間以上の間隔をあけて1才以降に1回の計3回接種。1才で始める場合は60日間以上の間隔をあけて2回接種。2～9才で始める場合は1回のみ接種。
- ●ワクチンの種類と接種方法
  不活化ワクチン／皮下注射。

接種前後の注意点
〈接種前〉
Hibや四種混合の合間に受けるか、同時接種できるか医師に相談しましょう。
〈接種後〉
接種部位が赤くなったり、はれたりすることも。発熱することもあります。

肺炎球菌による細菌性髄膜炎などを予防

小児用肺炎球菌ワクチンは、子どもの肺炎球菌による感染症を予防します。この菌に感染すると大人は肺炎になることが多いのですが、子どもは髄膜に感染し細菌性髄膜炎を起こすなど、重症化してしまうことがあります。細菌性髄膜炎の原因としてはHibに次いで多くなっています。また、後遺症の危険性はHibよりも高く、知能・運動発達障害を起こしたり、亡くなることもあります。かかりやすいのは1才までの赤ちゃんと高齢者です。

小児用肺炎球菌 Q&A

Q 回数が少なくてすむよう、0才代でかかることが多いので、早めスタートが安心

A 小児用肺炎球菌のワクチンは、複数回受けなくてはいけません。ただ、2～7カ月未満で始める場合は計4回ですが、2～9才で始める場合は1回ですむなど、低月齢でスタートするほど回数は多くなります。ただ、細菌性髄膜炎にかかった半数以上が0才代の赤ちゃんであることを考えると、早めの接種をすすめます。

任意接種 Hib(ヒブ)

- ●予防する病気
  細菌性髄膜炎など
- ●接種する時期
  2～7カ月未満で始める場合は4～8週間隔で3回接種し、その約1年後に追加で1回の計4回接種。7カ月～1才未満で始める場合は4～8週間隔で2回接種し、その約1年後に追加で1回の計3回接種。1～5才未満で始める場合は1回のみ接種。
- ●ワクチンの種類と接種方法
  不活化ワクチン／皮下注射。

接種前後の注意点
〈接種前〉
四種混合の合間に受けるか、同時接種できるか医師に相談しましょう。
〈接種後〉
接種部位が赤くなったり、はれたり痛むことがありますが、いずれも軽くすみます。

急激に重症化する細菌性髄膜炎を予防

Hib(ヘモフィルス・インフルエンザb型)という細菌に感染して発病する細菌性髄膜炎などを予防します。この病気は半日～1日で激しい頭痛や嘔吐、けいれん、意識がもうろうとするなどの神経症状を起こします。まひやてんかんなどの重い後遺症を残すこともあるため、Hib感染症にもっともかかりやすいのは0～1才の赤ちゃんであるため、早めの予防接種がすすめられます。ほかに肺炎、敗血症、中耳炎なども予防します。

Hib Q&A

Q 必ず4回受けなければいけないの？

A 決められた回数しないと免疫がつきません

Hibは、病原体の成分を精製して作った不活化ワクチンです。免疫が続く期間が短いため、しっかり免疫をつけるためには、繰り返しての接種が必要になります。また、このように毒性も弱められていて、しかも1回のワクチンの量はごく微量ですので、赤ちゃんの体にも負担がかかりません。

PART 8　健診と予防接種

予防接種の基本を知っておこう

任意接種　B型肝炎（かんえん）

- 予防する病気
  B型肝炎
- 接種する時期
  年齢に関係なく接種でき、はじめに4週間間隔で2回、5～6カ月後に1回の計3回接種。B型肝炎キャリアのママから生まれた子どもの場合は健康保険で接種可能で、生後48時間以内と2カ月でガンマグロブリンを計2回、2～5カ月の間にワクチンを計3回接種。
- ワクチンの種類と接種方法
  不活化ワクチン／皮下注射。

接種前後の注意点

〈接種前〉
生後すぐから受けられますが、ママがB型肝炎でない場合は、2カ月以降が標準です。

〈接種後〉
ごくまれに、接種部位が赤くなったり、かゆみを伴うことも。抗体がつきにくいときは、追加接種することもあります。

ママがB型肝炎のキャリアの場合は、出産後すぐに

B型肝炎は血液や体液を介して感染する病気です。黄疸や全身の倦怠感、疲労感、食欲不振などの症状が現れ、さらに進行すると劇症肝炎や肝硬変、肝臓がんの原因になる危険性もあり、予防が欠かせません。

ママがB型肝炎のキャリアだと、出産で赤ちゃんが産道を通るときに感染するおそれがあるため、生後すぐにガンマグロブリンの注射などで予防します。ママがキャリアでなくても任意で予防接種可能です。

B型肝炎 Q&A

Q 間隔をきちんとあければ接種OK

A 3回も受けるのできちんと受けられるか心配

生後2～5カ月の間に3回接種するので、確かにBCGや四種混合などほかのワクチンと時期が重なります。でも、B型肝炎は不活化ワクチンで、接種後1週間たてばほかの予防接種も受けられるので、医師と相談しながら接種を進めましょう。また、ママがキャリアでない場合でも、ぜひ受けたい予防接種です。

任意接種　ロタウイルス

- 予防する病気
  ロタウイルス感染症
- 接種する時期
  2つのワクチンがあって、ロタリックス（1価）は生後24週までに、4週間以上の間隔をあけて2回接種。ロタテック（5価）は生後32週までに、4週間以上の間隔をあけて3回接種。
- ワクチンの種類と接種方法
  生ワクチン／経口接種。

接種前後の注意点

〈接種前〉
Hibや四種混合の合間に受けるか、同時接種できるか医師に相談を。腸重積になったことがあったり、腸重積症を高める心配のある病気にかかっている子どもは受けられません。

〈接種後〉
高熱や腹痛、繰り返す嘔吐、下痢など気になる症状が出たら受診します。

嘔吐と激しい下痢を起こすロタウイルス感染症を予防

ロタウイルスのワクチンは、ロタウイルス感染症を予防します。この病気は感染力が強く、かかると激しい嘔吐と下痢を伴うのが特徴。特に下痢は数日続き、米のとぎ汁のような水様便を繰り返し、脱水症を起こすことも少なくありません。点滴が必要になり、入院治療することも。けいれんや脳炎などの合併症を起こすこともあり、WHO（世界保健機関）は子どもが接種すべき最重要ワクチンのひとつに位置づけています。

ロタウイルス Q&A

Q 2種類のワクチンはどんな違いがあるの？

A 成分や接種回数が異なる

ロタリックスはもっとも流行し、重くなりやすいG1という型の毒を弱めた1価ワクチンで2回接種。一方のロタテックは、G1を含む5種のウイルスの型を使った5価ワクチンで3回接種。型が1つのほうが効果が低い気がするかもしれないのですが、ほかの似た型のウイルスにも予防効果が期待できます。

任意接種 おたふくかぜ（流行性耳下腺炎）

- **予防する病気**
  おたふくかぜ（流行性耳下腺炎）
- **接種する時期**
  おたふくかぜにかかったことのない人が、1才以降に1回接種。
- **ワクチンの種類と接種方法**
  生ワクチン／皮下注射。

接種前後の注意点

〈接種前〉
鼻かぜ程度なら受けてもいいですが、熱やせきなどのかぜ症状があるときは接種を控えます。

〈接種後〉
接種後2〜3週間で、耳下腺がはれたり発熱することも。症状が現れたら受診を。

おたふくかぜ自体より重い合併症が心配

おたふくかぜは、ムンプスウイルスが耳下腺にあるだ液腺に感染して起こる病気です。発熱し、耳の下がはれ、おたふくのようになるのが特徴です。

注意したいのは、無菌性髄膜炎といって約40人に1人がかかるおそれがある合併症です。この無菌性髄膜炎は、まれに脳炎や難聴を併発する心配もあり、特に難聴は毎年600名程度の発症があり一生治りません。思春期以降に感染すると、男の子は睾丸炎、女の子は卵巣炎を起こすこともあります。

おたふくかぜ Q&A

Q 副反応で無菌性髄膜炎になることが心配

A リスクとしては自然感染のほうが高い

ワクチン接種後に、数千人に1人の割合で無菌性髄膜炎にかかることがありますが、ほとんどが軽くすみ、後遺症もありません。ところが、自然感染した場合の合併症としては、無菌性髄膜炎にかかる確率が非常に高く、重症の脳炎や難聴を起こすこともあります。予防接種のほうが、はるかにリスクは少ないのです。

任意接種 水ぼうそう（水痘）

- **予防する病気**
  水ぼうそう（水痘）
- **接種する時期**
  水ぼうそうにかかったことのない人が、1才以降に1回接種。
- **ワクチンの種類と接種方法**
  生ワクチン／皮下注射。

接種前後の注意点

〈接種前〉
鼻かぜ程度なら受けてもいいですが、熱やせきなどのかぜ症状があるときは接種を控えて。

〈接種後〉
ごくまれに、接種後3週間ごろに水ぼうそうに似た発疹が現れることも。その場合は受診を。

水ぼうそうだけでなく、帯状疱疹も防ぐ

水ぼうそうは、非常に強いかゆみを伴う水疱が3日〜1週間にわたって全身に増え続ける、感染力が非常に強い病気です。水ぼうそうで合併症を伴うことは少ないのですが、まれに肺炎や脳炎を起こすことがあります。また、治ってもウイルスが神経に潜んでいて、何年もして体力が落ちたときなどに帯状疱疹になって現れる心配があります。帯状疱疹は激しい痛みを伴う発疹ができる病気で、入院治療しなければならないこともあります。

水ぼうそう Q&A

Q 予防接種を受けていても、かかることがある？

A かかることはありますが、軽くすみます

もともと水ぼうそうのワクチンは白血病や免疫不全など、病気にかかると、命取りになりかねない子どものために開発されました。そのため、ほかの予防接種に比べて効き目が穏やかです。接種しても30％程度はかかることがありますが、感染しても軽くすみ、接種はむだにはなりません。

PART 8 健診と予防接種

任意接種 インフルエンザ

予防接種の基本を知っておこう

- ●予防する病気
  インフルエンザ
- ●接種時期
  6カ月以降の毎秋、1〜4週間あけて2回接種。
- ●ワクチンの種類
  不活化ワクチン／皮下注射。

接種前後の注意点

〈接種前〉
ワクチンには卵が使われているので、強い卵アレルギーがあるときは医師に相談します。

〈接種後〉
アレルギー反応が起きることがあるので、接種後30分は接種した医療機関に残ってようすを見て。

赤ちゃんが重症化しやすいインフルエンザ

感染力が非常に強いインフルエンザウイルスによって起こる病気です。急激な高熱や頭痛、関節の痛みなどを伴い、かぜよりはるかに重症化しがち。毎年、空気が乾燥する冬になると流行します。気管支炎や肺炎、中耳炎を併発することもあります。赤ちゃんの場合は、ひどくきげんが悪くなったり、ぐったりしたり、下痢や嘔吐といった症状が出ることもあります。また、脳炎や脳症などの重い合併症を起こして死亡する例もあるため、予防が重要です。

症状がかぜと似ているため、受診してふつうのかぜなのかインフルエンザなのか区別して治療をすることが大切です。またいくつかの治療薬がありますが、十分な効果が期待できないため、根本的な対策はやはり予防接種になります。

ワクチンは流行を予測して作られる

インフルエンザウイルスの主なものには、A／H1N1とA／H3N2、B型があります。しかし、ウイルスは突然変異を起こしやすく、流行するたびに性質が変化します。そのため、過去に感染して抗体ができていても、ウイルスの変異に体が対応できないため、そのつど、新しく流行する型のワクチンを接種する必要があるのです。WHO（世界保健機関）では毎年次に流行する型を予測し、ワクチンが決められます。

予防接種は流行前の10月半ばから受け始め、12月中旬までに終えるのが理想です。できれば、家族全員がインフルエンザの予防接種を受けたほうがいいでしょう。感染症ですから、親がかからないよう予防しておけば、赤ちゃんがかかる確率も低くなります。

インフルエンザ Q&A

Q 毎年接種する必要があるの？
A 効果はワンシーズンのみ。毎年受けて
リクナンの効果は、ワンシーズンしか続かないので、毎年受けましょう。

Q 赤ちゃんはなぜ2回も受けなければならないの？
A 2回接種するのは基礎的な免疫がないため
13才以上は、それまでにインフルエンザ・ウイルスに接触し、基礎的な免疫力がついている可能性が高いとされているために、接種は1回。一方、赤ちゃんはしっかり抗体がついていないので、2回接種するのが原則です。

Q 接種したものと違う型が流行したら、感染するの？
A 感染しても比較的軽くすむことが多い
WHOの流行予測は高い確率で当たっていますが、たまたま違う型のウイルスに接触すると、感染してしまいます。それでも予防接種をしていれば軽くすみ、合併症の発生率も抑えられるのでむだにはなりません。ただ、今までとはまったく異なるウイルスが流行すると、ワクチンの効果は薄くなります。

予防接種 知りたいQ&A

Q 次々とワクチンを接種しても健康に影響はありませんか?

A どのワクチンも心配ないように作られているので大丈夫

赤ちゃんに接種するワクチンはごく微量。病原体の毒性も弱められているので、次々と接種しても体に大きな負担がかかったり、健康を害する心配はありません。接種できる月齢になったら、それぞれに決められている間隔を守り、順番に受けて大丈夫。なお、予測できる副反応については、前もって理解しておくと何かあっても落ち着いて対処できます。

Q 接種しても、その病気にかかることはありますか?

A 100%の予防はできませんが、かかってもごく軽くすみます

今使われているワクチンで、予防効果が100％のものはありません。また、種類によっても感染予防の率に違いがあります。しかし、万が一感染したときに

も接種を受けていない場合と比べて軽い症状ですむこともあります。また、時間の経過とともに免疫力が低下するものの場合は、適切な時期に追加接種が行われています。

Q 海外旅行に行く前に、受けたほうがいい予防接種は?

A 日本で受けられる通常の予防接種はすませたほうが安心

行き先、月齢、滞在期間などによって必要な予防接種は異なりますが、日本で受けられる通常の予防接種はどれも先にすませておいたほうが安心です。旅行先によっては日本脳炎、狂犬病、A型肝炎、B型肝炎、インフルエンザ桿菌、肺炎球菌などの予防接種が必要なところもありますので、旅行先の大使館に問い合わせたり、主治医と相談して決めて。

Q 熱性けいれんを起こしたことがある子は接種を受けられない?

A 医師のOKが出れば受けることができます

以前は、熱性けいれんを起こしてから1年間は予防接種を受けることができませんでした。しかし、現在では発熱に伴う熱性けいれんなら、医師が大丈夫と判断すれば1年たっていなくても接種することが可能です。ただし、副反応で発熱したときにけいれんを起こ

す心配もありますので、対処法について、前もって医師に相談しておくと安心です。

Q 早産で小さく生まれた子でも、予防接種は受けられますか?

A 接種は受けられますが、時期を遅らせることがあります

出生体重が1500g未満の極低出生体重児だった場合などは、接種時期を遅らせることもあるので、医師と相談して接種時期を決めましょう。それ以上の体重で生まれた場合は、出生から数えて接種月齢になれば、ふつうに生まれた赤ちゃんと同じように接種できることがほとんどです。心配しすぎず安心して接種してください。

Q 副反応を防ぐためには何に注意したらいいですか?

A 予防接種を受けるのは、体調のいいときに

副反応を極力防ぐためには体調の悪いときの接種は控えたほうがいいでしょう。もしも、ほかの感染症にかかっていた場合は、免疫がつきにくかったり、ますます体調を悪化させてしまうからです。また強いアレルギーがある場合は、ワクチンに含まれる微量な成分に反応してアレルギー症状を起こす可能性があるので、医師に相談しましょう。

194

病気のホームケアと事故の応急処置

熱やせきなどで赤ちゃんがつらそうなとき、
その症状をやわらげてあげられるよう、
ケアのポイントをまとめました。
小さなけがや事故なども適切な処置法を知っていれば、
あわてずに対処できますね。

9 PART

病気のホームケア
［知っておきたい主な症状別ケアと受診の目安］

赤ちゃんのぐあいが悪くなったとき、あわてずにケアできるようポイントを知っておきましょう。

熱が出た

熱は体の防御反応。快適に過ごせる工夫を

発熱自体は体の負担になりますが、体がウイルスや細菌と闘っている証拠でもあります。あわてなくても大丈夫。きげんや顔色が悪くなく、食欲があれば、とりあえず、心配はありません。

熱の上がりかけは手足が冷たくなりますが、上がりきってしまうと熱くなります。赤ちゃんにふれてみて、適切なケアをしてあげましょう。

ホームケアポイント

1 熱が上がりきったら涼しく
熱が上がりきると体がほてって熱くなります。掛けぶとんを減らしたり、室温を下げたり、薄手のパジャマに替えるなど涼しく過ごせるような工夫をしましょう。

2 こまめに水分を補給する
熱が高いと水分が失われがちなので、脱水症の予防のためにも水分補給を。湯ざまし、麦茶、ベビー用イオン飲料などを少しずつ何度にも分けて飲ませてあげて。

3 いやがらなければ、冷やしても
冷やしたほうが気持ちよさそうなら、ぬらしてしぼったタオルや水まくらなどを当ててみて。額や首の両わき、わきの下、太ももの付け根などが効果的です。

受診の目安

🏠 **家でようすを見る**
●多少熱っぽいがきげんはいい。

☀ **診察時間内に受診**
●熱は高くても、水分がとれている。 ●熱が1日以上、続いている。 ●きげんが悪い、食欲がないなど、いつもと違うようすが見られる。

🌙 **診察時間外でも受診**
●グッタリとして、元気がない。 ●水分を受けつけず、おしっこが出ない。 ●39度以上の熱があり、たて続けに吐く。 ●3カ月未満の赤ちゃんで、38度以上の熱がある。

🚑 **救急車で大至急病院へ**
●意識がない。 ●ひきつけを起こしている。

発疹が出た

皮膚を清潔にして悪化を防いで

汗や汚れは発疹を刺激し、かゆみや痛みを悪化させるので、皮膚の清潔を心がけます。刺激しないように、洗うときはママの手のひらや指の腹でします。衣類は清潔で肌触りのやさしい素材のものを。汗や汚れがついたらこまめに着替えさせて。体が温まったり、汗をかくとかゆみが増すので、暑すぎないように室温や衣類を調整します。

ホームケアポイント

1 熱があるかどうかを確認する
発疹を見つけたら、熱を測って全身状態を観察します。熱が出ていたらすぐに病院へ。発疹が出たのは熱の前か後かも伝えると診断の目安になります。

2 発疹をかきこわさないよう気をつける
発疹をかきこわすと症状を悪化させてしまうので、こまめにつめを切ります。また、冷やしたり、病院で処方の薬をぬるなどしてかゆみを抑えてあげます。

3 熱が高くなければ、シャワーで清潔に
熱がなくて元気なら、体をぬるめのお湯でサッと洗って、汗や汚れを流してあげましょう。水気をふきとるときは、タオルでポンポンと押さえるようにします。

受診の目安

🏠 **家でようすを見る**
●別の病気の受診時、「いずれ発疹が出る」と言われ、そのとおりになった。

☀ **診察時間内に受診**
●発疹はあるが、熱は平熱。 ●せきや鼻水などがある。 ●目が赤く充血している。 ●手や足がはれている。 ●湿疹ができ、長引いている。 ●あざができている。 ●高熱が続き、舌が赤くブツブツし、目が充血している。

🌙 **診察時間外でも受診**
●水分がとれず、脱水症の兆候がある。

🚑 **救急車で大至急病院へ**
●けいれんを伴う。 ●意識がもうろうとしている。 ●全身にじんましんが出て、ゼロゼロやせきを伴う。

196

PART 9　病気のホームケアと事故の応急処置

病気のホームケア

せきが出た

空気をきれいにして、せきを予防

　汚れた空気はせきの誘因になります。室内にほこりをためないよう掃除をし、1～2時間おきに1回は窓を開けて新鮮な空気と入れ換えましょう。特に冬は加湿器などで湿度を調節して、乾燥対策を。
　また、寝具などはたびたび洗い、毛足の長いぬいぐるみや観葉植物などは、ダニやカビの温床となりやすいので、赤ちゃんから遠ざけます。

ホームケアポイント

1　せき込んだら背中を軽くたたく
せき込んでつらそうなときは、たて抱きにして背中をトントンたたいたりしてあげると、たんが切れてラクになります。背中を強めにさすっても。

2　水分補給で、たんを切りやすく
水分は、たんを切りやすく、のどを湿らせて呼吸をラクにするので、こまめに少しずつ与えます。冷たいものはのどを刺激するので、人肌程度の温かいものを。

3　寝かせるときは上半身を少し高く
上半身が少し高くなるように寝かせると、たんが切れやすく、ラクに眠れます。薄手のクッションなどを、敷きぶとんの下に入れて調整してみて。

受診の目安

🏠 **家でようすを見る**
●軽いせきが続く程度。

🔵 **診察時間内に受診**
●せきは出るが眠れている。●せきが長引いているが元気がある。●せき以外の症状（発熱・鼻水・下痢・嘔吐など）もあるが元気。

🌙 **診察時間外でも受診**
●吐いてグッタリしている。●肩で息をし、胸がへこむほど苦しそう。●激しいせきが続き、飲食ができない。●胸がゼーゼー、ヒューヒューして呼吸が困難。●のどに詰まったように突然激しくせき込んだ。

🚑 **救急車で大至急病院へ**
●チアノーゼ（唇やつめが紫色になること）が見られて、呼吸が困難。

吐いた

こまめに水分をとらせて脱水症に気をつけて

　何度も吐くと、体の中の水分が急速に失われて、脱水症を起こすことがあります。1回の量をいつもの10分の1ぐらいにして、少しずつこまめに水分を与えます。また、何か食べさせなくてはと心配になりますが、食欲がなくても飲めているなら大丈夫。
　吐いた後は1～2時間ようすをみて、まだ吐き気があるなら、離乳食はお休みしましょう。

ホームケアポイント

1　吐いたものが詰まらないよう横向きに
吐いたものが気道に入って窒息することがあるので、吐き気のあるうちは体ごと横向きにして寝かせます。治まるまでママの目の届くところに寝かせて。

2　吐き気に注意し、少しずつ水分補給を
吐いた直後は避け、吐き気が治まったのを確認してから、時間をかけて少しずつ与えます。みかん果汁や乳酸菌飲料は吐き気を誘うので向きません。

3　たて抱きにして静かに背中をさする
吐いているときは体を起こしてあげるとラクになります。衣類をゆるめ、たて抱きにして背中をさすってあげて。体を揺らすと吐き気が増すことがあります。

受診の目安

🏠 **家でようすを見る**
●比較的元気。●軽く吐く程度で、変わったようすがない。

🔵 **診察時間内に受診**
●授乳後、噴水のように吐く。●嘔吐と下痢だけが続く。●くしゃみ、鼻水、鼻詰まり、発熱などを伴う。●尿や便の回数や量が少なく、体重が増えない。

🌙 **診察時間外でも受診**
●立て続けに吐いて、グッタリしている。

🚑 **救急車で大至急病院へ**
●高熱が出てグッタリし、意識障害がある。●10～30分の間隔で激しく泣き、血便が出る。●頭を強く打った後に吐く。

けいれんを起こした

落ち着いて赤ちゃんのようすをよく見ます

赤ちゃんが突然けいれんを起こすと、気が動転してどうしていいかわからなくなってしまいがちです。まず、ママが落ち着くことが大事です。

けいれんの原因で多いのは、高熱の上がり始めに起こる熱性けいれんですが、こうしたけいれんは、3〜5分程度で治まることがほとんど。ただし、けいれんが5分以上続いたりした場合は、救急車を！

ホームケアポイント

1 衣類やおむつをゆるめて安静に
けいれんに気づいたら、すぐに平らな場所に寝かせて、衣類のボタンをはずしたり、おむつをゆるめるなどして、体を締めつけないようにしましょう。

2 けいれんしている時間をチェック
病状を知るために重要なポイントとして、けいれんが何分くらい続いたか時間を計り、同時に、顔色や目の動き、けいれんが体の左右対称かも観察しメモします。

3 揺さぶらない、口にものを入れない
揺さぶったり、手足を押さえたり、強く抱きしめたり、大声で名前を呼んだりすると、それが刺激になってけいれんが長引くことがあります。刺激を与えないで。

受診の目安

🏠 **家でようすを見る**
●ひどく泣いたときに、けいれんを起こした。

☀️ **診察時間内に受診**
●5〜6分以内にけいれんが治まり、元気。 ●熱性けいれんと診断された経験がある。

🌙 **診察時間外でも受診**
●初めてのけいれん。 ●何度も繰り返してけいれんを起こす。

🚑 **救急車で大至急病院へ**
●けいれんが5分以上続いて止まらない。 ●平熱なのにけいれんを起こした。 ●けいれんに、体の左右で差がある。 ●頭を強く打った後にけいれんを起こした。 ●けいれんが治まった後、意識が戻らない、ボーッとしている、手足がまひしている。 ●嘔吐を伴っている。 ●熱が出て48時間以降にけいれんを起こした。

鼻水・鼻詰まり

鼻の通りがよくなるよう工夫を

赤ちゃんの場合、鼻が詰まると母乳やミルクをうまく飲めないばかりか、息苦しくて眠れなくなってしまうことがあります。鼻水や鼻くそは、鼻の粘膜や鼻の下の皮膚などを傷つけないように、こまめに取り除いてあげましょう。

ひどい鼻詰まりや、鼻汁が黄色や緑色になってきたときは、小児科や耳鼻咽喉科へ。

ホームケアポイント

1 鼻吸い用スポイトなどで吸い取る
鼻水があると、粘膜に炎症が起きやすくなります。鼻水の量が多いときは、赤ちゃん用の鼻水吸引器で吸い取ったり、綿棒でからめ取ったりしましょう。

2 オイルやクリームで鼻の下を保護
鼻水をふくときは湿らせたタオルやガーゼを使うと、鼻の下のただれ予防になります。また、オイルや保湿クリーム、白色ワセリンなどで皮膚をガードして。

3 鼻詰まりには蒸しタオルが効果的
蒸しタオルを鼻の付け根に当てると、詰まっていた鼻がスッキリします。蒸しタオルは、ぬれタオルを電子レンジに入れ、少しずつ加熱して。

受診の目安

🏠 **家でようすを見る**
●鼻水や鼻詰まりがあっても、きげんがいい。 ●よく眠れている。

☀️ **診察時間内に受診**
●呼吸がつらそう。 ●目がかゆそうで充血している。 ●発熱や下痢、嘔吐などほかの症状がある。 ●鼻水や鼻詰まりが続いて食欲がない。

🌙 **診察時間外でも受診**
●発熱、せきを伴い、呼吸が荒い。

PART 9　病気のホームケアと事故の応急処置

病気のホームケア

薬の扱い方
病院で処方された薬を赤ちゃんに飲ませたり、ぬったりするときのコツです。

シロップ
薬によっては成分が底に沈んでいることがあるので、泡立てない程度に軽く振って中身を均一に。平らなところに容器を置き、真横から見て正確な量を量ります。授乳期ならば哺乳びんの乳首で、離乳食期ならばスプーンで口の奥に入れます。スポイトの先を口に入れる方法でも。

粉薬
小皿に薬を出し、水を2～3滴たらして、清潔な指で耳たぶ程度のかたさに練ります。指ですくい、ほおの内側や上あごなど味覚が鈍感なところにぬりつけ、薬が口の中に残らないよう湯ざましや麦茶などを与えましょう。いやがったら、ヨーグルトなどの食べものに混ぜても。

ぬり薬
つける前は、患部を洗うか清潔なタオルでふき乾かしておいて。ママの手指を洗い、清潔にしてから必要な分だけを指先にとります。広範囲につけるときは、ある程度の量を手の甲に出し、そこから指でとると量を調節しやすいでしょう。患部が化膿している場合は、綿棒で。

坐薬
使用量が指定されていたら、フィルムの上からカッターなどで斜めにカット。残りは捨てます。フィルムをはがし、先端にベビーオイルなどをつけてとがったほうから肛門に。最後まで入ったら親指の腹でグッと押し込みます。出てこないよう、しばらく肛門を押さえておいて。

下痢をした

欲しがるだけ水分をあげて脱水症の予防を

下痢をすると体内の水分が便といっしょに出て行ってしまい、脱水症を起こすことがあります。水分は、少量ずつ何回にも分けて与え、赤ちゃんが欲しがるだけ飲ませるのが基本です。

また、下痢の間は消化・吸収力が落ち、腸の粘膜も荒れてしまいます。離乳食は、肉類など脂肪分の多いものや、腸の刺激になる冷たいものは避けましょう。

ホームケアポイント

1. 水分補給をこまめに十分に
水分が不足して脱水症になるおそれがあるので、こまめな水分補給を。湯ざまし、麦茶、ベビー用イオン飲料などを、室温程度にして与えます。

2. うんちのたびにおしりを洗う
こまめなおむつ替えが、下痢のときのポイントですが、おしりの汚れはふくよりも洗い流して。その後におしりをよく乾かして、おむつをつけます。

3. 離乳食は消化のよい炭水化物食品を
下痢の間は、おかゆや煮込みうどんなど、消化のよい炭水化物を中心に与えます。やわらかくなりすぎた便をかたくする作用のある、りんごなども○。

受診の目安

🏠 **家でようすを見る**
●いつもより多少便がゆるい。●1日の便の回数がいつもより1～2回多い程度。

🔵 **診察時間内に受診**
●不きげんで、食欲が落ちてきた。●下痢が1週間以上続いている。●便がゆるく、回数が増えている。●便に多少の血が混じり、酸っぱいにおい。●便が白っぽい。●下痢のほかに、発熱や嘔吐、腹痛、血便。●便にいつもと違う異臭や悪臭がある。

🌙 **診察時間外でも受診**
●水分を受けつけず、脱水症の兆候がある。●下痢と嘔吐が激しい。●下痢をして不きげんで、尿量が減ってきた。

🚑 **救急車で大至急病院へ**
●下痢のうえ、チアノーゼ（唇やつめが紫色になること）やけいれんが見られる。

事故の応急処置

[いざというときの正しい手当ての方法]

子どもの死亡原因のトップは事故。予防することはもちろん、救急の知識を持っておきましょう。

のどに異物が詰まった

応急処置ポイント

1. 固形物がすぐに取り出せる位置にあれば、指で取り出します。ただ、無理に取り出そうとしてかえって奥へ入れてしまうこともあるので、注意します。
2. のどに異物が詰まって呼吸ができないときは、背中をたたいたりして吐き出させます。
3. のどから異物が取れない場合は、横向きに寝かせてあごを前に出し、上側のひじとひざを軽く曲げた「回復体位」をとらせて救急車を呼びます。救急車が着く前に呼吸が止まった場合は、すぐに人工呼吸をします。（P.202参照）

吐かせ方

1才ごろまで
赤ちゃんのまたの間から腕を入れて、あごが大人の手首、おしりがひじに当たるように抱えます。頭が胸より低くなるようにして、肩甲骨の間を4〜5回平手で強くたたきます。

1才（体重約10kg）以上
立てひざをつき、太ももの上に赤ちゃんをうつぶせにして、ひざでみぞおちを圧迫します。赤ちゃんの頭が胸より低くなるようにして、肩甲骨の間を4〜5回平手で強くたたきます。

受診の目安

🏠 **家でようすを見る**
●応急手当てで、詰まっていた異物が取れた。

🚑 **救急車で大至急病院へ**
気道の異物が取れず、呼吸困難を起こした。●ピーナッツなどの豆類を詰まらせた。●意識がない。

異物を飲んだ

応急処置ポイント

1. 口を開かせ、口の中に残っているかどうかを確認します。
2. 口の手前にある場合は、飲み込まないように舌を指で押さえながら、もう一方の手の指を入れて、そっとかき出します。
3. 奥にある場合は、無理に取り出さず、吐き出させます。
4. 飲み込んでしまったときは、そばにある容器や口のにおいから、飲んだもの、量、時刻などを確認します。
5. 吐かせていいものなら、口を開かせ、舌の付け根を指で強く押して吐かせた後、病院へ。飲み残したものや容器も持参します。
6. 吐かせられないときや、とがったものを飲んだときは至急病院へ。
7. コインなどの固形物は、排便を待ちますが、念のため受診を。

誤飲したもの別・応急処置

吐かせる	防虫剤（ナフタリン）	水を飲ませる
	ほう酸だんご	水か牛乳を飲ませる
	大部分の医薬品	水か牛乳を飲ませる
	アルコール類	水か牛乳を飲ませる
吐かせない	灯油・ガソリン	何も飲ませない
	漂白剤	牛乳を飲ませる
	殺虫剤	何も飲ませない
	タバコ	何も飲ませない

※応急処置をしたら、灯油・ガソリンの場合は救急車で大至急病院へ。ほかの場合でも、すぐに病院へ行ってください。応急処置が「吐かせる」で、水や牛乳を飲ませる場合は、飲ませてから吐かせます。

受診の目安 （上の表も見てください）

🏠 **家でようすを見る**
●酒、クレヨン、粘土、のり、石けん、化粧水、口紅、シャンプー、使い捨てカイロなどを少量飲んだ、食べた。

🌙 **診察時間外でも受診**
●タバコを食べた。●医薬品を食べた。

🚑 **救急車で大至急病院へ**
●吸い殻入りの水、灯油、ガソリンを飲んだ。●意識障害やけいれんが見られる。●だ液や吐いたものに血が混じっている。

※ボタン電池や小さな磁石などを飲んだ場合は、すぐに病院へ。

PART 9　病気のホームケアと事故の応急処置

事故の応急処置

やけどした

応急処置ポイント

1. 手や足などの場合、軽いやけどでも、洗面器やバケツなどの容器に水道の水を流しっぱなしにした中で、10～15分ほど冷やします。冷やすことで痛みを抑え、炎症を軽くできます。
軟膏やアロエなどは症状に合わず、かえって刺激になり悪化させることもあるので、自己判断で患部にぬらないこと。

2. 服の上からやけどした場合は、無理に服を脱がすと皮膚がいっしょにはがれてしまうことがあるので、服の上から水をかけて冷やします。

3. 水ぶくれができたときや皮膚がジュクジュクしているとき、顔や頭、関節などにやけどをしたときは、患部を冷やしながらすぐに病院へ。顔や頭を冷やすときは、ぬれタオルを頻繁に交換します。

4. ホットカーペットなどによくある低温やけどの場合、軽症のように見えても皮膚の深いところまでダメージを受けていることがあるので、必ず皮膚科を受診します。

やけどの重症度

1度	皮膚が赤くなってヒリヒリするような状態。皮膚の表面の「表皮細胞」に変化と損傷が起きています。
2度	水ぶくれができた状態。表皮の下にある「真皮細胞」まで変化と損傷が起きています。
3度	皮膚が白っぽくなったり、黒くこげたようになったりした状態。皮膚のすべてが損傷を受け、細胞が死んでしまいます。

受診の目安

🏠 **家でようすを見る**
●皮膚に特に異常はない。

🔵 **診察時間内に受診**
●500円玉より小さなやけどで、皮膚が赤い。

⭐ **診察時間外でも受診**
●500円玉より大きいやけど。 ●皮膚が白っぽく変色した。 ●水ぶくれができた。

🚑 **救急車で大至急病院へ**
●体の10％（腕1本分くらい）以上の範囲のやけど。 ●薬品によるやけど。 ●口や鼻にすすがついている。

転んだ、落ちた

応急処置ポイント

1. 名前を呼ぶ、肩をつねるなどして意識があるかどうか確かめます。意識がない、また、けいれんや嘔吐を起こしていたらすぐに救急車を呼びます。体を揺さぶると、もしも頭を打っていた場合、症状を悪化させるおそれがあるのでやめます。

2. 傷や出血がないか、頭をはじめ、全身をくまなくチェックします。傷があればそれぞれの応急手当をします。

3. 腕や足をだらりとしているときや、触ると激しく泣くときは、骨折や脱臼の疑いがあります。動かすと痛いので、雑誌などを当てて患部を固定したり、バスタオルでくるんだりしても。きつく締めすぎないようにしながら至急病院へ。

4. 頭の打撲も確認します。大声で泣き、その後ふだんどおりなら安心ですが、当日の入浴は控えます。頭蓋内出血を起こすこともあるので、2～3日ようすを見て、容態が変わったら病院へ。

5. 手足や体に、こぶやあざ、皮下出血がある場合は、ぬれタオルで冷やすと痛みがやわらぎますが、いやがる場合は無理せずに。元気があっても当日は入浴を控えて安静にします。2～3日ようすを見て、容態が変わったら病院へ。

主な傷の手当て

切り傷・すり傷
傷口の砂や土などを洗い流します。切り傷は傷口がぴったり合うようにして、救急テープをはります。

刺し傷
さびたくぎや雑菌がついたものは、抜いて血を絞り出してから消毒。ガラスや刃物が深く刺さっている場合は、抜かずに至急受診します。

指をはさんだ
流水をかけた後、ぬれタオルなどで冷やします。指が動くかも確認。

鼻血
鼻の付け根を親指とひとさし指ではさみます。

受診の目安

🏠 **家でようすを見る**
●きげんはいい。

🔵 **診察時間内に受診**
●動かすと痛がるところがある。

⭐ **診察時間外でも受診**
●腕や足がひどく曲がっている。 ●肩やひじ、指などがだらんとして動かせず痛がる。

🚑 **救急車で大至急病院へ**
●繰り返し吐く。 ●折れた骨が見えている。 ●けいれんを起こした。 ●ウトウトしてすぐに眠り込む。 ●傷口が大きく出血が止まらない。 ●意識がなく、呼びかけに反応しない。

心肺蘇生法

1 反応を調べる
声をかけ、肩や足の裏をたたいて刺激し、反応を調べます。目を開ける、応答する、泣くなどの反応がなければ、反応なしと判断します。

2 反応がなければ、周囲に協力を求める
周囲に人がいる場合はその場で「だれか来てください!」と大声で叫び、119番通報を依頼します。自分ひとりの場合は、すぐに119番通報をして救急車を呼びます。

3 正常な呼吸をしているかを確認する
すぐに口や鼻にほおを当てて、いつもどおりの正常な呼吸があるかどうかを10秒以内に調べます。呼吸がある場合は、気道を確保し(※1)、回復体位(※2)をとらせてようすを見ます。呼吸がなかったり、弱い場合は、すぐに心臓マッサージ→人工呼吸を行います。

心臓マッサージ
（ひとりでする場合）

1才くらいまで
片手の2本の指（中指・薬指）で左右の乳首を結ぶ線より指1本分下を、30回圧迫します。

1才以上
左右の乳頭を結んだ真ん中が圧迫部位です。この部分を片手か両手の手のひらの付け根で、ひじを曲げずに垂直に30回圧迫します。

胸の厚さの約3分の1ほどくぼむまで、1分間に少なくても100回のテンポで、絶え間なく圧迫します。

人工呼吸

1才くらいまで
気道を確保しながら、子どもの口と鼻を同時に口で覆い、2回息を吹き込みます。

1才以上
気道を確保しながら、子どもの鼻をつまんで口を覆い、2回息を吹き込みます。

この組み合わせを、絶え間なく続ける。

心臓マッサージ 30回 ＋ 人工呼吸 2回

※1 気道確保＝片手を額に当て、もう片方の手のひとさし指と中指をあごの先に当てて、鼻の穴が天井を向く程度まで後ろにそらせます。
※2 回復体位＝体を横に向け、上側のひざを曲げた状態で前に出します。頭をやや後ろにそらせて、できるだけ気道を広げるようにします。

おぼれた

応急処置ポイント

1. おぼれているのに気づいたら、すぐに水から引き上げます。このときに大声で泣いたり、呼びかけに反応したりするなら、ひとまず安心です。

2. 水を飲んでいる場合は、すぐに吐かせます。赤ちゃんをうつぶせにして大人のひざにのせ、みぞおちを圧迫しながら頭を胸より低くした状態で背中を平手で4～5回強くたたきます。

3. ぬれた衣類をすべて脱がせて体をよくふきます。その後、バスタオルや毛布で保温し、そのまましばらく安静にしてようすを見ます。

4. 意識がない場合や、名前を呼んでも、肩や足の裏をたたいて刺激しても反応が悪い場合は、人を呼んで助けを求めます。

5. 周りの人に至急救急車を呼んでもらうよう頼みます。

6. 救急車が来るまでの間、心肺蘇生法を行います。

浴室での注意点

入浴中に赤ちゃんから目を離さない
大人がシャンプーをしている間でもおぼれてしまうこともあります。

入浴後、浴槽のお湯を抜く
残り湯をためておかないほうが安心です。

浴室に鍵をかける
浴室の扉に鍵やストッパーをつけて、中に入れないようにします。

バケツ、洗面器、洗濯槽に水をためない
浅い水でも、口と鼻がふさがれると、おぼれてしまいます。

洗濯機のそばに踏み台をおかない
踏み台を使って、洗濯槽に落ちてしまうことがあります。

子どもだけで水遊びをさせない
子どもの水遊びに、大人がついていることは鉄則です。

受診の目安

🏠 **家でようすを見る**
●水から引き上げたとき大声で泣いた。

🌙 **診察時間外でも受診**
●汚れた水でおぼれた。　●おぼれた後に、熱やせきが出る。

🚑 **救急車で大至急病院へ**
●意識がない。　●呼吸や体の動きが見られない。

赤ちゃんの病気

赤ちゃんの微妙な変化に気づくのは、
いつもお世話をしているママ。
きげんが悪い、全身のようすがいつもと違う、
と感じたら、すぐに受診を。
気になる病気の症状、治療、ケアをよく知っておきましょう。

PART 10

［病気や体調の変化を見のがさないポイント］
赤ちゃんのようすをチェックしよう

赤ちゃんの病気に早く気づくために、日頃どんなことに気をつけたらいいのでしょう。

きげん、食欲、顔色がいつもと違うかどうかがカギ

「赤ちゃんのぐあいがいつもと違う」と思ったとき、まずチェックしたいのは、きげん、食欲、顔色。それらがふだんとどう違うかをチェックすることで、全身の状態がおおよそわかるからです。

熱が多少高くても、きげんや食欲はふだんと変わらず顔色も悪くなければ、あわてて病院にかけこまなくていい場合もあります。逆にぐずってばかりで母乳やミルクの飲みが悪い、顔色がいつもより青白いというようなときは、全身の状態が悪くなっている可能性が。つまり、早めの受診を促すサインと思っていいでしょう。そのほか、下にあげた項目がいつもと違うかどうかも大切なチェックポイントです。

赤ちゃんのようすに気がかりなことがあったときは、健康なときの状態を基準にして、異変が生じているかどうかを判断します。そういう意味で、ふだんから赤ちゃんをよく観察し、平熱が何度あるのかなど、元気なときの状態を知っておくことが大事です。

赤ちゃんの ココを チェック!

口内炎
急によだれが増えたり、母乳やミルク・離乳食を口にしないときは、口内炎ができている可能性も。

出血
鼻や口の中の出血も見落とさないようにします。

発疹（ほっしん）
赤ちゃんの病気は、発疹を伴うことが少なくありません。赤ちゃんを裸にし、発疹はないか、発疹がある場合はどんな形や色をしているかなどを確認します。

吐き気
強い吐き気があると水分を与えても吐いてしまうため、脱水症になる危険性が増します。

おしっこ
量や回数の減少は、水分不足のサイン。意識しておむつのようすに注意し、脱水症にならないよう気をつけます。

うんち
いつもより回数が多くやわらかいときは、下痢の前ぶれかもしれません。病気によっては血便が出ることも。においや色の変化にも注意。

きげん
元気がない、あやしても笑わないなど、ふだんと違うようすがないかどうかを確認。

顔色
顔色が赤いときは熱があるのかもしれません。急に青白くなったときは呼吸状態の悪化やショック状態など緊急事態の場合も。

食欲
体調がよくないときは食欲が落ちますが、離乳食だけでなく、母乳やミルクの飲みも悪い、水分も受けつけないときは要注意。

体温
平熱よりも1度以上高ければ発熱の可能性が。ただし、熱だけでは症状が軽いか重いかは判断できません。

呼吸・意識
呼吸が浅く速い、苦しそうに肩で息をしている、ウトウトしてばかりいる、グッタリしていて呼びかけても何も反応がないというときは緊急事態の可能性が。

睡眠
いつもならぐっすり眠っている時間なのに、ぐずってばかりで眠らないときは、健康不良のサインかも。

204

PART 10 赤ちゃんの病気

赤ちゃんのようすをチェックしよう／新生児の病気

新生児の病気

環境の変化に伴う病気や生まれつきの病気が多い時期

生後28日までの赤ちゃんを「新生児」と呼びます。それまではママの胎盤を通して呼吸をしていましたが、生まれてからは自分で呼吸をしなければなりません。また、血液の循環も胎児型から大人と同じ型になり、栄養も自力で母乳やミルクを吸って消化・吸収する消化管栄養になります。

新生児期は、胎内生活から胎外生活に適応していく移行期です。そのうえ、肝臓をはじめとする体の機能も未熟。そのために生まれたばかりの時期は黄疸が続くなど、特有のようすが見られます。新生児期に見られる病気の多くは、このように出生前後の環境の変化にうまく適応できないために起こるものがほとんどといっていいでしょう。

また、この時期に生まれつきの病気が見つかることもあります。そうした病気は、ママと病院に入院している間に発見されて治療が始まりますが、退院後に病気がわかる場合も少なくありません。気になるようすがあるときは、すぐに病院へ連れて行きましょう。

しんせいじおうだん
新生児黄疸

主な症状　黄疸

こんな病気・症状

皮膚や白目が黄色に

黄疸は、血液中の赤血球がこわれたときに出るビリルビンが増加することによって起こります。通常は、肝臓で分解されて排泄されていきますが、生まれたばかりの赤ちゃんは肝臓の処理や排泄がうまくいかずに皮膚や粘膜にたまってしまい、黄疸が出やすくなります。

生後2～3日目から皮膚や白目の部分が黄色くなり、4～5日目ころにピークをむかえ、その後徐々に消えていきます。ほとんどの場合、症状は黄疸だけで赤ちゃんは元気です。

母乳を飲んでいる赤ちゃんは、母乳中に含まれる女性ホルモンなどの影響で黄疸が長引くことがあり、これを母乳性黄疸と呼びます。母乳性黄疸では、皮膚の色や便の色が黄色くなる状態が1～2カ月ほど続きますが、その後、自然に治ります。

治療とケア

ほとんどは自然に治る

母乳性黄疸を含めほとんどの場合、治療は不要です。

ただし、生後24時間以内に黄疸症状が現れた場合や、総ビリルビン値が高い場合、白目の部分の黄色みがどんどん強くなる場合は、血液型不適合や溶血性疾患などの疑いも。医師の診察を受けましょう。

しんせいじめれな
新生児メレナ

主な症状　吐血・血便

こんな病気・症状

ビタミンKの不足が原因

消化管から出血し、血を吐いたり血便が出たりする病気です。生後2～3日から1週間までの間に真っ赤な血を吐きます。コーヒーかすのような黒っぽい血のこともあります。同時に真っ赤な便や、黒っぽく粘り気のあるタール便が出ることもあります。主な原因はビタミンKの不足と考えられています。

一方、出生の際に飲み込んだ、母体の血液を吐く中に排泄する新生児仮性メレナと呼ばれるものがありますが、これは治療の必要はありません。

健診でビタミンK2を投与

[治療とケア]

新生児はビタミンKの蓄えが少なく、母乳に含まれる量も少ないので、病院では出生当日と退院時、1カ月健診時にビタミンK2シロップを投与します。その効果もあって、新生児メレナは最近ではあまり見られない病気になりました。

臍炎・臍周囲炎
さいえん・さいしゅういえん

[主な症状 ● おへそのはれ]

こんな病気・症状

へその緒のあとがジクジク

へその緒が生後1週間～10日で乾いて自然に取れた後、おへそや周辺が細菌に感染し、炎症を起こして赤くはれます。ジクジクと湿っていたり、うみや出血が見られることがあります。

[治療とケア]

おへそを消毒して乾かす

おへそが乾燥するまでは、おふろ上がりなどに綿棒にアルコールで消毒します。乾燥の妨げになるので、おむつでおへそを完全に覆わないように気をつけましょう。炎症がひどくなった場合は菌が全身に回ることがあるので、早めに受診を。

臍肉芽腫
さいにくげしゅ

[主な症状 ● いぼ]

こんな病気・症状

へその緒のあとにいぼが

へその緒が取れた後に一部が残って増殖し、肉芽組織ができます。おへその中に赤いいぼのようなものができ、滲出液が出てジクジクし、出血することもあります。大きさは米粒の半分ほどからおへそいっぱいのものまでさまざまです。

[治療とケア]

肉芽を取り、根気よくケア

炎症を起こす心配があるので、早めに受診を。臍肉芽腫が飛び出している場合は糸で縛って自然に取れるのを待ちます。家では薬で焼いて取ることもあります。沐浴後におへそを消毒し、きれいに乾くまで根気よくケアします。

頭血腫
ずけっしゅ

[主な症状 ● こぶ]

こんな病気・症状

出生時に頭にこぶが

頭の一部が半球状にふくらみ、ゴムまりのような感触がします。大きさはピンポン球から野球ボール大までさまざま。分娩時に頭が産道で圧迫され、血管が破れたりして頭の骨とその上の皮膚との間に血液や滲出液がたまってできるもので、病気ではありません。

[治療とケア]

自然に治るので大丈夫

血液や滲出液がかたくなり骨の一部になって、はれた部分が体に吸収されるか、自然にはれが引いて治ります。

産瘤
さんりゅう

[主な症状 ● むくみ]

こんな病気・症状

分娩時に頭が圧迫される

分娩時に、産道で頭が圧迫され、そこに体液がたまってむくみが生じます。頭の上のほうが全体に盛り上がり、プヨプヨした感触があります。分娩に時間がかかった場合、むくみがひどくなり、こぶのようになってしまうこともあります。

[治療とケア]

2～3日で自然に体に吸収される

2～3日で自然に体に吸収されます。特に治療は行いません。

PART 10　赤ちゃんの病気

熱が出る病気

新生児の病気／熱が出る病気

かぜ症候群【急性上気道炎】
かぜしょうこうぐん【きゅうせいじょうきどうえん】

こんな病気・症状
主な症状　発熱・せき・鼻水・下痢・嘔吐

ウイルスが原因で鼻やのどが炎症を起こす

鼻からのど、気管の入り口にかけての空気の通り道を「上気道」といい、上気道が炎症を起こした状態を総称して「かぜ症候群」＝「かぜ」と呼んでいます。ほとんどはウイルスが原因で、鼻水、鼻詰まり、せき、のどのはれ、発熱などの症状が現れます。炎症の起きる部位によっては、急性鼻炎、急性咽頭炎、急性気管支炎などと呼ばれることもあります。

ピークは2〜3日間だが、下痢や嘔吐を伴うことも

かぜのウイルスに感染すると、1〜3日後に鼻水、鼻詰まり、せき、微熱などの症状が出始めます。その後、しだいに熱が上がって呼吸や脈拍が速くなる、鼻が詰まって母乳やミルクが飲みづらくなる、たんがからまったようなせきをする、などの症状が見られるようになります。

多くの場合、ピークはひき始めの2〜3日間。その後は少しずつ軽くなり、1週間ほどで治ります。

また、ウイルスが上気道だけでなく胃や腸に感染すると、下痢や嘔吐など、消化器に症状が出ることがあります。下痢や嘔吐が続くと体の水分が不足して脱水症になることもあるので、注意が必要です。ウイルスの種類によっては口の中や皮膚に発疹ができたり、目の充血、目やに、関節痛や全身のだるさといった症状が出ることもあります。

治療とケア

水分を十分に飲ませ、快適に過ごさせる

かぜのウイルスに効く薬はないので、症状をやわらげるケアをしながら回復を待ちます。ケアのポイントはこまめな水分補給。湯ざまし、麦茶、果汁、ベビー用イオン飲料などを少しずつ何回にも分けて飲ませましょう。母乳やミルクは欲しがるだけ与えます。食欲がないときは、おかゆやスープ、ゼリーなど、口当

たりがよくツルンと飲み込めるものを。熱の出始めは悪寒がするので温め、熱が上がったら、衣類や寝具を薄いものに替えて涼しくします。いやがらなければ額やわきの下、太ももの付け根をぬれタオルなどで冷やしてもいいでしょう。

急性咽頭炎
きゅうせいいんとうえん

こんな病気・症状
主な症状　のどのはれ・発熱

かぜのひとつで、のどに痛みが

かぜのひとつで、のど（咽頭）が主にウイルスに感染して炎症を起こしたもの。咽頭炎のみの場合はまれで、多くの場合は急性鼻炎なども併発します。のどが痛み、母乳やミルクの飲みが悪くなります。熱が39度以上になることもあります。

治療とケア

脱水症の予防にこまめな水分補給を

のどに痛みがあるために、飲んだり食べたりしたがらなくなります。脱水症状を起こさないように、こまめに水分を補給するようにしましょう。空気の乾燥はのどに悪いので、空気が乾燥する季節は、洗濯物を室内に干したり、加湿器などを使って保湿してください。

急性扁桃炎
きゅうせいへんとうえん

主な症状　のどのはれ・発熱

こんな病気・症状
高熱が出て、のどがはれる

のどの奥にある扁桃がウイルスや細菌に感染し、はれて痛みます。扁桃はリンパ組織でできていてウイルスや細菌の侵入を防いでいますが、ウイルスや細菌の力が強いと炎症が起きます。39～40度の高熱が出てのどや体の節ぶしが痛み、食欲が低下。のどを見ると、扁桃がうみや分泌物で白く見えることもあります。

治療とケア
水分とのどごしのいい食べやすいものを

のどが痛いので、やわらかくのどごしのいいものを食べさせます。熱があるときはこまめに水分を補給しましょう。

慢性扁桃炎
まんせいへんとうえん

主な症状　のどのはれ・発熱

こんな病気・症状
扁桃炎を繰り返し、扁桃が肥大

年に数回ほど急性扁桃炎を起こし、扁桃が徐々に大きくなっていきます。もとの体質、タバコの煙や大気汚染などの環境的な要因も関係していると考えられています。

肥大の程度がひどくなると、呼吸や、食べたり飲んだりするのに支障が出てくる場合もあります。

治療とケア
扁桃炎を繰り返すときは、小児科で相談を

扁桃炎を起こしたときは、水分補給に努め、のどごしのいいものを食べさせましょう。

繰り返すときは扁桃を切除する場合もあります。小児科で相談を。

インフルエンザ
いんふるえんざ

主な症状　発熱・せき・鼻水

こんな病気・症状
冬から春に流行し、重い症状が出る病気

毎年冬の初めから春先にかけて流行する感染症。「流行性感冒」とも呼ばれています。原因はインフルエンザウイルスで、感染力が強いのが特徴です。インフルエンザウイルスは、主にA型とB型の2種類があります。ウイルスは突然変異を起こしやすく、流行のたびに性質が変わるので、過去にかかっていても新しい型にまた感染して流行を繰り返します。

発熱、せき、鼻水、関節痛といったふつうのかぜとよく似た症状が現れますが、症状の出方が強力で、赤ちゃんはひどくきげんが悪くなったり、グッタリするなど強い全身症状が現れます。

予防接種は任意ですが、生後6カ月から受けられます。赤ちゃんにうつさないためにも、流行する前に家族全員で受けておくといいでしょう。

突然の高熱に始まり、重い合併症を起こすことも

突然40度近い熱が出て、症状が急激に悪化します。せきやたんがひどくなり、鼻水、くしゃみなどの症状も現れます。全身のだるさや筋肉痛、関節の痛みを伴うことも。いずれの症状もふつうのかぜより強く、ひどくきげんが悪くなりグッタリします。下痢や嘔吐を起こすこともあるでしょう。

4～5日で熱が下がり2週間ほどすると体力も回復しますが、合併症を伴うことも。気管支炎や中耳炎を起こしやすく、上手にたんを出せない赤ちゃんは呼吸困難になることもあります。急性脳炎やインフルエンザ脳症、肺炎といった重い合併症を起こすケースもあります。

PART 10　赤ちゃんの病気

熱が出る病気

こんな病気・症状
主な症状　発熱・頻尿・排尿痛

尿路感染症 にょうろかんせんしょう

腎臓～尿道に細菌が感染し、高熱が出る

尿は、腎臓から尿管、膀胱、尿道を通って排泄されます。この尿の通り道を尿路と呼び、大腸菌などの細菌が侵入し炎症が起きるのが尿路感染症です。炎症を起こしている場所によって、上部尿路感染症（腎盂腎炎）と下部尿路感染症（膀胱炎、尿道炎）に分けられます。おしっこの通り道は本来上から下への一方通行ですが、何らかの原因で尿が逆流したり停滞した状態が続くと、菌が侵入して繁殖しやすくなります。

膀胱や尿道などの下部尿路に炎症が起きると尿の回数が増え、排尿時に痛みを伴いますが、赤ちゃんは言葉で表現できないので、その時点ではなかなか気がつきません。

上部尿路感染症の腎盂腎炎にいたり、38度以上の高熱が出て、初めて気がつくことがほとんどです。腎盂腎炎になると全身がだるく腰痛が起きます。乳幼児の場合は顔色が悪くなり、嘔吐や黄疸を起こすこともあります。

治療とケア

原因の細菌を抗生物質で退治

かぜと間違われやすいので、高熱が続くときは一度受診していても再受診しましょう。尿路感染症かどうかは尿検査でわかります。

腎盂腎炎と診断された場合は、原則的に入院となり、一定期間、抗生物質での治療を行います。3～4日で熱が下がり、おしっこもきれいになります。ただし、再発、慢性化しやすいので、症状が治まっても投薬などの治療は続きます。

膀胱炎の場合は、抗生物質の投与をしながら水分をたくさんとり、膀胱内の細菌を尿といっしょに排出させます。

治療とケア

水分をたっぷり与えて安静に

高熱が出てグッタリするので、安静にし、食欲がなくても水分は十分とらせます。部屋の暖めすぎや着せすぎに注意して、汗をかいたらこまめに衣類を取り替えてあげましょう。

熱の上がり始めに熱性けいれんを起こしたり、合併症を起こす心配もありますから、大人の目の届くところに寝かせ、ときどきようすを見るようにしてください。せきやたんなどの症状が悪化したり、意識がぼんやりしているようなら急いで病院に連れて行きましょう。

こんな病気・症状
主な症状　熱・耳下腺のはれ

おたふくかぜ【流行性耳下腺炎】 りゅうこうせいじかせんえん

耳の下がはれ、食欲が落ちる

ムンプスウイルスの感染で耳下腺が炎症を起こし、耳の下がはれて痛くなる病気です。

感染して2～3週間後に、耳の下からあごにかけての部分がはれ、痛みがあります。左右同時にはれる場合と、最初に片方だけはれ、1～3日後にもう一方がはれる場合があります。耳下腺だけでなく、しばしばほかのだ液腺（顎下腺・舌下腺）も同時に炎症を起こします。

熱は38～39度ぐらいになることもありますが出ないことも。母乳やミルクの飲みが悪くなり、食欲が落ちて不きげんになります。頭痛や倦怠感を伴うこともあります。症状のピークは2～3日目で、その後1週間～10日で治まります。中にはウイルスに感染してもほとんど症状が出ないケースも。かかったかどうかはっきりしないときは抗体検査を受けるといいでしょう。

無菌性髄膜炎や難聴などを起こすことも

注意が必要なのは、おたふくかぜに伴

う合併症です。発病して4～10日たっても熱が下がらず、頭痛や嘔吐などがあるときは無菌性髄膜炎を併発していることも考えられるので、すぐに病院へ。また難聴の後遺症を残すこともあります。呼んでも振り返らなかったりテレビの音を大きくしたがったりなどのようすが見られたら、病院で聴力の検査をしてもらいましょう。

思春期以降に感染すると、男の子は睾丸炎、女の子は卵巣炎を起こすことがあります。

治療とケア

食べやすくのどごしのいいメニューを工夫して

合併症の心配もあるので必ず受診を。病院では痛みが強いときは鎮痛剤が処方されたり、症状に合わせた治療を行います。家庭でのケアとしては、飲み込むときに痛みがあるので、スープやプリンなどのやわらかくてのどごしのいいメニューを用意します。また、こまめな水分補給も大切です。

いやがらなければほおやあごなどに冷たいタオルを当て、はれた部分を冷やすといいでしょう。はれが引くまでは外出を避け、家で静かに過ごします。

1才になれば、任意ですが予防接種を受けることができます。合併症の心配も多いので受けておくといいでしょう。

ヘルパンギーナ〔へるぱんぎーな〕

主な症状 発熱・水疱

こんな病気・症状

高熱が出て、のどに水疱ができる

夏かぜの一種で、コクサッキーA2、4、5、6、8、10、16型、エコーウイルスなどのウイルスが原因です。患者のせきやくしゃみ、便に触った手からウイルスが口に入ってうつります。

突然40度近くの高熱が出ます。発熱とほぼ同時にのどが真っ赤になり、口の中の軟口蓋を中心とした、いわゆる"のどちんこ"の周りに、直径1～2mmほどの水疱がたくさんできます。水疱は2～3日で破れて潰瘍になり、飲食のときにしみて痛みます。よだれが増えたり、食欲が落ちたりします。

熱は1～4日で下がりますが、潰瘍が治るまでに1週間ほどかかります。また、まれに髄膜炎を起こすことがあります。

治療とケア

口当たりのいい飲み物で水分補給

熱が高いときは解熱剤が処方されます。医師の指示どおりに使用します。発熱やのどの痛みで食欲が落ちるので、水分補給が大切です。熱すぎるものや酸味のあるものはしみて痛いので、湯ざましや麦茶、薄めたスープなどの口当たりのいいものを少しずつ飲めるだけ与えます。痛みのために水分がとれないようなら病院へ。脱水の心配があるため、点滴で水分を補給する場合があります。また、発熱、頭痛、嘔吐がひどいときは髄膜炎の場合もあるので、大至急受診して。

咽頭結膜熱【プール熱】〔いんとうけつまくねつ・ぷーるねつ〕

主な症状 発熱・のどの痛み・目の充血

こんな病気・症状

高熱が出て白目が充血する

咽頭炎、結膜炎、発熱の3つの症状がほぼ同時に現れるのが特徴です。胃腸炎を起こして下痢をすることもあります。正式な病名は「咽頭結膜熱」ですが、プールの水を介して感染することがあるため「プール熱」とも呼ばれています。ただしプールに入らなくても、患者のせき、くしゃみ、目やになどから感染することも少なくありません。

原因はアデノウイルスで、毎年6月ごろから増加し始め、7～8月にピークを迎えます。幼児や小学生がかかりやすい病気ですが、非常に感染力が強く、地域的に流行したり上の子がかかると赤ちゃんにも感染することがあります。

PART 10 赤ちゃんの病気

熱が出る病気

突然38〜40度の高熱が出て、のどがはれて痛みます。症状は長引きがちで、熱が7日前後続くこともあります。せきが出たり扁桃炎を起こし、目やにが出たり、白目やまぶたの裏側が赤くなったり、目やにが出たりします。

治療とケア
薬で症状を緩和し、回復を待つ

熱が高いときには解熱剤、目の炎症には目薬など、症状に合った薬が処方されます。指示に従って使ってください。目やには湿らせたガーゼでふき取ってあげましょう。感染力が強いので、目やにをふいたりおむつを替えたりした後は手洗いを十分に。目の炎症が治るまでは、家族と赤ちゃんのタオルを別にしたほうがいいでしょう。のどを痛がって食欲がないときは、ヨーグルトやゼリーなどの口当たりがよく飲み込みやすいものを食べさせ、こまめに水分を補給します。

髄膜炎
すいまくえん

脳や脊髄の表面を覆っている脳脊髄膜

こんな病気・症状
主な症状　発熱・嘔吐・頭痛

脳脊髄膜の炎症で高熱や吐き気が起きる

脳や脊髄の表面を覆っている脳脊髄膜に炎症が起きる病気で、ウイルス感染による無菌性髄膜炎と細菌感染による細菌性髄膜炎があります。

無菌性髄膜炎……夏かぜやおたふくかぜなどのウイルスが中枢神経に侵入して、脳脊髄膜が炎症を起こします。38〜39度の高熱が数日続いた後、頭痛や吐き気が見られ、不きげんに。意識がぼんやりしたり、ひきつけを起こすこともあります。首を前に曲げたり、おむつを替えようとして足を曲げると痛がって泣くこともあります。おたふくかぜにかかった子の半数近くがかかるといわれていますが、症状は軽く、後遺症もほとんどありません。

細菌性髄膜炎……脳や脊髄を覆っている脳脊髄膜に細菌が侵入し、炎症を起こします。炎症の程度が強く、脳の細胞にまで影響を及ぼします。症状は無菌性髄膜炎とほぼ同じですが、はるかに重症感があり、飲みが悪くなりきげんが悪化、額の上あたりにある大泉門が張り出した感じに。ひどくなるとけいれんや意識障害が見られるようになります。脳の血流が悪くなり、脳血栓や脳梗塞を起こしたり、知的障害、てんかん、水頭症などの後遺症を残したりすることもあります。

なくきげんが悪い、大泉門が張っているなどのようすが見られたら、至急受診しましょう。髄膜炎は早期治療が大切な病気で、特に細菌性髄膜炎では急を要する場合が多いからです。

無菌性髄膜炎の場合は、症状に応じて解熱剤や鎮静剤を使用します。全身状態がよくないときは、安静にして点滴を行うこともあります。多くは1〜4週間ほどでよくなり、後遺症も残りません。

細菌性髄膜炎の場合は、脳脊髄液を培養して原因になっている細菌を調べ、その細菌に効果がある抗生物質で治療します。また、嘔吐がひどいときは点滴をして脱水症状を予防します。

急性脳炎・急性脳症
きゅうせいのうえん・きゅうせいのうしょう

こんな病気・症状
主な症状　発熱・嘔吐・けいれん

脳の炎症やむくみで、高熱、嘔吐、意識障害が

急性脳炎も急性脳症も、突然39度以上の高熱が出て、嘔吐、ひきつけ、頭痛、手足のまひなどの症状が現れます。急速に意識障害が起こり、うとうと眠ったままになることもあります。そのほかそれぞれの特徴は、次のとおりです。

急性脳炎……ヘルペスウイルス、エンテロ

211

ウイルス、はしか、風疹、水ぼうそうなど、ウイルス性の病気と合併して起こります。ウイルスの感染によって脳内の神経細胞がはれたり傷んだりして障害を受け、脳に炎症が起きます。発熱や嘔吐、けいれん、意識障害などの症状が見られます。発症自体がまれですが、かかると重い後遺症を残したり、死亡することもあります。

急性脳症…何らかの原因で脳内の圧力が急激に高まり、脳内の血液の循環が悪くなって、急性脳炎と同じく発熱や嘔吐、けいれん、意識障害などの症状を引き起こす病気です。病気の勢いが強いと、後遺症を残したり、命にかかわることもあります。急性脳症の中でも、特に肝臓の機能の異常を伴う場合をライ症候群と呼んでいます。ライ症候群はインフルエンザや水ぼうそうなどのウイルス感染や、これらの治療のために使う解熱鎮痛剤のアスピリンとの関連性が疑われているため、赤ちゃんにはアスピリンの使用を控えたほうがいいとされています。

[治療とケア]

嘔吐が続いたり意識障害があるときは、至急受診

運動障害や知的障害などの重い後遺症を残したり、生命にかかわることもあるので、早めに治療することが重要です。嘔吐が続いたり、けいれんを起こした後で意識が戻らないなどの症状が見られたときは、夜中でも大至急受診を。急性脳炎の場合は、原因のウイルスによっては、抗ウイルス薬が効くケースもあります。それ以外は根本的な治療法はまだありません。病院でCT（コンピュータ断層撮影法）やMRI（磁気共鳴映像法）などで診断し、脳のはれやけいれん症状を抑える対症療法を行います。急性脳症の場合も同様に、CTやMRIに加え髄液検査などを行い、脳のむくみを取る薬や抗けいれん薬の投与など症状に合った治療を行います。

熱中症
ねっちゅうしょう

[こんな病気・症状]

主な症状　発熱

高温のために体温調節ができなくなる

高温の環境下にいたために体温の調節機能がうまく働かなくなり、急激に体温が上昇して脱水症状を起こす病気です。夏場に炎天下で直射日光にさらされていたり、蒸し暑い室内や車内で長時間過ごしたことが原因になります。

熱中症は、症状の程度で熱けいれん、熱疲労、熱射病に分けられます。

熱けいれん…足・腕・腹部の筋肉がけいれんを起こして痛みます。吐き気や頭痛などの症状が見られることもあります。体温はそれほど高くなりません。

熱疲労…熱射病の前段階。体温が上がって脱水状態になります。全身がだるくなり、めまい、吐き気、嘔吐、頭痛などの症状が起こります。

熱射病…重症で、体温が上昇して汗も出なくなり、皮膚が乾燥します。呼びかけに対する反応が鈍かったり、意識がなくなったりします。

[治療とケア]

涼しいところへ移動し、水分を与える

風通しのいい木陰やエアコンの効いた部屋など涼しいところに移動し、衣服を緩めてラクな姿勢で寝かせます。そして、冷たいぬれタオルを体に当て、体温を下げます。おでこや首の付け根のほか、わきの下、太ももの付け根などを冷やすと効果的。タオルがない場合は体に水をかけ、あおいで風を当てます。また、水分はたっぷりとらせます。水分すら受けつけないとき、意識がない場合などは大至急病院へ行きましょう。

PART 10　赤ちゃんの病気

発疹が出る病気

熱が出る病気／発疹が出る病気

突発性発疹症
とっぱつせいほっしんしょう

主な症状　発熱・発疹

こんな病気・症状

赤ちゃんが初めてかかることが多い病気

高熱が出て、熱が下がるのと同時に赤くて細かい発疹がパラパラと出てきます。2才ごろまでの乳幼児に特有の病気で、特に生後4～5カ月から1才までの時期に多く見られます。赤ちゃんにとって初めての発熱体験がこの病気というケースは少なくありません。

原因は主にヒトヘルペスウイルス6型（HHV－6）です。人ののど液中に潜んでいることから、口移しや同じ食器で食べものを与えることで感染するのではないかとも考えられています。HHV－6のほかHHV－7やエコー18というウイルスでも同様の症状が現れるため、複数回、突発性発疹症にかかることもあります。

前ぶれなく高熱が出て、熱の下がり際に発疹が出る

元気だった赤ちゃんが突然39～40度の高熱を出します。鼻水やせきといった症状はほとんど見られません。高熱にびっくりするかもしれませんが、熱のわりに赤ちゃんのきげんは悪くなりません。

熱は高いまま3～4日続き、突然下がります。それと同時か翌日あたりに、赤くて細かい発疹が、顔、おなかや背中などの体幹から出始めます。かゆみはありません。発疹は徐々に茶色いしみになり、そのうち消えていきます。下痢や嘔吐を伴うケースも20％程度ありますが、ほとんどの場合は4～5日で治まります。

熱の出始めに熱性けいれんを起こす赤ちゃんもいます。初めてけいれんを起こしたときはあわてずにようすを観察し、落ち着いたらなるべくその日のうちに受診しましょう。

治療とケア

水分を補い、涼しく快適に過ごします

高熱が出ている間は、水分不足になりがちです。こまめに水分を補ってあげましょう。湯ざましや麦茶などを少しずつ、何回かに分けて飲ませます。

熱が高いときは衣類を1枚減らしたり、寝具を薄いものに替えるなど、涼しく快適に過ごせるように工夫してください。発疹が消えるまでは室内で安静に過ごし、発疹のあるうちは入浴を控えます。

なお、"突発性発疹症"との診断が確定するのは、熱が下がって発疹が出てからです。この間はほかの病気の可能性も否定できません。ママの判断で"初めての高熱＝突発性発疹症"と決めつけず、熱が出た時点で小児科を受診しましょう。

はしか［麻疹］

主な症状　発熱・発疹・せき・鼻水・目の充血

こんな病気・症状

合併症を起こしやすく、命にかかわることも

麻疹ウイルスによる感染症です。くしゃみやせきを通してうつります。38度前後の発熱とともに、せきや鼻水などの症状が現れ、その後赤い発疹が全身に広がります。気をつけたいのが合併症で、麻疹ウイルスによる肺炎、気管支炎、中耳炎などが起きる心配があります。また非常にまれですが、ウイルスが脳に侵入して麻疹脳炎を併発すると、けいれんや意識障害を起こし、まひや知的障害などの後遺症を残す場合があります。命にかかわることもあるので注意が必要です。

さらに、完治して4～5年後に亜急性

213

硬化性全脳炎を起こすことも。これは知能の低下、けいれん、意識障害などの症状が徐々に出てくる病気です。

かぜに似た症状から始まり、高熱と発疹が出る

10〜12日程度の潜伏期間の後、38度前後の発熱、せき、鼻水、目やになど、かぜに似た症状が現れます。3〜4日目になると目が充血し、ほおの内側の粘膜に小さな口内炎のような白っぽいプツプツが数個から数十個現れます。コプリック斑と呼ばれるはしか特有の症状で、はしかの早期発見に役立ちます。

熱はいったん下がりかけ、その後半日から1日後に再び上昇。ほぼ同時に小さな赤い発疹が耳の後ろあたりから出始め、3〜4日もすると全身に広がります。

その間も高熱が続き、顔がはれぼったくなったり口の中がただれたり、目の充血や目やに、下痢などの症状が見られることもあります。せきも激しく、赤ちゃんはグッタリします。

治療とケア
指示どおりに薬を飲ませ、安静第一に

症状に応じた治療が中心になります。中耳炎や肺炎など二次的に起きる細菌感染の予防のため抗生物質も処方されるので、医師の指示どおりに飲ませてください。

い。熱が高かったり全身症状が悪いときは入院になる場合もあります。

熱が下がり発疹が薄くなるまでは家で安静に。脱水症の予防に水分を十分に与え、温めすぎや着せすぎに注意して熱を発散させるようにします。入浴は熱が下がって3〜4日たってからにしましょう。

はしかは感染力が強い病気。自然感染すると赤ちゃんがつらい思いをします。ワクチンで予防できるので、1才になったら必ず予防接種を受けましょう。

合併症を起こすことも。完治まで注意して

感染から2〜3週間すると、38度前後の発熱とほぼ同時に首や耳の下のリンパ節や全身に小さな赤い発疹が全身に広がります。首や耳の下のリンパ節もはれます。目が充血したりのどが痛くなったり、軽いせきが出ることもありますが、2〜3日すれば熱が下がり発疹もきれいに消えていきます。

ほとんどの場合軽くすむことが多いのですが、気をつけたいのがウイルスが脳に入って起こる風疹脳炎です。意識がぼんやりするような症状が見られたら、すぐに受診を。また血小板減少性紫斑病、関節炎などの合併症を起こすことがあるので、完治までは安静を心がけます。

治療とケア
発疹が消えるまでは家で静かに

熱が高いときには水分を十分補給します。赤ちゃんがかかった場合は軽くすむことが多いのですが、熱がなくても発疹が消えるまでは外出を控え、家で静かに過ごさせましょう。風疹ウイルスは感染力が強いので、発疹のあるうちはお友だちとの接触を避け、保育園などに預けている場合はお休みさせます。妊婦さんとの接触させないのもマナーです。

風疹は、地域的に流行することもあり

こんな病気・症状

風疹 [三日ばしか]

ふうしん [みっかばしか]

主な症状　発熱・発疹

はしかに似ているが、はしかより軽い感染症

原因は風疹ウイルスで、くしゃみやせきなどによって感染します。はしかによく似た症状で発疹も全身に出ますが、はしかほど重症にならず熱も発疹も2〜3日で治まります。

ただし、まれに風疹脳炎や関節炎などの合併症を起こすこともあります。また妊娠初期の妊婦さんがかかると、おなかの赤ちゃんが難聴、白内障、心臓病などを伴う先天性風疹症候群を発症すること

PART 10 赤ちゃんの病気

発疹が出る病気

水ぼうそう【水痘】

みずぼうそう【すいとう】

主な症状 発熱・発疹

こんな病気・症状

かゆみのある水疱が全身にできる

水痘帯状疱疹ウイルスによる感染症です。患者のくしゃみやせき、あるいは発疹に接触することでうつります。感染力が強いのできょうだいがかかった場合はほとんどうつりますし、保育園や幼稚園での集団感染もよく見られます。

潜伏期間は約2週間。かかり始めは虫刺されのような赤い発疹が頭皮や顔、おしりやおなかなどに現れ、半日ほどで全身に。熱は出ないこともありますが、出ても37〜38度程度です。発疹は半日〜2日ほどで全身に広がり、強いかゆみのある水疱に変わります。

合併症を起こすことも。ようすに気をつけて

水疱は、頭皮、外陰部、口の中、まぶたの裏側などにできることもあります。かゆみが強いのできげんが悪く、かきむしってしまうので注意が必要です。

3〜4日もすると水疱はしだいに乾き、黒っぽいかさぶたに。ほかの水疱も、1〜2週間の間にはかさぶたに変わります。

ごくまれですが、合併症として水痘脳炎、ライ症候群などを起こすことがあり、命にかかわるので、意識がなくなったりけいれんが見られたらすぐに病院へ行きましょう。

治療とケア

水疱をかきこわさないように注意して

病院では、かゆみが強いときは抗ヒスタミン剤入りの軟膏が、すでにかきこわしていて化膿する心配があるときは抗生物質入りの軟膏や飲み薬が処方されます。軟膏は一つひとつの水疱にていねいにぬってください。また、感染のごく初期なら、アシクロビルという抗ウイルス剤で発疹を抑える治療をすることもあります。

家庭でのケアで大切なのは、かゆみを抑え水疱をかきこわさないように注意することです。つめが伸びていないかチェックし、短く切っておきます。いやがらなければ手袋をさせてもいいでしょう。口の中に水疱ができているとしみるので、刺激物や熱いものは避けてやわらかくのどごしのいいものを与えましょう。水疱がかさぶたになるまでは入浴を控え、おしりをシャワーで流す程度に。外出も控えましょう。

1才になれば、任意で予防接種を受けることができます。予防接種を受けていても3割程度は自然感染することがありますが、かかったとしても予防接種を受けておけば症状は軽くすみます。1才になると予防接種を受けられるので、2才になるまでに必ずワクチンを接種するようにしましょう。

単純性疱疹【単純ヘルペス】

たんじゅんせいほうしん【たんじゅんへるぺす】

主な症状 水疱・痛み

こんな病気・症状

単純ヘルペスウイルスが原因で、口の中や唇に水疱ができる

口の中や唇などに水疱ができる病気です。単純ヘルペスウイルス（HSV）の感染によって発症します。ヘルペスウイルスは感染しても神経細胞の中に潜み、すぐに症状が出ることはほとんどありません。しかし、体力や抵抗力が落ちたときに突然発病します。むずむずするような感じとともに、鼻の穴付近や唇の周り、目の周囲などに赤い発疹や水疱ができます。歯肉や口の中に口内炎が見られることもあります。水疱は破れてただれ、口内炎は潰瘍になって痛みます。熱が出たりリンパ節がはれることもあります。

いったん治っても、かぜをひいたりストレスがたまったり、強い紫外線に当たって免疫力が落ちたときなどに再発し、同じ場所にできるのも特徴です。

手足口病 (てあしくちびょう)

主な症状 発疹

こんな病気・症状

夏に多く、手、足、口に発疹ができる

夏に多い病気で、コクサッキーウイルスA群やエンテロウイルスに感染して起きます。患者のせきやくしゃみ、便に触った手を介してうつります。

1～5日の潜伏期間の後、手のひらや足の裏、舌や歯ぐき、口の中などに米粒大の小さい水疱ができます。37～38度の発熱がある場合もありますが、熱は出ても3日以内に下がります。手、足、口すべてに発疹が出ずに口の中だけに潰瘍ができる場合や、手のひらや足の裏だけに発疹ができる場合もあります。

手足の水疱は痛くもかゆくもなく、1週間程度で消えてあとは残りません。ほとんどの場合は重症になることもなく経過しますが、まれに髄膜炎を伴うことがあります。

治療とケア

食べられなければ、水分を十分に

手足口病のウイルスに効く薬はないので、熱があれば解熱剤を使うなど、症状に合わせて治療します。

口の中に潰瘍ができると、しみるため食欲が落ちるので、熱いものや酸味や塩気のあるものを避け、やわらかくて飲み込みやすい口当たりのいいものを与えます。痛みで食べたがらないときは水分補給を心がけてください。

重症になることはあまりありませんが、まれに髄膜炎を併発することがあるので、高熱や頭痛、嘔吐がひどい場合には早めに医師の診察を受けましょう。

りんご病 [伝染性紅斑] (りんごびょう[でんせんせいこうはん])

主な症状 発疹

こんな病気・症状

ほおにりんごのような発疹、手足がまだらなレース模様に

ヒトパルボウイルスB19というウイルスに飛沫感染することでうつります。発病すると、ほっぺがりんごのように赤くなるので「りんご病」と呼ばれていますが、「伝染性紅斑」というのが正しい病名です。

主に幼児期から小学校ごろの子どもの間で、春から初夏にかけて流行します。2才以下の赤ちゃんがかかることはあまりありません。軽い病気ですが、まれに意識障害を伴う脳炎や、赤血球がこわれる溶血性貧血などの合併症を起こすこともあります。

発疹に先立つ1週間～10日ぐらい前に熱が出たり、筋肉痛や体のだるさを感じることがあります。その後両側のほおに赤い発疹が出てきます。最初は斑点状ですが、その後少し盛り上がったりんごのように鮮やかな赤い色になります。1～2日たつと腕や足の外側にも発疹が現れ、数日後にはまだらなレース模様のように広がります。発疹の部分が多少むずがゆかったりほてった感じがすることもあります。

熱は出ないか、出ても微熱程度。顔の発疹は2日ほどで消え、腕や足の発疹も1～2週間で自然に薄くなります。

治療とケア

指示どおりに薬を使い、こまめに水分補給を

症状が見られたら、早めに受診します。病院では抗ウイルス薬が処方されるので、医師の指示どおりに使用してください。口内炎がひどくなると食べられなくなるので、麻酔剤の入った軟膏をぬって痛みをやわらげることもあります。

口の痛みで食欲がないときは、脱水症を起こす危険があります。こまめに水分補給をしてください。また、プリンやヨーグルトなど、口当たりがよくてあまりかまなくてもよいものを少しずつ食べさせてあげるといいでしょう。

PART 10 赤ちゃんの病気

発疹が出る病気

溶連菌感染症【猩紅熱】[ようれんきんかんせんしょう（しょうこうねつ）]

こんな病気・症状
主な症状　発熱・発疹・イチゴ舌

高熱が出てイチゴのような赤い舌に

高熱が出て舌がイチゴのように赤くなり、全身に発疹ができる病気です。A群β溶血性連鎖球菌（溶連菌）の感染によって起こり、主にせきやくしゃみからうつります。5〜12才の子どもがかかることが多く、赤ちゃんがかかることはそれほど多くありません。かつては猩紅熱と呼ばれ、法定伝染病に指定されて隔離治療されていました。しかし今は、抗生物質による治療で完治します。

感染すると39度前後の高熱が出て2〜4日続きます。のどの入り口やのどちんこの周りが赤くはれ、強いのどの痛みを伴います。発熱の後、首や胸、手首や足首のあたりに赤く細かい発疹が出て、しだいに全身に広がります。そして治りかかったころに、発疹が出ていた部分の皮膚がパラパラとむけます。

病気の初期には舌が白いコケに覆われたようになり、3〜4日するとイチゴのように赤くなってプツプツになります。これは「イチゴ舌」と呼ばれ、溶連菌感染症に特徴的な症状です。

嘔吐、頭痛、筋肉痛や関節痛が出ることも。首のリンパ節がはれたり中耳炎などを起こすこともあります。

治療とケア
薬を指示どおりに飲み、こまめに水分補給を

主に抗生物質で治療します。症状が治まったからといって薬をやめると再発したり、腎炎やリウマチ熱を合併することがあるので、医師の指示どおりにきちんと薬を飲んで完治させてください。症状によっては、腎臓に合併症が出ていないかどうかを調べるために尿検査をする場合があります。家庭では、のどが痛いと食べたり飲んだりしなくなるので、脱水症状の予防のためにも少量ずつ何回にも分けて水分補給を。また、離乳食はやわらかくてのどごしのいい、消化のいいものを用意してあげましょう。

とびひ【伝染性膿痂疹】[でんせんせいのうかしん]

こんな病気・症状
主な症状　水疱・かゆみ

夏によく見られる、赤ちゃんの代表的な皮膚病

強いかゆみのある水疱ができ、飛び火のようにどんどん全身に広がっていくので「とびひ」と呼ばれています。夏に多く見られる、赤ちゃんや子どもの代表的な皮膚の病気です。虫刺されやあせも、湿疹などをかきこわした傷口やすり傷に、黄色ブドウ球菌が感染して起こります。黄色ブドウ球菌は鼻の穴などにいつも存在している、だれでも持っている菌の一種です。健康な皮膚についても害はありませんが、傷ついた皮膚に感染すると

治療とケア
体を温めすぎないように気をつけ、あとはふだんどおりに

ほとんどの場合、特別に治療しなくても自然に治ります。ただ、まれに合併症を起こすこともあるので、一度は受診して。かゆみが強いときは抗ヒスタミン薬が処方されます。発疹をかきむしらないようにつめは短く切っておきましょう。ふだんどおりに生活して大丈夫ですが、熱いおふろに長く入ると赤みが強くなって長引くことがあるので、入浴はシャワーだけにして短時間で切り上げましょう。また、運動で体が熱くなったり日光に長く当たると赤みがぶり返すので、発疹のあるうちは日光を避けて家で安静に過ごすようにしてください。

感染力があるのは、発疹が出る前の1週間ぐらい。ほおが赤くなった時点ではすでに人にうつらないので、幼稚園や保育園を休む必要はありません。

とびひの原因になります。赤ちゃんや子どもの場合、鼻の中を触った手で虫刺されなどをひっかくことにより、黄色ブドウ球菌に感染するケースが多いようです。

黄色ブドウ球菌が感染し、かゆみのある水疱が全身に

あせもや湿疹、虫刺され、アトピー性皮膚炎をかきむしったところが黄色ブドウ球菌に感染してかゆみのある小さな水疱ができます。水疱が破れると滲出液が出て、ただれてジクジクしてきます。

かゆみが強く、水疱の部分をかいた手でほかの部分をかくと、手についた菌が皮膚のほかの部分に次々とついて広がっていきます。感染力が強いので、本人だけでなくきょうだいや周りの人にも感染することがあります。

[治療とケア]

抗生物質で治療。
かきこわさないように注意を

水疱をガーゼか包帯で覆い、なるべく早く病院へ行きましょう。病院では抗生物質入りの外用薬と飲み薬が処方されます。きちんと治療すれば1週間ほどでよくなりますが、よくなってきたからといって薬を途中でやめると再発することもあります。医師の指示に従って、最後まできちんと飲みきるようにしましょう。肌が汚れたままだと菌が増えるので、

こまめにシャワーを浴びさせて肌を清潔に保ちましょう。1日1回は殺菌力のある石けんをよく泡立て、手でなでるように洗います。かさぶたや水疱のある部分も石けんで洗ってかまいません。

かきこわして症状がさらに悪化するのを防ぐためにつめを短く切り、手もこまめにふくかで洗ってあげてください。感染力が強いので、家族にうつさないようにおふろではシャワーだけにし、湯ぶねにつからないようにします。タオルを共用するのも避けましょう。

[こんな病気・症状]

主な症状　発熱・イチゴ舌・リンパ節のはれ・発疹

川崎病[MCLS]
(かわさきびょう[えむしーえるえす])

全身の血管に炎症。高熱、
発疹、イチゴ舌などの症状が

1967年に川崎富作博士が発見したことから川崎病と呼ばれています。全身の血管が炎症を起こす病気で、6カ月〜4才くらいまでの日本人の子ども、特に男の子に多く、年間1万人以上が発病しています。原因は不明で予防法もまだ見つかっていません。

川崎病にかかると、突然39度前後の高熱が出て5日以上続きます。発熱して2〜3日たったころに目が充血したり、全

身にさまざまな大きさの赤い発疹が現れます。手足が赤くなってむくんだりはれたりし、首のリンパ節もはれてきます。唇が真っ赤になって乾き、舌がはれ、イチゴのように赤くブツブツになることも。発熱から10〜12日たったころに、手や足の指先の皮膚が膜のような感じでむけてきます。

また、血管に炎症が起こり、心臓の外側を流れる冠動脈の壁にこぶ（冠動脈瘤(りゅう)）ができ、血栓ができて血管が詰まってしまう合併症が起きることがあります。

[治療とケア]

入院して治療。
退院後も定期的に検査を

一度受診していても気になる症状があるときは、再受診を。川崎病と診断がついた後は入院して治療します。病院では心臓エコー検査で冠動脈の経過を観察しながらアスピリンやガンマグロブリンを投与して血液をかたまりにくくし、冠動脈瘤ができるのを予防します。適切な治療を受ければ、3週間〜1カ月ほどで退院できます。

現在では後遺症の検査法や治療法が確立されてきて、川崎病は以前ほど怖い病気ではなくなってきました。ただ退院後も心臓に異常がないか確認するために、定期的な検査が必要な場合もあるので、医師の指示に従ってください。

PART 10 赤ちゃんの病気

吐く・下痢する病気

発疹が出る病気／吐く・下痢する病気

先天性肥厚性幽門狭窄症 (せんてんせいひこうせいゆうもんきょうさくしょう)

主な症状 嘔吐・体重の増えが悪い

こんな病気・症状

胃の出口の筋肉が厚く、飲むたびに勢いよく吐く

胃から十二指腸へ続く部分の筋肉が生まれつき厚いために幽門が狭く、飲んだ母乳やミルクが胃から十二指腸に流れにくくなり、吐いてしまう病気です。母乳やミルクを噴水のように勢いよく吐くので栄養不足になり、だんだん体重が減ってきます。

症状が出るのは生後2～3週から1～2カ月の間で、約1000人に1人の割合で見られます。授乳のたびに噴水のように勢いよく吐き、初期には、吐いた後のきげんは悪くありません。すぐにおなかがすいて母乳やミルクを欲しがりますが、飲ませるとまた吐きます。そして、繰り返し大量に吐くので栄養が十分にとれず、体重が減り、しだいにやせてきます。水分をとれずに脱水状態となり、グッタリしてきたり、皮膚に張りがなくなってカサカサとしてくることもあります。

治療とケア

投薬や手術で狭くなっている部分を広げる

授乳のたびに勢いよく吐くときは受診を。脱水症状が見られる場合は、点滴で水分と栄養を補給します。厚くなっている幽門の筋肉を切開し、狭い部分を広げる手術をします。手術はできるだけ早期に行います。30分ほどで終わる簡単なもので、術後1週間程度で退院することができます。軽症の場合は、硫酸アトロピンの投与で治ることもあります。

噴門弛緩症 (ふんもんしかんしょう)【胃食道逆流症 (いしょくどうぎゃくりゅうしょう)】

主な症状 嘔吐

こんな病気・症状

胃の入り口の締まりがゆるいために吐く

胃の入り口の噴門部の締まりが悪く、飲んだ母乳やミルクが逆流し吐きます。元気で食欲もあり、便の状態もふつうです。まれに、吐いたものが気道に入り、肺炎や窒息を起こすこともあります。

治療とケア

1才ごろまでには自然に治る

1才ごろまでには噴門部の筋肉が発達し、自然に治ります。それまでは一度にたくさん飲ませず、少量ずつ回数を増やして飲ませます。授乳後はゲップを出させ、しばらくたて抱きにして母乳やミルクの逆流を防ぎます。

腸重積症 (ちょうじゅうせきしょう)

主な症状 腹痛・嘔吐・血便

こんな病気・症状

腸の一部が重なり合って吐き気や血便が出る

腸の中に腸の一部がもぐり込んでまってしまう病気です。もぐり込んだ腸は締めつけられて血液が流れなくなり、壊死します。治療が遅れると腹膜炎などを起こして命にかかわるため、早期に発見して治療することが大切です。

原因はよくわかっていませんが、ウイルスに感染してかぜをひいたり下痢を起こしたりしたときに、腸管の壁にあるリンパ節がはれて正常に働かなくなるためと考えられています。3～9カ月の体格のいい男の赤ちゃんに多く見られます。元気に遊んでいた赤ちゃんが、突然火

219

急性嘔吐・下痢症【胃腸炎】
きゅうせいおうと・げりしょう【いちょうえん】

主な症状 嘔吐・下痢

こんな病気・症状
胃腸が下痢・嘔吐を伴う炎症を起こす

胃や腸が急性の炎症を起こす病気の総称で、ほとんどの場合、胃腸に感染するウイルスや細菌が原因です。中でもロタウイルス腸炎には注意が必要です。

食欲がなくなり、腹痛、下痢、嘔吐などが見られます。便は水っぽく、粘液や血液が混じることも。ウイルスの種類によっては、頭痛、発熱、せきといったかぜ症状を伴う場合もあります。

治療とケア
症状に合わせた薬を処方

原因や症状に合わせて、抗生物質や下痢止め、吐き気止めなどが処方されます。脱水症状を防ぐため、水分補給を十分に。

ロタウイルス腸炎【白色便性下痢症・冬季下痢症】
ろたういるすちょうえん【はくしょくべんせいげりしょう・とうきげりしょう】

主な症状 嘔吐・下痢

こんな病気・症状
ロタウイルスの感染で、嘔吐の後に激しい下痢が続く

ロタウイルスが原因の腸炎です。便を介して口から感染します。下痢便の色が白いことから白色便性下痢症ともいわれ、寒い季節に多いので冬季下痢症とも呼ばれます。ただ最近は、冬に特有の病気ではなくなってきています。2才ごろまでの子がかかりやすく、乳幼児の下痢の代表的なものです。

たいていは激しい嘔吐から始まり、やや遅れて激しい下痢が続きます。発熱やせき、鼻水などのかぜ症状を伴うこともありますが、かぜの兆候は特にないまま始まることも少なくありません。

嘔吐は1～2日で治まりますが、下痢は徐々に激しさを増し、多いときには1日に10回以上も出ることがあります。さらに便が白っぽく、お米のとぎ汁のような水様便になり、酸っぱいにおいがします。腹痛のため、赤ちゃんは非常に不きげんになります。ひどい下痢は3～4日続きますが、徐々に回復し、1週間ほどするともとのうんちの状態に戻っていきます。

嘔吐や下痢の症状が激しいため、体内の水分が不足して脱水状態になることがあるので、注意が必要です。

治療とケア
嘔吐や下痢が始まったら早めに病院へ

ふつうの下痢と違って進行が早く症状が重いので、嘔吐や下痢が始まったら早

PART 10 赤ちゃんの病気

吐く・下痢する病気

めに小児科を受診しましょう。医師にはうんちの形状や回数、においなどを伝えますが、下痢便のついたおむつを持参するとより診断がつきやすくなります。

ただしロタウイルスに効く特効薬はないので、病院では吐き気止めや下痢を緩和する薬などが処方され、家庭で適切なケアをしながら回復を待ちます。

おしっこの回数や量が減った、唇や肌が乾いてカサカサしている、泣き声が弱弱しくグッタリしてきた、などのようすが見られるときは、脱水を起こしているおそれがあります。大至急、受診を。

脱水の予防に水分補給をこまめに

嘔吐や下痢によって体内の水分が急速に失われるので、脱水が起こらないようにすることがケアのポイントです。吐き気が強いときは、スプーンやスポイトなどで少量ずつこまめに水分を与えます。飲ませるものは湯ざまし、麦茶、赤ちゃん用イオン飲料などがいいでしょう。かんきつ系のジュースや乳製品は、嘔吐を誘発するので飲ませないように。

下痢がひどくなると、さらに水分補給が重要です。下痢で体内から出て行く以上の水分を補う必要があります。

食中毒
しょくちゅうどく

主な症状 嘔吐・下痢・発熱

こんな病気・症状

細菌がついた食品から感染し、胃腸炎を起こす

細菌に汚染された食品や調理器具、調理する人の手から感染して起こる急性の胃腸炎です。主に生の肉や魚介などについた細菌、鮮度の落ちた食品が原因です。原因となる細菌によって発症までの時間や症状の程度が違いますが、どの細菌に感染した場合も、腹痛、下痢、嘔吐などの症状を起こします。便に血が混じったり、発熱することもあります。

食中毒を起こす主な原因菌は、サルモネラ菌、キャンピロバクター菌、ブドウ球菌、病原性大腸菌O-157など。症状はそれぞれ異なります。

サルモネラ腸炎…サルモネラ菌が原因。ゴキブリやハエによって菌がついたり、イヌやネコ、ペットのミドリガメなどのふん尿の中にいる菌がついたり、市販の加工食品などから感染。発症までの時間は8～48時間。激しい下痢を起こし、嘔吐や発熱、腹痛を伴います。

キャンピロバクター腸炎…キャンピロバクター菌が原因。十分に加熱されていない肉、卵、ソーセージ、練り製品、ペットのふんなどから感染します。発症までの時間は3～5日間。血液の混じった下痢、腹痛、発熱、嘔吐が主な症状です。

ブドウ球菌食中毒…ブドウ球菌が原因。化膿した傷のある手指などで調理されたおにぎりやサンドイッチなどの食品、練り製品から感染。発症までの時間は1～6時間。主な症状は嘔吐や下痢、腹痛です。

病原性大腸菌食中毒…O-157などの病原性大腸菌が原因。加熱が十分ではない肉や生野菜などから感染します。発症までの時間は3～9日間。激しい腹痛、真っ赤な血便が特徴。菌が出すベロ毒素で血小板が減少し、貧血や腎機能の低下、けいれんなどが起きることもあります。

また最近では、小型球形ウイルス（ノロウイルス・SRSV）による食中毒も増えています。原因になる食品は生カキや魚介類で、冬に多いのが特徴。突然吐き気を催し、嘔吐や下痢が1～2日ほど続きます。吐いたものや便中のウイルスで二次感染を起こすこともあります。

治療とケア

食中毒が疑われるときは、受診を

嘔吐を繰り返し、激しい下痢が続くときは、すぐに受診します。特に顔色が青ざめてグッタリしたときは、至急受診をしましょう。血便が出たときは、おむつを持参します。原因菌に有効な抗生物質などを投与し

て治療します。入院が必要な場合もあります。自宅で看護する場合、下痢や嘔吐がある間は水分補給を心がけましょう。

慢性の乳児下痢症 [まんせいのにゅうじげりしょう]

主な症状 下痢

こんな病気・症状

下痢が続いて体重が減少する

かぜなど何らかの原因で急性の下痢を起こした後、下痢がよくならず、2週間以上続く状態をさします。慢性的に下痢が続くときは、主に、乳糖不耐性下痢症とアレルギー性の下痢症が考えられます。

乳糖不耐性下痢症…乳糖を分解する消化酵素のラクターゼがまったくないか不足していることが原因の下痢症です。腸内で乳糖を分解することができないため、ミルクや牛乳、乳製品などをとるとうまく消化・吸収できずに下痢や嘔吐を起こします。先天的なものは少なく、下痢が長引いて腸の粘膜が炎症を起こしたことによる後天的なものがほとんどです。

アレルギー性の下痢症…アレルギー体質の子どもが、特定のアレルギーの食品を食べたときに消化器官がアレルギー反応を起こして下痢をします。腹痛、嘔吐、じんましん、湿疹、喘息といったアレルギー症状が同時に現れることもあります。

治療とケア

下痢が続くときは受診して、症状に合った治療を

下痢がなかなか治らず、体重の減少が見られるときは、受診して原因を調べてもらうといいでしょう。乳糖不耐性下痢症の場合は、下痢がよくなるまで乳糖分解酵素剤を服用したり、乳糖の入っていない特殊なミルクなどに切り替え、離乳食でも乳製品を避けるようにします。

下痢の原因が特定の食品による アレルギーと考えられる場合、病院で血液検査をしてアレルギーの原因食品をつきとめ、医師の指導のもとで食事療法を行います。

アセトン血性嘔吐症 [周期性嘔吐症] [あせとんけっせいおうとしょう][しゅうきせいおうとしょう]

主な症状 嘔吐・下痢・発熱

こんな病気・症状

よく遊んだ翌日などに嘔吐や腹痛

疲れや空腹などで体のバランスが崩れ、嘔吐や腹痛を起こします。消耗したエネルギーを補うために皮下脂肪を分解した結果、代謝物のケトン体が増えることが原因とされます。よく遊んだ翌日などにグッタリして食欲がなくなり、嘔吐を繰り返します。息や尿に酸っぱいにおい（アセトン臭）がするのも特徴です。

胆道閉鎖症 [たんどうへいさしょう]

主な症状 黄疸・淡黄色便・濃黄色尿

こんな病気・症状

胆管が閉じて、胆汁が流れなくなる

肝臓と十二指腸を結ぶ胆管が完全に詰まってしまい、胆汁を十二指腸に送り込めない原因不明の病気です。黄疸が生後2週間を過ぎても消えず、便は逆に黄色みが薄く、尿は濃い黄色から褐色になります。この3症状があったら、すぐに小児科専門医へ。

治療とケア

手術で胆汁の通り道を作る

進行すると生命の危険があるため、閉じた胆管を切除し、胆汁が流れるようにする手術が緊急に必要です。手術時期が早いほうが黄疸の消える可能性が高いとされています。

222

PART 10 赤ちゃんの病気

せき・鼻水が出る病気

百日ぜき
（ひゃくにちぜき）

主な症状 せき

こんな病気・症状

「コンコン」「ヒュー」と、特有のせき発作が続く

特有の発作的なせきが出るのが特徴です。原因は百日ぜき菌で、せきやくしゃみなどから感染します。生後すぐの赤ちゃんでもかかります。

6〜20日の潜伏期間の後、くしゃみやせきなどかぜのような症状が現れます。発熱はほとんどありません。しだいにせきがひどくなり、特に夜になるとせき込むようになります。このような症状が1〜2週間続き、やがて「コンコン、コン」と立て続けに数十回のせきをした後、「ヒュー」と息を吸い込む「レプリーゼ」という特有の発作が始まります。1回の発作は2〜3分で、1日に数十回の発作が起きます。病名のとおり100日ぐらいせきが続く赤ちゃんもいます。発作のないときはわりと元気なのも特徴です。

月齢の低い赤ちゃんの場合、激しいせきの後に息を吸い込むことができなくなり、呼吸が止まることがあります。全身に酸素が行き渡らなくなり、唇やつめが紫色になるチアノーゼを起こしたり、けいれんを起こしたり、死亡することも。百日ぜき菌が肺に及ぶと百日ぜき肺炎を合併することもあります。

治療とケア

診断がついたら、抗生物質で治療

早めの治療が肝心。かかり始めに治療を始めれば、その後の症状が軽くすみます。百日ぜきと診断がつけば、抗生物質で治療します。

せきで体力を消耗するので、家では静かに過ごしましょう。空気が乾燥しているとせきが出やすいので、加湿器などを使って室内を加湿します。

せきが激しく飲めなかったり食べられなかったりするときは、少しずつ数回に分けてあげるといいでしょう。水分も十分に補給します。酸味のある飲みものや甘い飲みものは、せきを誘発するので控えます。

百日ぜきを予防する四種混合（DPT-IPV）ワクチンは、生後3カ月から受けられます。百日ぜきは月齢が低いほど重症になり、命にかかわることもあるので、できるだけ早めに受けましょう。

クループ
（くるーぷ）

主な症状 発熱・せき

こんな病気・症状

のどがむくんで遠ぼえのようなせきが出る

のど（喉頭）にウイルスや細菌が感染して炎症が起きます。発熱とともに、のどの粘膜がむくんで気道が狭くなり、声がかれてイヌの遠ぼえのような特有のせきが出ます。息を吸い込むときにヒューという音がします。ひどくなると呼吸困難を起こし、唇やつめが紫色になるチアノーゼが見られます。

治療とケア

薬を使って、のどの炎症を抑える

ステロイド剤や血管収縮剤でのどの炎症を抑えます。抗生物質を使うことも。せき込むときは加湿し、水分を飲ませてあげましょう。

重症の場合は入院して酸素吸入を行います。

吐く・下痢する病気／せき・鼻水が出る病気

223

急性気管支炎

きゅうせいきかんしえん

主な症状　発熱・せき・たん

こんな病気・症状

気管支に炎症が及び、せきが悪化する

鼻やのどについたウイルスや細菌が、気管支の粘膜で炎症を起こし、激しいせきが長く続くのが特徴。多くはかぜをこじらせたことが原因です。

6カ月未満の赤ちゃんでは炎症がさらに進み、気管支の奥にある細気管支が炎症を起こす細気管支炎という重い病気になることもあります。発熱、鼻水、軽いせきなどのかぜ症状から始まり、コンコンという乾いた感じのせきから、ゴボゴボというたんがからんだような湿った感じのせきに変わります。せきのために眠れなかったり、せき込んで吐くことも。食欲が落ちてきげんが悪く、重症になると呼吸困難を起こすこともあります。

治療とケア

室内の乾燥に注意して安静に過ごして

抗生物質を主体に、せき止め薬やたんを出しやすくする薬、解熱剤などが処方されます。医師の指示どおりに薬を飲ませ、安静を心がければ1週間ぐらいで熱は下がり、症状が軽くなります。しかし、気管支の粘膜が荒れているため、完全にせきが止まるまでには、2～3週間はかかるでしょう。

せきが出ているときは加湿器を使ったり、室内に洗濯物を干すなどして、部屋の空気が乾燥しないように注意しましょう。せき込んでいたら抱き上げるなどして上体を起こし、背中を軽くたたいてあげると少しラクになります。せきやたんを出しやすくするために、水分補給もこまめに行ってください。

細気管支炎

さいきかんしえん

主な症状　発熱・せき・呼吸困難

こんな病気・症状

細気管支にウイルスが感染。呼吸困難も

6カ月未満の赤ちゃんに多く、苦しそうな呼吸が特徴です。気管支が枝分かれして細くなった細気管支にウイルスが感染。かぜをこじらせて起こることが多く、RSウイルスが主な原因です。

最初は熱や鼻水などのかぜ症状から始まり、「ヒューヒュー」「ゼーゼー」という呼吸をするようになります。重症になると呼吸のたびにみぞおちのあたりがへこみ、呼吸困難を起こして、命にかかわ

治療とケア

至急病院へ。入院して治療

病気の進行が早いため、呼吸が苦しそうなようすが見られたら、至急病院へ。多くは入院して治療します。酸素吸入を行ったり、抗生物質を投与したりします。

肺炎

はいえん

主な症状　発熱・せき

こんな病気・症状

さまざまな病原体が肺で炎症を起こす

ウイルスや細菌などが肺に侵入して炎症を起こす病気です。多くはかぜや気管支炎をこじらせたことによって発症します。低月齢の赤ちゃんは、抵抗力が弱いため重症になりがちで、注意が必要です。

原因となる病原体によってウイルス性肺炎、細菌性肺炎、マイコプラズマ肺炎などがあります。共通して見られる症状は発熱とせきですが、症状の程度や回復までの期間は病原体によって異なります。

細菌性肺炎…かぜや気管支炎をこじらせたときに、細菌に感染して炎症を起こします。黄色ブドウ球菌性肺炎と肺炎球菌性肺炎が代表的です。重症になりやすく、

224

PART 10　赤ちゃんの病気

せき・鼻水が出る病気

高熱が続く、呼吸が速い、きげんが悪い、顔色がよくない、などの気になるようすがあるときは早めに病院へ。肺炎と診断がつけば、ほとんどの場合は入院して治療します。抗生物質を投与するほか、症状によっては酸素吸入、点滴による水分や栄養の補給を行います。

嚥下性肺炎の場合は、肺に入った異物を内視鏡などを使って取り除きます。入院する期間は症状の程度によって異なります。細菌性肺炎では1カ月以上の入院が必要になる場合もあります。

主にウイルス性の肺炎で症状が軽いときは自宅で療養することもあります。抗生物質が処方されたら、指示どおりにきちんと飲ませましょう。そのほかのケアは、基本的にかぜのときと同じです。安静にして水分補給に努め、適度な加湿を心がけます。

高熱が続いてグッタリし、呼吸困難を起こすこともあります。

ウイルス性肺炎…ウイルスに感染して起こります。肺炎の中でいちばん多いものです。かぜを起こすウイルスが肺炎の原因にもなります。せきがひどく、高熱が出ますが、細菌性肺炎に比べると症状が軽く、かかっても比較的元気なことが少なくありません。

マイコプラズマ肺炎…マイコプラズマという微生物が原因の肺炎です。熱、せきが続きますが、全身の症状は比較的軽いのが特徴です。赤ちゃんには少なく、学童期の子どもに比較的多く見られます。

クラミジア肺炎…ママがクラミジアに感染していると、分娩時に産道で感染することがあります。せきがひどく、目やにが出ます。

膿胸…細菌性肺炎が悪化し、肺を包んでいる胸膜に炎症が起こってうみがたまります。せきが出て熱が下がらず、顔色が青白くなって、呼吸困難や唇や爪やつめが紫色になるチアノーゼを起こします。

嚥下性肺炎…食べものや異物が気管から肺に入って起きる肺炎。かぜ症状がないのに急にせき込んで止まらなくなります。

治療とケア

気になるようすがあるときは、早めに受診を

乳幼児突然死症候群（SIDS）

乳幼児突然死症候群（SIDS）とは、元気だった赤ちゃんが眠っている間に突然亡くなる病気です。窒息死ではなく、SIDSという病気が原因の突然死で、日本では4000人に1人の割合で起こっており、1才未満の死亡原因の第3位になっています。

近年、眠っている間の「無呼吸」と「覚醒反応の低下」がこの病気に大きくかかわっていることがわかってきました。

睡眠中に無呼吸状態になって呼吸が数秒間止まるのは珍しいことではありませんが、ふつうは元に戻ろうとする覚醒反応が起こり、脳の中枢神経が刺激されて呼吸が再開されます。ところがSIDSになる赤ちゃんの場合、覚醒反応に関係する脳の部分にわずかな成熟の遅れが見られるというのです。しかし、その遅れは表面的な異常としては現れないので、残念ながらSIDSを引き起こす前兆を見つけることはまだできません。

ただ、SIDSを防ぐためにできることは、いくつかあります。

① うつぶせ寝はやめよう

うつぶせ寝の赤ちゃんのほうが、あおむけ寝よりSIDSになる確率が高いことがわかっています。赤ちゃんはできるだけあおむけの体勢で寝かせてください。

② 敷きぶとんはかために。顔の周りにものを置かない

あおむけに寝かせていても、いつのまにかうつぶせ寝になっている赤ちゃんも。うつぶせでも危なくないよう、かための敷きぶとんを使ったり、赤ちゃんの顔の周りにぬいぐるみやタオル、ビニール袋などを置かないように気をつけて。

③ なるべく母乳で育てよう

母乳の赤ちゃんのほうがSIDSの発生率が低いという統計があります。これは、母乳のほうが赤ちゃんとの接触時間が比較的長いために、SIDSの発生が低く抑えられるからと考えられています。

④ 赤ちゃんのそばでは禁煙を徹底

タバコの中のニコチンが、呼吸中枢や覚醒反応に悪影響を及ぼすことがわかっています。赤ちゃんのいる部屋でのタバコは、絶対に"No!"です。

小児結核 （しょうにけっかく）

主な症状 発熱・せき・食欲不振

こんな病気・症状

結核菌に感染し、発熱やせきが長引く

結核菌が鼻や口から肺に入って感染します。肺や気管支が炎症を起こし、発熱、せき、きげんが悪い、食欲不振などの症状が現れます。両親や祖父母など家族からうつるケースが大半です。

赤ちゃんの場合は、はっきりした症状が出ないこともあるために重症化しがちです。また、結核の進行が早いので重症化しやすく、病気の進行が早いので重症化しがちです。また、結核菌がリンパ液や血液の流れにのって全身に広がると粟粒結核になって、呼吸困難や唇が紫色になるチアノーゼ、高熱などの症状を引き起こします。結核菌が脳に入ると結核性髄膜炎となって意識障害や手足のまひを引き起こし、後遺症を残したり命にかかわったりすることもあります。

治療とケア

かかったら入院して治療。BCGで予防を

家族のだれかに長引くせきや微熱があるときは、家族全員で検査を受けてください。家族の中に結核患者がいた場合や、赤ちゃんが結核に感染していた場合は、入院して抗結核薬を投与して治療します。

小児結核はBCGの普及により、今では発症率の低い病気になりましたが、発症例は低年齢化していて、近年もっとも多くかかるのは０才児です。予防接種は生後６カ月までに受けておきましょう。

急性副鼻腔炎 （きゅうせいふくびくうえん）

主な症状 発熱・鼻水

こんな病気・症状

副鼻腔に炎症が起き、黄色い鼻水が出る

かぜをひいた後などに、鼻腔から副鼻腔の粘膜が細菌によって炎症を起こします。発熱の後、薄いサラサラした鼻水が黄色くドロドロしてきて、絶え間なく出たり、鼻詰まりを起こしたりします。

治療とケア

耳鼻科でたまった鼻水を出してもらう

耳鼻科を受診して治療します。鼻の穴から副鼻腔に針を入れ、鼻水を出して洗浄してから抗生物質の薬を注入します。

家庭では、市販の鼻水吸い取り器などで、ママがこまめに鼻水を取ってあげましょう。

急性鼻炎 （きゅうせいびえん）

主な症状 鼻水・発熱

こんな病気・症状

鼻の粘膜の炎症でくしゃみや鼻水が

いわゆる「鼻かぜ」で、ウイルスの感染から鼻の粘膜が炎症を起こした状態です。くしゃみ、鼻水、鼻詰まりがあり、発熱することも。鼻をズーズーと鳴らして呼吸をしたり、鼻詰まりのために母乳やミルクを飲みにくいようすも見られます。

治療とケア

鼻水を吸い取り、鼻詰まりを予防

鼻水をためないことが第一です。鼻詰まりを起こさないよう、鼻水吸い取り器などを使って鼻水を出してあげましょう。母乳やミルクが飲めないほど鼻が詰まっていたら、耳鼻科を受診し、鼻水を吸い取ってもらいます。

PART 10 赤ちゃんの病気

けいれんが起きる病気

熱性けいれん

こんな病気・症状
主な症状　発熱・ひきつけ

質がかかわっているともいわれており、パパやママ、きょうだいなどが熱性けいれんを起こした病歴があると、赤ちゃんも起こす可能性が高くなります。

高熱が出るときに脳が興奮する

発熱に伴い、多くは熱の上がり際に起きるけいれんです。生後6カ月〜6才、中でも3才代までの乳幼児に多く見られます。15人に1人ほどの割合で起きるといわれ、珍しい病気ではありません。

乳幼児の脳は未成熟なため、高熱が出ることで脳細胞が興奮して体がけいれんを起こすと考えられています。遺伝や体質がかかわっているともいわれており、パパやママ、きょうだいなどが熱性けいれんを起こした病歴があると、赤ちゃんも起こす可能性が高くなります。

熱の上がり際に体が硬直してひきつける

かぜ、突発性発疹症、尿路感染症などで高熱が出るときに、前ぶれもなく突然体をけいれんさせます。目が白目になり、歯を食いしばり、体が硬直します。また、手足を体にひきつけ、ガクガクと震わせたり、手足が突っ張るようにかたくなることもあります。けいれんを起こしている間は意識がなくなります。

治療とケア

ようすを観察し、治まったら受診を

単純な熱性けいれんであれば、2〜3分から長くても5分以内に自然に治まります。治まった後は、ほとんどの場合眠ってしまいます。目覚めた後は、何もなかったかのようにケロッとしていることが多いようです。起きてから泣きだすこともありますが、意識が戻り、手足にまひがなければまず安心です。

赤ちゃんを平らな場所に寝かせてから、衣類のボタンをはずします。

その後は、積極的にするべきことは特にありません。ひきつけているときのようすをよく観察してください。それが、熱による単純なひきつけかほかの病気かを診断する際に役立つからです。

熱によるひきつけの場合は特に心配はありませんが、脳の病気に伴うひきつけの場合もあるため、初めてひきつけたときは必ず受診します。ひきつけが5分以内で治まり、ひと眠りした後に吐いたりグッタリするなどの変わったようすがなければ、通常の診察時間内に受診して、ひきつけた原因を調べてもらいましょう。夜中や休日なら、翌日でもかまいません。

一方、5分以上けいれんが続いた、1日に2回以上ひきつけた、意識が戻らない、ひきつけた後、手足にまひがあるなどの場合は、至急病院へ。

けいれんのケア

赤ちゃんがけいれんを起こすと、周囲は気が動転しがちですが、まずは落ち着きましょう。

❶ 平らな場所に寝かせます。
❷ けいれんして硬直した体を締めつけないよう、衣類のボタンやズボンのサスペンダーをはずします。
❸ 吐きそうなようすが見られたら、体ごと横向きに寝かせます。
❹ 赤ちゃんのようすをよく観察します。観察のポイントは、顔色、目の位置はどこか、手足のけいれんは左右対称か、呼吸の状態などです。けいれんが何分間続いたかも計ります。
❺ 意識が戻ったら、熱も測っておきます。

経過を記録して受診のときに医師に伝えるといいでしょう。

強く抱きしめたり、揺さぶったり、大声で名前を呼んだりするのは禁物。口の中に指やものを入れるのも、窒息の危険があるので控えます。

せき・鼻水が出る病気／けいれんが起きる病気

なお、熱性けいれんを起こしやすい場合は、抗けいれん剤が処方されます。熱が出たタイミングで抗けいれん剤を使用すると、けいれんを防ぐことができます。

憤怒けいれん【泣き入りひきつけ】
ふんぬけいれん【なきいりひきつけ】

主な症状　ひきつけ

こんな病気・症状

激しく泣いているときに突然けいれんを起こす

激しく泣いている赤ちゃんが突然息を止めて手足を突っ張り、けいれんを起こします。激しく泣くことで息継ぎができず、脳に酸素が行かなくなるのが原因と考えられています。

泣き叫んで急に呼吸が止まり、顔が青白くなり唇が紫色になるチアノーゼを起こします。体をそらせ、手足をかたく突っ張りピクピクさせることもあります。しかし、1分ほどで治まりふつうの状態に戻ります。

治療とケア

抱っこなどで激しく泣く前に落ち着かせて

念のため受診し、脳の病気ではないことを確認してもらいます。泣いたときは、激しく泣く前に抱っこなどで落ち着かせましょう。

てんかん
てんかん

主な症状　ひきつけ

こんな病気・症状

熱がないのに突然ひきつけを繰り返す

熱がないのに突然意識を失ったり、ひきつけを起こす発作を繰り返します。脳の神経細胞の一部が、刺激に対して興奮しやすい性質を持っているためと考えられています。脳の外傷や脳炎、髄膜炎、新生児仮死などが原因で起きることもありますが、原因のわからないものも多く見られます。

てんかんにはいくつかのタイプがあります。赤ちゃんや幼児に比較的多いのは、主に次のようなてんかんです。

点頭てんかん…ウエスト症候群とも呼ばれます。生後数カ月〜1才前後の赤ちゃんに多く、目覚めたときや眠くなってきたときに手足を急に突っ張ったり、首をカクンカクンと前に倒して両手をパッと開く動作を十数秒〜数十秒間隔で繰り返します。

小児良性てんかん…主に夜間、突然片側の口の端をピクピクさせたり、手足をバタバタさせる発作が見られます。治りやすいてんかんです。

小児欠伸てんかん…5〜8才くらいの子どもに多く見られるてんかんです。突然意識がなくなり、一瞬動作が止まる発作が起こります。発作は数秒〜数十秒続き、治まった後は何ごともなかったように発作前の動作を続けます。治療によって治りやすいてんかんです。

治療とケア

検査の後、症状に合わせた治療を

てんかんの発作が起こったら、ひきつけのケアをしてようすを見ます。症状が治まって目覚めたら病院へ連れて行き、早めに治療を始めましょう。

病院では、脳波、CT（コンピュータ断層撮影法）、MRI（磁気共鳴映像法）など、さまざまな検査をします。そのうえでどんなタイプのてんかんか、原因は何かなどを調べ、症状に合った治療を行います。

てんかんの治療には、抗てんかん薬が有効です。薬を毎日服用することで、脳の神経細胞の一部が興奮するエネルギーを抑え、発作が起こらないようにします。治療は数年間にわたることもあり、発作が出なくなってからも2〜3年は薬を服用することが必要になります。医師と二人三脚で気長に治していくことが大切です。最近では治療法の進歩で、経過が順調なケースも多く見られます。

PART 10 赤ちゃんの病気

けいれんが起きる病気／アレルギー性の病気

アレルギー性の病気

アトピー性皮膚炎
あとぴーせいひふえん

主な症状　湿疹・かゆみ・乾燥肌

こんな病気・症状

皮膚が乾燥し、さまざまなものが肌を刺激

アレルギー性の皮膚炎で、皮膚の乾燥とかゆみのある湿疹が慢性的に続きます。発症する年齢は早い場合で生後2～3カ月ごろ。月齢が低い場合はいったん乳児湿疹と診断され、その後の経過でアトピー性皮膚炎と診断されることもあります。

アトピー性皮膚炎を発症する赤ちゃんの肌は乾燥しやすく、バリア機能が弱くなっています。健康な肌にはなんでもない刺激にも反応し、炎症やかゆみが起きます。体質の上に、肌の乾燥、汗や汚れによる刺激などが加わり、アトピー性皮膚炎が発症すると考えられています。

かゆみのある湿疹ができ、よくなったり悪くなったり

症状の現れ方や経過はさまざまですが、まず顔や頭にかゆみを伴う湿疹ができ、しだいにおなかや背中などへ広がって慢性的に続くパターンが多く見られます。皮膚が乾燥し白っぽく粉を吹いたように見える、赤く小さな湿疹ができる、肌がただれてジクジクする、皮膚がかたくゴワゴワしてくるなどの症状が見られることもあります。いずれの場合もかゆみを伴い、かきむしってさらに悪化します。よくなったり悪くなったりを繰り返すのが特徴です。

治療とケア

処方されためぬり薬を指示どおりに使う

かゆみのある湿疹がなかなか治らないなど、アトピー性皮膚炎が疑われる場合は、小児科か皮膚科を受診します。治療にはぬり薬が処方されます。よく使われるのはステロイド外用薬と非ステロイド外用薬、保湿薬です。かゆみ止めの飲み薬が処方されることもあります。医師の説明をよく聞き、指示どおりに使いましょう。

身の回りの環境整備も大切

日常生活のケアも大切。ダニやハウスダストなども肌を刺激する要因になるため、部屋の掃除をこまめにします。天気のいい日は寝具を日光に当て、取り込んだら掃除機をかけてダニの死骸やほこりを吸い取ります。おふろ上がりにはローションやクリームをぬるなど、こまめな

ステロイド外用薬

ステロイド外用薬は皮膚の炎症やかゆみを抑えるのに効果的な薬です。ステロイドというのは、炭素原子の環が4つ結合したステロイド核を持つ有機化合物の総称です。アトピー性皮膚炎などの治療に用いられるステロイド外用薬は、このステロイド核を持つ副腎皮質ホルモン（化学的に合成されたもの）が含まれているため、一般に「ステロイド剤」とか「ステロイド軟膏」と呼ばれています。

ステロイド外用薬は、副作用が怖いから使いたくないという声がよく聞かれます。その副作用としては、皮膚が薄くなって血管が目だつようになる、毛が濃くなるなどがありますが、医師は副作用も考慮して薬を処方していますから、指示どおりに使いましょう。副作用を怖がってステロイド外用薬を使わないでいると、発疹をかきこわして症状を悪化させてしまいかねませんし、皮膚の炎症が長引き、赤ちゃんがつらい思いをするだけです。それよりは一定期間ステロイド外用薬を使い、炎症を抑えて症状を改善し、きれいな肌にしてあげたほうがいいのです。

ぬるときは、患部に薬をのせるようにします。湿疹ができているところは、皮膚が傷ついてデコボコしている状態ですから、少し多めに厚くぬります。薄くのばしたり、力を入れてぬり込む必要はありません。

スキンケアを心がけて肌の乾燥を防いでください。
アトピー性皮膚炎は、完治までにある程度の時間がかかります。赤ちゃんのようすをよく観察し、症状に合わせてきめ細かくケアすることが必要です。
まれにアナフィラキシー・ショックと呼ばれる激しいアレルギー症状を起こすこともあるので、注意が必要です。

食物アレルギー
（しょくもつあれるぎー）

主な症状 じんましん・湿疹・下痢・嘔吐

こんな病気・症状

特定の食品に反応してアレルギー症状が

特定の食品を食べたり飲んだりすることによって起きるアレルギー反応です。赤ちゃんに食物アレルギーが多いのは、腸管や消化機能が未発達で、免疫機能も不十分なためです。どんな食品でもアレルゲンになる可能性がありますが、特に多いのは3大アレルゲンといわれている卵・牛乳・小麦です。

アレルギーの原因となるものを食べた後、かゆみを伴う湿疹や、じんましんに似た発疹が見られます。吐き気、嘔吐、下痢が起きることもあります。そのほかにも、口の周りや口腔内のかゆみ、鼻水、喘息など現れる症状はさまざまです。原因となる食品をとってから反応が出るまでの時間もそれぞれ違い、食べた直後に症状が出る場合もあれば、1日以上たってから起きる場合もあります。

治療とケア

医師の指示に従ってアレルゲンの除去を行う

アレルゲンとなる食品をとらないようにする除去食療法が治療の基本です。除去食療法には、アレルゲンがわずかでも含まれる食品をいっさい食べない完全除去と、少量なら食べてもいい不完全除去の2種類があり、どちらを選ぶかは医師の指示に従います。

日々成長していく赤ちゃんの体にとって、バランスよく栄養をとることはとても大切です。アレルギーを疑われる食品があっても、ママの判断だけで特定の食品を制限してはいけません。除去食は、必ず医師の指導に従ってください。

アナフィラキシー

食品を食べるなどアレルゲンと接触した直後に起きる急激なアレルギー反応がアナフィラキシーです。アナフィラキシーを起こすと、唇のはれ、じんましんや湿疹、下痢、嘔吐などが見られ、さらにのどがはれて気道が狭くなり、呼吸困難や意識障害が起きてショック状態になり、死亡することもあります。アナフィラキシーを起こしたときは至急受診します。

気管支喘息
（きかんしぜんそく）

主な症状 せき・喘鳴・呼吸困難

こんな病気・症状

激しいせきや呼吸困難などの発作を起こす

気管支が炎症を起こして狭くなり、うまく呼吸ができなくなる病気です。発作が起きると激しくせき込んだり、ゼーゼーと苦しそうな呼吸をし、息を吐くときに「ヒューヒュー」と笛のような呼吸音が聞こえます。ほとんどの気管支喘息は、アレルギー反応によって起こります。ストレスやかぜ、汚れた空気やタバコの煙、激しく動いたり笑ったりすることによって発作が誘発されることもあります。重症になると、喘息の発作で呼吸困難から酸素欠乏を起こし、命にかかわることもあります。

気管支喘息の発作は、夜間や明け方に多く起きがちです。また、発作が治まったように見えても気管支が敏感になっているので、ちょっとした刺激でまた発作を起こしてしまいます。発作が長引いたり、顔色が悪かったり、唇が紫色になるチアノーゼが見られるときは夜間でも急いで受診しましょう。

PART 10 赤ちゃんの病気

アレルギー性の病気

じんましん

こんな病気・症状
主な症状 発疹・かゆみ

かゆみのある発疹が現れ、短時間で消える

皮膚の一部にかゆみのある赤い発疹が出ます。発疹は大小いろいろで、表面が平らで全体的に盛り上がっています。皮膚だけでなく、口の中やのどなど全身どこにでもできます。発疹が出る部位や消えるまでの時間、かゆみの程度はさまざまですが、ほとんどの場合、数時間から数日で消え、あとも残りません。1週間以内に治まるものを急性じんましん、1カ月以上繰り返すものを慢性じんましんと呼んでいます。

赤ちゃんの場合、食物アレルギーの初期症状としてじんましんがよく見られますが、原因は多種多様で、飲み薬、日光、汗、気温の変化や、皮膚をひっかいたりこすったりする物理的な刺激などが原因となることもあります。

〈治療とケア〉
家でようすを見て、かゆみが強いときは受診を

自然に治ることがほとんどです。症状が軽ければ、家でようすを見ていてもいいでしょう。じんましんのできているところに、ぬれタオルなどを当てて冷やすとかゆみが治まることもあります。

病院では、抗ヒスタミン剤の飲み薬が処方されます。服用すると症状は治まりますが、よくなったからといってママの判断で薬をやめてはいけません。原因が食物アレルギーであることがわかっていて、なおかつアレルゲンが特定できる場合は、医師の指示のもとで除去食療法を行うこともあります。

アレルギー性鼻炎
（あれるぎーせいびえん）

こんな病気・症状
主な症状 鼻水・鼻詰まり・くしゃみ

アレルギー反応によって鼻水、鼻詰まりが続く

アレルギー反応によって鼻の粘膜で炎症が起き、鼻水や鼻のかゆみ、鼻詰まりなどが見られます。透明で、水のようにサラリとした鼻水がいつまでも続いたり、くしゃみが出たり、鼻が詰まったりしま

〈治療とケア〉
薬やケアで発作を抑える

喘息発作が見られたら病院で検査を受け、アレルギーの原因を突き止めておきましょう。治療には、主に気道の炎症を取る薬と、狭くなった気管支を広げる薬（気管支拡張剤）の2種類が使われます。処方された薬は指示どおりに使い、発作を予防し抑えることが大切です。

発作が起きたときは、寝ているより上体を起こしていたほうが呼吸がラクです。たて抱きにしたり、敷きぶとんの下にクッションなどを入れて上半身を起こし気味にしたり、ふとんに寄りかかるようにして座らせたりするといいでしょう。衣類をゆるめたり、たんが切れやすくなるようにこまめに水分を補給するのも、せきを鎮めるのに効果的です。

赤ちゃんの花粉症

アレルギー性鼻炎やアレルギー性結膜炎で、花粉がアレルゲンの場合を花粉症といいます。花粉症は、春や秋などアレルゲンとなる植物の花粉の飛ぶ季節だけ症状が出るのが特徴です。アレルゲンとしてもっとも多いのは、春先に飛ぶスギ花粉です。

以前は花粉症は赤ちゃんにはほとんど見られませんでした。しかし最近では、1才前後から発症するケースも増えてきています。

ただし、アレルギー反応が起きるのは、アレルゲンが繰り返し体内に入ったときです。たとえばスギ花粉のアレルギーなら、ふつうは、赤ちゃんが2度目の春を迎えるくらいまで発症することは、まずありません。

す。赤ちゃんは口呼吸がうまくできないので、鼻詰まりがひどいと呼吸しにくくなってきげんが悪くなったり、息苦しさのためによく眠れなくなったりします。

主な原因は、ダニやハウスダストです。ほかにもペットの毛やふけ、花粉などがアレルゲンとなることがあります。

ただし、赤ちゃんの場合、アレルギー性かどうかを確認するのは難しく、はっきりと診断がつけられるのは2才を過ぎたころからです。

治療とケア

生活環境を整え、アレルゲンを取り除く

病院では、症状をやわらげるために抗アレルギー剤や抗ヒスタミン剤の飲み薬や点鼻薬が処方されます。

薬による治療とともに大切なのは、生活環境を整えることです。主なアレルゲンとなるダニやほこりといったハウスダストを取り除くため、掃除や換気をこまめに行い、天気がいい日はふとんを日光に当てましょう。取り込んだふとんには念入りに掃除機をかけてください。

アレルギー性結膜炎
あれるぎーせいけつまくえん

主な症状 目の充血・かゆみ・まぶたのはれ

こんな病気・症状

目の結膜にアレルゲンが接触。目のかゆみ、充血などが続く

眼球の表面とまぶたの裏側を覆っている結膜にアレルゲンがつき、アレルギー反応による炎症が起きます。アレルゲンは赤ちゃんによって異なりますが、主にダニやハウスダスト、ペットの毛やふけ、花粉などです。ウイルスや細菌に感染して起こるものではないので、ほかの人にうつす心配はありません。

アレルギーの検査

アレルギー性疾患で受診すると、原因物質（アレルゲン）を特定するための検査を受けることがあります。よく行われるのは、血液中のIgEという抗体の有無を調べる検査（IgE CAT RAST）です。ある物質に対するIgEの数値が高ければ、それがアレルゲンである可能性が考えられます。

もうひとつは、皮膚テスト。卵白や花粉などのアレルゲンを薄めた溶液を皮膚につけ、反応を見ます（プリックテスト）。溶液をしみこませたパッチ（布の小片）を皮膚にはる場合もあります。

ただし、検査は万能ではありません。検査結果は診断のための重要な参考にはなるものの、その物質がアレルギー反応の原因とは限らない場合もあります。

ただし赤ちゃんの場合、結膜炎の症状があってもアレルギー性かどうかを確認するのは難しく、はっきりと診断がつくのは2才を過ぎたころからです。

目のかゆみ、充血、まぶたのはれ、目やになどの症状が現れます。目をこすったために雑菌が入り、黄色っぽい目やにが出ることもあります。かゆみのためにまばたきの回数が増えたり、目をこする動作が多くなることも。また、赤ちゃんによっては鼻水や鼻詰まりなど、ほかのアレルギー症状を伴うこともあります。目を強くこすったために角膜に傷がついてしまい、視力に影響が出てしまうこともあるので、症状が見られたら早めに眼科か小児科を受診しましょう。

治療とケア

抗アレルギー剤の点眼薬で症状を抑える

抗アレルギー剤の点眼薬でかゆみなどの症状を抑えます。赤ちゃんの場合、点眼薬を使ってもすぐにこすってしまって効果が薄いため、かゆみ止めの飲み薬が同時に処方されることもあります。

汚れた手で目をこすると雑菌が入りやすくなります。ときどき流水で赤ちゃんの手を洗って清潔を保つようにし、つめも切っておきましょう。目やにが出ていたら、湿らせたコットンやガーゼでそっとふき取ってあげるといいでしょう。

PART 10 赤ちゃんの病気

皮膚の病気

ふだんから皮膚の状態をチェックして

赤ちゃんの肌は薄くて機能も未発達で、そのため外部からの刺激にも弱く、さまざまなトラブルを起こしやすいものです。皮膚のカサカサや湿疹など、皮膚のトラブルは目で確認できます。着替えや入浴などのときに皮膚の状態をよく見ることを習慣にしましょう。

発疹などの皮膚のトラブルを起こしているときは、素人判断で手もとにあるぬり薬をぬらないようにします。病気に合わない薬だった場合、かえって症状が悪化することがあるからです。

ほかにも皮膚トラブルがないか、全身をチェックすることも忘れてはいけません。また、はしかや水ぼうそうなどのように、皮膚以外に症状が現れる病気もあるので、熱やせき、鼻水などを伴っていないかどうかもよく観察してください。

症状があるときは早めに皮膚科を受診して、医師には「いつから」「どの部分に」「どんな」トラブルが起きているかを具体的に伝えましょう。

アレルギー性の病気／皮膚の病気

乳児湿疹 [にゅうじしっしん]

主な症状 湿疹・かさつき・かゆみ

こんな病気・症状

顔にできる赤い湿疹

生後間もなくから1才ごろまでにできる湿疹を総称して乳児湿疹と呼びます。生まれたばかりの赤ちゃんは、皮脂の分泌が過剰で湿疹ができやすい一方、2〜3カ月を過ぎると、今度は肌の乾燥による湿疹が増えます。ほおや口の周り、あご、頭などに赤い湿疹ができます。ジュクジュクしたり、かゆみを伴ったり、小さな水疱やうみを持ったポツポツが交じることもあります。

治療とケア

石けんで顔を洗い、清潔に

入浴の際にベビー用の石けんで、よく洗うのがケアの基本です。肌を清潔にすれば、3〜4週間で治ります。かゆみから皮膚をかきこわさないよう、つめはいつも短く切っておきます。

ケアを続けても治らないときには、受診します。

新生児にきび [新生児痤瘡] [しんせいじにきび・しんせいじざそう]

主な症状 ただれ・湿疹

こんな病気・症状

皮脂の多い部分に湿疹が

生後1週間ごろから、顔の皮脂の分泌が多い部分にできるにきびのような湿疹です。皮脂が毛穴に詰まったところに細菌が感染して、発疹ができます。赤くなったり、うみを持ったり、皮脂が詰まって毛穴が黒くなることもあります。

治療とケア

清潔を心がけることが肝心

いつも清潔にしておくことがケアのポイント。入浴時はベビー用の石けんでよく洗いましょう。ひどくうんでジクジクしたり、炎症が広がるときは病院へ。症状によって、軟膏が処方されます。

乳児脂漏性湿疹 [にゅうじしろうせいしっしん]

主な症状 湿疹

こんな病気・症状

かさぶた状の湿疹ができる

頭やまゆ毛、髪の生え際などにできる、黄色っぽいかさぶた状の湿疹。生まれた

あせも【汗疹】

主な症状　発疹・かゆみ

こんな病気・症状
汗をかきやすいところに発疹が

汗の出口が汗やあかでふさがれ、外に出られなくなった汗が皮膚の中にたまり炎症を起こしたものです。頭や額、首やわきの下、背中やおむつが当たる下腹部など、汗をかきやすかったりくびれたりしている部分に、細かい発疹ができます。

治療とケア
汗のケアをこまめに

汗をかいたらこまめにふき取り、発疹をかきこわさないようにしてようすを見ばかりの赤ちゃんは皮脂の分泌が多く、汚れと混ざってかたまり、かさぶたのようになって皮膚にこびりつきます。悪化すると炎症を起こしてただれてきます。

治療とケア
ふやかしてから洗って取る

入浴前にベビーオイルをぬって30分くらいおき、ふやかしてから取ります。ほとんどの場合は、皮脂の過剰な分泌が治まる生後3～4カ月になると自然に見られなくなります。

接触性皮膚炎
せっしょくせいひふえん

主な症状　かゆみ・湿疹

こんな病気・症状
よだれや汗が刺激に

皮膚にふれたものが原因で、肌にかゆみのある炎症が起きます。多いのは、よだれや汗、おしっこ、果汁などの刺激。ブツブツや水疱が出ることもあります。原因になる物質にふれた部分だけに症状が出るのが特徴です。

治療とケア
清潔にしてぬり薬で治療

患部を洗って清潔にし、炎症を抑える薬をぬります。軽いときは市販薬でもかまいませんが、かゆみが強い、うみを持つ、範囲が広いなどの場合は受診を。

おむつかぶれ

主な症状　ただれ・湿疹

こんな病気・症状
うんちやおしっこが皮膚を刺激

おむつを当てている部分がうんちやおしっこの刺激で炎症を起こし、赤いポツポツができたりただれて真っ赤になったりします。ひどくなると水疱ができて皮がむけ、皮膚がジクジクします。おむつの中が蒸れやすい夏、下痢が続いたときなどは、悪化しやすいもの。特に低月齢の赤ちゃんは注意して。

治療とケア
いつもおしりをきれいに

こまめにおむつを替え、うんちやおしっこのたびに座浴やシャワーで汚れを洗い流し、やわらかいタオルでそっとふいてよく乾かします。ただれがひどかったり、皮がむけているところがある場合は受診を。また、ケアをしているのに症状が長引くときは、皮膚カンジダ症の可能性もあるので受診してください。ます。発疹の数が多い、あせもが広い範囲にわたってできている、かゆくてかきむしっているときなどは受診しましょう。症状によっては弱いステロイドのぬり薬が処方されることもあります。

皮膚カンジダ症
ひふかんじだしょう

主な症状　ただれ・湿疹

こんな病気・症状
おしりやまたがカビに感染

カンジダ菌というカビの一種が原因。

234

PART 10 赤ちゃんの病気

皮膚の病気

おしりやまたに赤い小さな湿疹ができて赤くただれます。おむつかぶれと似ていますが、おむつがふれていない部分にも炎症が起きます。おむつが直接当たっていないくびれの奥までただれていたら、皮膚カンジダ症の可能性が高いでしょう。

治療とケア
抗真菌剤入りの軟膏で治療

顕微鏡検査でカンジダ菌の有無を調べ、菌が見つかれば抗真菌剤入りの軟膏で治療します。医師の指示どおりに薬を使えば、ふつうは1～2週間でよくなります。

いぼ【尋常性疣贅】

主な症状 いぼ・痛み

こんな病気・症状
手や足の裏にいぼが

ヒト乳頭腫ウイルスに感染し、直径2mmくらいの盛り上がったボツボツが手の指や足の裏にできます。表面がザラザラしていてかたく、押すと痛みを感じることも。触るとほかの部位にうつり、数が増えていきます。人にもうつります。

治療とケア
凍らせてから取り除く

液体窒素を綿棒につけ、いぼを凍らせて取り除きます。一度では取りきれないので、何回かに分けて行います。

水いぼ【伝染性軟属腫】

主な症状 いぼ

こんな病気・症状
体のあちこちにいぼができる

伝染性軟属腫ウイルスが原因で、白色や透明のいぼが首やわきの下、胴体、ひじ、ひざの裏側などにできます。半球状に盛り上がり、真ん中が少しへこんでいるのが特徴です。炎症を起こしてジュクジュクしてくることもあります。
いぼの中にはウイルスが潜んでいます。いぼがつぶれると、その滲出液から体のほかの部分にウイルスがつき、いぼが増えていくのでかきこわさないよう、つめを短く切っておきましょう。ほかの人にもうつす可能性があるので注意します。

治療とケア
抗体ができるのを待つ

抗体ができれば自然に治ります。抗体ができるまでには半年～1年かかるため、その間にいぼが増えたり炎症を起こしたりすることがあり、積極的に取る方法もありますが、自然に治るのを待つのが基本です。

虫刺され

主な症状 かゆみ・はれ・痛み

こんな病気・症状
虫に刺されて赤くはれる

虫に刺されたところがかゆみや痛みを伴って赤くはれたり、熱を持ったり、発疹や水疱ができたりします。かきこわしたところに細菌が感染して化膿することもあります。また、ハチに刺されて、意識障害を伴うアナフィラキシーを起こすことがあるので、注意が必要です。

治療とケア
原因の虫に応じてケアを

ハチに刺されたときは、とげ抜きやテープで皮膚に残っている針を取り、血液とともに毒を押し出したり、毒を吸い出すといいでしょう。その後患部を流水で洗って冷やし、かゆみ止めの軟膏かステロイド入りの軟膏をぬります。痛みやはれがひどいときは、受診しましょう。
ハチ（特にスズメバチ）に刺された後に顔色が悪くなったり呼吸困難を起こしたりしたときは、大至急、病院へ。
そのほかの虫の場合は、患部を石けんで洗い、流水で冷やしてから市販のかゆみ止めをぬります。はれが引かなかったり、かゆみがひどいときには病院へ。

日焼け（ひやけ）

主な症状　皮膚が赤くなる・水ぶくれ

こんな病気・症状
紫外線で赤みや水ぶくれに

日光の紫外線によって、肌の内部のメラニン（黒色色素）が増える現象です。赤ちゃんは皮膚が薄く、少しの紫外線でも皮膚の機能がこわされるおそれがあります。また、過度に日焼けをすると免疫機能に支障をきたし感染症にかかりやすくなったり、将来皮膚がんを発症する危険性が高くなるとも考えられています。

皮膚が赤くなり、ヒリヒリとした痛みが出てきます。その後、色素が沈着して皮膚が浅黒く変色し皮膚がむけてきます。

ひどい日焼けの場合は痛みやほてりを感じたり、やけどのような水ぶくれや発疹、むくみが起き、発熱や嘔吐などの全身症状を伴うこともあります。

治療とケア
赤くなったら冷やして保湿を

日焼けをさせないことが大切です。夏など外で遊ぶときは日陰を選び、帽子をかぶらせたり遊ぶときはベビー用の日焼け止めクリームやローションをぬったりして紫外線からガードしましょう。

肌が赤くなったりヒリヒリするほどの日焼けをしたら、ぬれタオルなどを当てて冷やしてからベビー用のローションなどをぬってください。

あざ

主な症状　皮膚の色の異常・皮膚の盛り上がり

こんな病気・症状
色素細胞や先天異常が原因

あざ（母斑）とは、皮膚の色素細胞や血管の先天的な異常で皮膚に色がついたように見えるものです。痛みやかゆみはなくほとんどは健康に影響しませんが、あざの種類によっては悪性化する可能性も。大きくなるなど急激な変化がないかどうか、つねに観察することが必要です。

青いあざ

蒙古斑（もうこはん）……生まれたときから腰やおしりに見られる平らな青灰色のあざで、形、大きさ、数、色の濃さなどはさまざまです。日本人の赤ちゃんのほぼ全員に見られますが、5〜6才ごろまでには自然に消えます。特に治療はしないのがふつうです。

異所性蒙古斑（いしょせいもうこはん）……手足や肩、胸、顔など、腰やおしり以外にできる蒙古斑です。ほとんどは自然に消えますが、色が濃く、成長しても消えにくいものもあります。部位によっては早い時期にレーザー治療を行うことがあるので、気になるときは医師に相談を。

太田母斑（おおたぼはん）……青色と褐色（かっしょく）が入りまじったあざで、生後数カ月ごろから額やこめかみ、目の周り、白目などに現れます。男児より女児に多く見られ、多くは顔の片側のみに現れますが、まれに両側にできることもあります。悪性化することはありませんが、自然に消えることもありません。気になる場合は早めにレーザー治療を行います。

赤いあざ

サーモンパッチ（さけいろ）……境目のはっきりしない、平らでピンク色のあざです。額の中央、上まぶた、鼻の下、上唇など、顔の中心近くに出るのが特徴です。顔にできている場合は、1才半ごろまでに自然に消える場合がほとんどです。

海綿状血管腫（かいめんじょうけっかんしゅ）……生まれたときから見られる盛り上がったあざで、色はふつうの皮膚と同じか青紫がかっています。血管の奇形による血管腫のひとつで、中に血液を含んでいます。押すとスポンジのようにやわらかくプクプクとした感触があります。自然に小さくなることはないので、早めに皮膚科を受診してください。

イチゴ状血管腫（いちごじょうけっかんしゅ）……生後数日〜1カ月ごろに体に赤い斑点が現れ、急速に大きく盛り上がります。イチゴのように赤く表面がブツブツしています。1才過ぎごろか

PART 10 赤ちゃんの病気

皮膚の病気

ら赤みが少しずつ消え、6〜7才ごろまでには自然になくなります。ただ、治った後の皮膚にしわが残ったり、大きなものだと完全に消えなかったりすることもあるので、気になるときは医師に相談してください。目の周りや口の周り、陰部などにできたときは治療が必要です。早い段階で皮膚科の受診を。

単純性血管腫（ポートワインステイン）…境目のはっきりした平らな赤いあざです。大きさはさまざまで、顔を中心に体じゅうどこにでも見られます。あざが大きくなったり、悪性化したりすることはありません。気になる場合は早めのレーザー治療で色を薄くすることができます。額から目の周りにかけて顔の片側半分に大きく広がっている場合は、緑内障やてんかんを引き起こす病気の可能性もあるので、早めに専門医を受診しましょう。

ウンナ母斑…うなじから後頭部に生じる赤いあざです。消えにくく、約半数が大人になっても残りますが、後頭部の髪で隠れる場所で美容的にもあまり問題にならないため、ほとんどの場合、特に治療することはありません。

茶色いあざ

扁平母斑…平らで盛り上がりのない褐色のあざです。形、大きさ、色の濃さはさまざまで、体じゅうどこにでも見られます。

す。生まれたときからある場合と、後からできる場合があります。いずれも悪性化することはありませんが、自然に消えることもありません。気になるときはレーザー治療を行いますが、治療しても再発するケースもあります。あざの大きさや形、濃淡はさまざまです。成長するまで気がつかないほど色が薄いものもあります。

カフェオレ斑…境界がはっきりした楕円形で平らな褐色のあざです。ほとんどの場合生まれたときからできていますが、生後まもなくできるケースもあります。大きさは直径0.2〜20cmとさまざまです。このあざが体に6個以上あると、レックリングハウゼン病（神経線維腫）という遺伝疾患の可能性があるので、早めに皮膚科を受診してください。

脂腺母斑…表面が平らか軽く盛り上がった黄色っぽいあざです。ほとんどが頭部に発生し、あざのある部分には髪の毛が生えません。思春期以降しだいに盛り上がり、髪の毛を洗ったときなどに出血することも。色も濃くなり、褐色になります。大人になって、がん化する可能性があるとも考えられており、早めに手術で切除することが多いようです。

黒いあざ

色素性母斑…一般に黒あざと呼ばれ、もっともよく見られるあざで、ほくろも母斑の一種です。多くは生まれつきで、

細胞というメラニン色素をつくる細胞が増加してできるために黒褐色や黒色をしています。扁平のもの、平らに盛り上がった形をしているもの、半球状に盛り上がっているもの、毛の生えているものなど表面の状態や形、大きさはさまざまです。体の半分を占めるほど大きなものもありますが、そうした巨大なものは悪性化することがあります。一方、直径5〜6mm以内のほくろ程度のものなら心配のないことがほとんどですが、急に大きくなったり、色や形が変わったり、傷つけていないのに炎症を起こして赤くなったり、出血やかゆみ、痛みなどの症状が見られたら、皮膚がんや悪性黒色腫に変化する前ぶれの場合もあります。すぐに皮膚科を受診してください。

白いあざ

白斑（白斑性母斑）…生まれつき、ある限られた部位の皮膚の色が体のほかの部分よりも白くなったもので、脱色素性母斑とも呼ばれます。何らかの原因で色素細胞が破壊されたり、減少したり、メラニン色素がつくられなかったためにその部分の皮膚が白くなったものと考えられています。多くは体や手足に見られ、顔に見られるケースは比較的少なめです。白い部分が広がってくるときは、ほかの病気も考えられます。よく経過を観察し、症状に変化があるようなら病院へ。

目・耳・口の病気

ふだんのようすに気をつけ、気になるときは受診を

赤ちゃんは目は未発達な状態で生まれ、ものを見ることの積み重ねで視力を獲得していきます。視機能が正常に発達するためには、眼球の位置が正常で遠視・近視・乱視などの屈折異常がなく、視力が左右で等しいことが大切です。赤ちゃんは見え方がおかしくても言葉で訴えることができませんが、ものを見るときの目つきやようすがおかしいと感じたときは、早めに眼科を受診してください。

また、耳も発達の途上で、ウイルスや細菌の感染を防ぐ機能が万全ではありません。そのため、中耳炎のような病気にかかりやすく、滲出性中耳炎など慢性化しやすい病気もあります。

口は消化器の入り口であり、口腔粘膜のようすで全身の健康状態がわかるだけでなく、病気の始まりがわかる場所としても重要な役割を果たしています。赤ちゃんのぐあいが悪そうなときは、口内炎ができていないか、赤くはれていないかなど、口の中のチェックも忘れずに。

先天性鼻涙管閉塞【涙目】
せんてんせいびるいかんへいそく【なみだめ】

主な症状：涙目・目やに

こんな病気・症状
涙目や目やにが続く

目がしらから鼻への涙の通り道である鼻涙管に薄い膜が残っていて、涙が鼻に抜けない病気。涙目で、目やにがたまります。たまった涙に細菌が感染し、涙嚢炎を起こすことも。

治療とケア
眼科で洗浄やマッサージを

眼科を受診して、抗生物質の点眼や涙嚢の洗浄やマッサージをしてようすを見ます。治らないときは、ブジーという細い針金を通して膜を破る手術を行います。

斜視
しゃし

主な症状：目の向きがおかしい

こんな病気・症状
黒目が寄って、視力障害も

黒目が内側や外側に寄っている状態。内側に寄っている内斜視、外側を向いている外斜視、片目が上か下にずれる上下斜視があり、視力の発達に影響が出ます。

治療とケア
両眼視の練習や手術で治療

両目で見る練習や、斜視のほうで見る機能矯正のほか、手術を行うことも。

睫毛内反症【逆さまつげ】
しょうもうないはんしょう【さかさまつげ】

主な症状：目やに・充血・涙目

こんな病気・症状
まつげが角膜を刺激する

赤ちゃんのまぶたは水分や脂肪が多くはぼったいため、まつげが内側を向き、角膜を刺激。目が充血し、涙目になったり、目やにが出たりします。

弱視
じゃくし

主な症状：視力が発達しない

こんな病気・症状
視力が発達しない

目の病気が原因で、視力が発達しませ

238

PART 10　赤ちゃんの病気

目・耳・口の病気

先天白内障

せんてんはくないしょう

主な症状　水晶体が濁り、視力に障害

こんな病気・症状

生まれつき水晶体が白く濁り、ものを目で追わなかったり、眼球が揺れるように動く状態が見られます。目つきがおかしいことで気がつくこともあります。妊娠初期のママの風疹感染や遺伝でも発症しますが、原因不明の場合もあります。

治療とケア

手術の後、めがねなどで矯正

重症の場合は、早めに水晶体の濁りを取る手術をし、めがねやコンタクトレンズで矯正します。軽症の場合は定期的に検査を受けるだけでいい場合もあります。

先天緑内障

せんてんりょくないしょう

主な症状　視力が発達しない

こんな病気・症状

眼圧が高く、視力が低下

眼圧が異常に高くなって視力が低下。よく転んだり、ものを見るときに異常に近づいたりします。進行すると黒目が大きくなり、黒目が白く濁ります。

治療とケア

早期発見・早期治療が大切

手術で治療します。手遅れになると失明のおそれもあるため、気になるときは早めに眼科を受診します。

屈折異常

くっせついじょう【遠視・近視・乱視】

主な症状　ものが見にくい

こんな病気・症状

目の構造の異常で見え方に影響

網膜の上に正しく像を結べず、ものが見えにくい状態です。遠視・近視・乱視があり、ものを見るときの姿勢がおかしい、目つきがおかしい、つまずいたり転びやすいなどの症状を伴います。

遠視…遠くも近くもよく見えません。視力が発達しないため、弱視や調節性内斜視の原因になることもあります。

近視…近くははっきり見えますが、遠くはぼんやりとしています。

乱視…ものがダブって見え、目が疲れやすく弱視の原因になることがあります。

治療とケア

めがねで視力を矯正

めがねや矯正して目を使う訓練をしながら、視力をつけていきます。強い近視や左右の視力の差が著しい場合は、6才ごろから矯正を行います。

眼瞼下垂

がんけんかすい

主な症状　まぶたが上がらない

こんな病気・症状

まぶたが上がらない

まぶたを引き上げる筋肉（眼瞼挙筋）が弱く、上まぶたが垂れ下がったままの状態です。片方の目だけに起こる場合と、両目に起こる場合があります。

治療とケア

早めに手術をする場合も

まぶたが瞳孔にかかっている場合は、視力の発達が損なわれるおそれが。早めに手術をして治します。

めがねや矯正で視力を回復

原因を調べ、めがねをかけたり、弱視のほうの目でものを見させる矯正法などで視力を回復させます。早期治療が大事なので、疑わしい場合は早めに受診を。

（※右端の列）

ん。よく転んだりつまずくことがあり、近くを見るときに頭を傾けたり、異常に近づいてものを見たりします。

239

結膜炎

けつまくえん

主な症状 目やに・充血

こんな病気・症状

目の結膜が炎症を起こす

上下のまぶたの裏側と目の表面を覆っている結膜が炎症を起こすのが結膜炎です。充血、目やに、涙目などが現れます。

細菌性結膜炎…黄色っぽい目やにがたくさん出ますが、比較的軽症で短期間で治ります。

ウイルス性結膜炎…涙がたくさん出て目が真っ赤に充血し、まぶたがはれ上がるなど激しい症状が出るのが特徴。完治までに時間がかかります。

アレルギー性の慢性結膜炎…かゆみと涙が出るのが特徴です。赤ちゃんには少なく、4〜5才になってから見られます。

治療とケア

指示どおりに目薬を使用

細菌性の場合は、抗生物質の入った点眼薬で治療します。ウイルス性の場合は、抗生物質とステロイド薬の点眼薬を併用します。アレルギー性の場合は、かゆみ止めやアレルギーを起こりにくくする成分の入った点眼薬を使います。

目やには湿らせたコットンやガーゼでふき取ってください。

急性外耳炎

きゅうせいがいじえん

主な症状 発熱・耳だれ

こんな病気・症状

耳を痛がり耳だれが出る

耳の入り口から鼓膜までの外耳道が炎症を起こします。耳を痛がったり耳だれが出ます。ひどくなるとおできのようにはれたり、血の混ざったうみが出ることも。原因は湿疹や細菌感染です。まれに、真菌というカビの一種が原因の場合も。

治療とケア

抗生物質で治療

小児科か耳鼻科を受診し、抗生物質の飲み薬や点耳薬で炎症を抑えます。痛みが強いときは、鎮痛解熱剤が処方されることも。うみが中耳にたまって痛みが激しいときは、鼓膜を切開してうみを出します。その後、鼓膜は再生します。

急性中耳炎

きゅうせいちゅうじえん

主な症状 発熱・耳だれ

こんな病気・症状

中耳に細菌が感染する

鼓膜の内側の中耳が細菌に感染して炎症が起きます。かぜなどでのどや鼻の粘膜についた細菌が、耳管を通って中耳に入るのが主な原因。発熱、せき、鼻水などのかぜ症状の後、高熱が出てきげんが悪くなり、耳に手をやったり耳を痛がったりします。症状が進むと中耳にうみがたまり、鼓膜が破れて耳だれが出ます。

治療とケア

耳鼻科を受診し、薬で治療

耳鼻科で耳の中を洗浄してもらいます。症状に応じて抗生物質やステロイドの入った軟膏や飲み薬が処方されるので、指示どおりに使いましょう。

慢性中耳炎

まんせいちゅうじえん

主な症状 耳が聞こえにくい

こんな病気・症状

耳の聞こえが悪くなる

急性中耳炎が治りきらず、鼓膜が破れたままになり、中耳が細菌に感染して慢性化した状態です。耳が聞こえにくくなります。

治療とケア

よくならなければ、手術も

抗生物質で治療を続けます。よくならない場合は、8〜10才くらいに手術を。

PART 10 赤ちゃんの病気

目・耳・口の病気

滲出性中耳炎（しんしゅつせいちゅうじえん）

主な症状 耳が聞こえにくい

こんな病気・症状　耳に滲出液がたまる

鼓膜の内側に滲出液がたまり、聞こえが悪くなります。後ろから呼んでも振り向かなかったり、テレビに近づいて見るようになります。耳だれや痛み、発熱はなく、発見が遅れることもあります。

治療とケア　鼓膜を切開し、滲出液を出す

抗生物質の服用や、鼓膜を切開して滲出液を出す処置をします。切開した鼓膜に直径2mmほどのチューブを入れて固定する手術を行う場合もあります。

難聴（なんちょう）

主な症状 耳の聞こえが悪い

こんな病気・症状　聞こえが悪く、音に反応しない

耳の聞こえが悪くなる症状で、大きな音にも反応しない、後ろから呼んでも振り向かなかったり、テレビのボリュームを上げたがるなどのようすが見られます。

遺伝的な影響、ママの妊娠中の感染症、低体重で生まれた場合などに難聴になる確率が高くなります。中耳炎やおたふくかぜなどが原因のこともあります。

治療とケア　早めに受診し、訓練を

聞こえがおかしいときは早めに耳鼻科へ。原因である耳の病気を治療すれば治る場合もありますし、早期に言葉の訓練を始めることが大切です。

鵞口瘡（がこうそう）

主な症状 口の中が白い

こんな病気・症状　口の中に白いカビがつく

口の中がカンジダ菌というカビに感染し、ほおの内側や舌の表面にミルクのかすのような白い斑点（はんてん）ができます。ひどくなると痛みのために母乳やミルクを飲みたがらなくなります。哺乳びんの乳首などを介して粘膜に感染し、発症します。

治療とケア　菌に効く薬で治療

抗真菌薬（こうしんきんやく）をぬりますが、シロップが処方されることも。また、予防として、哺乳びんや乳首はいつも消毒しましょう。

地図状舌（ちずじょうぜつ）

主な症状 舌がまだら

こんな病気・症状　舌がまだら模様になる

舌の表面に炎症が起き、地図のような赤と白のまだら模様ができます。発熱の後や体力が弱っているときなどに見られますが、原因はよくわかっていません。

治療とケア　ようすを見ているうちに治る

治療の必要は特にありません。2～3週間続くこともありますが、しばらくすれば自然に消えます。

口内炎（こうないえん）

主な症状 口の中の炎症

こんな病気・症状　口の中の炎症で食欲減退

口の中の粘膜に炎症ができます。赤ちゃんによく見られるのは、アフタ性口内炎とヘルペス性口内炎です。

アフタ性口内炎（かいよう）…口の中に米粒大の白い潰瘍ができます。飲んだり食べたりするとしみて痛がります。はっきりとした原

241

因はわかっていません。

ヘルペス性口内炎…ヘルペスウイルスの初感染が原因。38〜40度の高熱が出て、口の中や歯ぐきに強い痛みのある潰瘍や水疱（すいほう）ができます。歯ぐきのはれや出血も。

治療とケア
脱水予防に水分を補給
アフタ性口内炎は、ほとんどの場合自然に治りますが、ひどいときは軟膏（なんこう）をぬります。ヘルペス性口内炎も自然に回復するのを待ちますが、症状が重い場合は抗ウイルス剤を服用します。どちらの場合も、脱水予防のために水分補給を。

先天歯
せんてんし

主な症状 先天的な歯

こんな病気・症状
生まれたときから歯が
生まれたときに歯が生えています。また、生後1カ月くらいまでに生える歯を新生児歯といいます。これらの歯は表面のエナメル質が薄く、歯の付け根ももろく、多くは自然に抜けてしまいます。

治療とケア
不都合があるときは受診を
ようすを見ていてかまいませんが、授乳時に乳首を傷つけたり、歯の先端が舌に当たって潰瘍をつくるときは、削ることもあります。歯科で相談してください。

上皮真珠
じょうひしんじゅ

主な症状 歯ぐきに白いもの

こんな病気・症状
歯ぐきの表面に白い粒が
生後2〜3カ月の赤ちゃんの歯ぐきに、白い粟粒（あわつぶ）大の粒が出てきます。触るとやわらかい感触があります。あごの中で歯がつくられる過程で、組織の残りが歯ぐきの表面に出てきたものです。

治療とケア
自然になくなるのを待つ
乳歯が生えるころには自然になくなります。母乳やミルクを飲むときに妨げになったり、舌を傷つけるようなら受診を。

上唇小帯強直症
じょうしんしょうたいきょうちょくしょう

主な症状 上唇に筋

こんな病気・症状
上唇小帯が残っている
上唇と歯ぐきの間の上唇小帯は、通常は永久歯が生えるころには縮んで細くなりますが、そのままの形で残ってしまったものです。歯ブラシで傷つけたり、歯の間にすき間ができたりします。

治療とケア
永久歯がそろうまでようすを見る
永久歯が生えそろうまでようすを見ますが、何もせずようすを見ていていいことがほとんどです。

むし歯
むしば

主な症状 歯が変色

こんな病気・症状
口の中の細菌が歯を溶かす
口の中のミュータンス菌によって歯のエナメル質や象牙質（ぞうげしつ）が溶かされた状態です。初期のむし歯は表面が白く濁ったり茶色に変色します。進行すると象牙質まで穴が開き、食べものをかむと痛みがひどくなります。さらに進行すると、神経まで到達して永久歯にも影響が出ます。

治療とケア
口の中をチェックし、治療を
こまめに口の中のチェックを。歯の色が濁っているならむし歯の初期段階です。早めに小児歯科を受診しましょう。

242

PART 10 赤ちゃんの病気

泌尿器・性器・おしりの病気

細菌による感染や生まれつきの形態不全が多い器官

泌尿器とは腎臓と尿路のことをさします。腎臓は左右にひとつずつあり、血液から不必要な物質を取り出して尿をつくります。それを体の外に排出する通り道が尿管、膀胱、尿道の尿路です。

尿路は、大腸菌などの細菌が侵入しやすく、感染症が起きやすい器官です。尿道口から侵入した細菌は、尿路のあらゆる場所や腎臓に達して炎症を起こします。この細菌感染から腎炎などの病気が引き起こされることもあります。泌尿器が病気にかかると、血尿やたんぱく尿、排尿量の変化など、尿に異常が見られます。

そのほか、生まれつき泌尿器の形態に異常があり、尿が逆流したり流れにくかったりするために、感染症にかかりやすいというケースもあります。

性器の病気も、先天的な形態不全が目だちます。出生時に発見されることがほとんどですが、軽症だと見過ごされる場合が。また、性器は細菌に感染しやすいので、ふだんから清潔を心がけましょう。

目・耳・口の病気／泌尿器・性器・おしりの病気

腎炎
じんえん [急性腎炎・慢性腎炎]

主な症状 むくみ・血尿・高血圧

こんな病気・症状

尿をつくる機能が低下

腎臓の糸球体が炎症を起こして腎機能が低下。血液のろ過がうまくいかなくなります。急性と慢性の場合があります。

急性腎炎（急性糸球体腎炎）…ほとんどは溶連菌が原因。かぜからくる扁桃炎や喉頭炎などの2～3週間後に症状が出ます。顔がむくみ、尿量が減少。血尿やたんぱく尿が出ます。

慢性腎炎（慢性糸球体腎炎）…急性腎炎の慢性化のほか、免疫反応の異常から炎症を起こす場合もあります。特に症状がないまま、何年も経過、病気が進行します。血尿、たんぱく尿が見られ、高血圧になることも。

治療とケア

安静を第一に食事療法も

急性腎炎で初めて発症したときは、ほとんどが入院して治療します。安静と保温、食事療法が基本で、退院後も療養が必要です。慢性腎炎の場合は症状にもよりますが、基本的に減塩、低たんぱくの食事を心がけ、体を疲れさせない心がけが必要になります。

ネフローゼ症候群
ねふろーぜしょうこうぐん

主な症状 むくみ・尿量減少・体重増加

こんな病気・症状

たんぱく質が尿へもれ出す

腎臓の糸球体に障害が起こり、尿に大量のたんぱくが出て、血液中のたんぱくが足りなくなります。尿の量が減り、顔や足がむくんだり、男の子だと陰嚢がふくれることがあります。症状が進むと、おなかもふくれ、体重が増えます。

治療とケア

食事療法やステロイドで治療

入院して治療します。安静にして減塩など食事療法やステロイドを投与。ふつうに生活できるまで治りますが、再発しやすいので食生活などに気を配る必要も。

裂肛
れっこう

主な症状 出血

こんな病気・症状

肛門が切れて出血する

うんちがかたく排便のときに強くいきむために、肛門が切れて出血したり、切れた部分の粘膜がはみ出てきます。

243

鼠径ヘルニア

主な症状　鼠径部のふくらみ

こんな病気・症状

足の付け根から腸が飛び出す

激しく泣いたりしたときに、足の付け根の鼠径部と腸の境目にある腹膜のすき間から腸が飛び出す病気です。女の子では卵巣が飛び出したり、男の子では飛び出した腸が陰嚢にまで入り込むことがあります。ふくらみが暗赤色になったり、痛がって大泣きしたり、押しても元に戻らないときは、飛び出した腸や卵巣が根元で締めつけられる嵌頓ヘルニアの疑いがあります。至急病院へ行ってください。

治療とケア

繰り返すようなら手術も

赤ちゃんが元気なら生後3カ月ごろまではそのままようすを見ます。その後も頻繁に繰り返すようなら手術を行います。

臍ヘルニア

主な症状　おへそが大きい

こんな病気・症状

腸が飛び出し、出べそに

腸の一部がおへそのヘルニア門から飛び出す病気で、いわゆる出べそです。激しく泣くなどしておなかに腹圧がかかったときにその出口から飛び出ることが多く、直径5㎝以上になることもあります。

治療とケア

自然に治るのを待つ

小児科か小児外科を受診します。出口が500円玉よりも小さければ自然に治る場合がほとんどです。2才ごろまでは目だたなくなることが多いでしょう。

亀頭包皮炎

主な症状　はれ・排尿痛

こんな病気・症状

おちんちんの先がはれる

おちんちんの先端が亀頭、亀頭を包んでいる皮が包皮です。この亀頭と包皮の間に恥垢がたまり、細菌に感染して炎症が起きる病気です。亀頭と包皮が赤くはれてかゆみがあり、排尿時に痛みを伴います。化膿して黄色いうみが出たり、尿に血が混じって赤みを帯びることも。

治療とケア

抗生物質で治療

放置すると尿路感染症を起こすこともあるので、早めに小児科へ。包皮を広げて消毒し、抗生物質を塗布します。炎症がひどい場合は抗生物質の内服も。

陰嚢水腫

主な症状　陰嚢のはれ

こんな病気・症状

陰嚢が腹水でふくらむ

陰嚢に腹水（分泌液）がたまり、ふくらみます。痛みやかゆみはなく、手で触るとプヨプヨした感触です。ヘルニアや睾丸腫瘍と症状が似ていますが、素人判断せず、早めに受診しましょう。

治療とケア

腹水が吸収されるのを待つ

陰嚢にたまった腹水が自然に体内に吸収されるのを待ちます。極端に大きくふくらんだ場合や、3才に近くなっても水腫が小さくならない場合は、腹水がたまらないようにする簡単な手術を行います。

便秘にならないよう食物繊維の豊富な食品を与えたり、おなかのマッサージで排便を促します。頻繁に肛門が切れるようなら小児科を受診しましょう。

PART 10 赤ちゃんの病気

泌尿器・性器・おしりの病気

停留睾丸【停留精巣】
ていりゅうこうがん[ていりゅうせいそう]

主な症状 触っても睾丸にふれない

こんな病気・症状
陰嚢に睾丸がおさまらない

陰嚢を触っても睾丸の手ごたえがなく、鼠径部に丸いしこりがあります。放置しておくと、大人になったときに精子を作る能力が低下したり、悪性腫瘍の原因になることもあります。

治療とケア
下りてこなければ手術も

1才ごろまでは、自然に睾丸が下りてくるのを待ちます。1才になっても下りてこなければ、手術をします。

包茎
ほうけい

主な症状 亀頭が皮に包まれている

こんな病気・症状
亀頭が包皮で覆われている

赤ちゃんのおちんちんは先端部分の亀頭が包皮に覆われています。おちんちんの包皮を指で押し下げると亀頭の見えるのが仮性包茎で、亀頭が出ないのが真性包茎です。真性包茎では亀頭と包皮の間に恥垢がたまり、細菌感染を起こしやすくなります。尿が出にくかったり横に飛び散ったりすることも。

治療とケア
真性包茎では手術も

仮性包茎の場合は、成長するにしたがい包皮が自然にむけてくるので、何もしなくてもかまいません。真性包茎で亀頭包皮炎などを繰り返すような場合は、まれに外科手術を行うこともあります。

外陰部腟炎
がいいんぶちつえん

主な症状 炎症・かゆみ・排尿痛

こんな病気・症状
外陰部が炎症を起こす

女の子の外陰部や腟に大腸菌やブドウ球菌などの細菌が感染し、赤くはれてかゆみを伴います。炎症が進むと、おむつや下着ににおいのある黄色いおりものがつき、排尿時にしみて痛がります。悪化すると、小陰唇が癒着する陰唇癒着症を起こすことも。

治療とケア
清潔にして抗生物質で治療

痛みやおりものが見られるときは受診し、抗生物質入りの軟膏で治療します。症状がひどい場合は、飲み薬が処方されることもあります。

肛門周囲膿瘍・乳児痔瘻
こうもんしゅういのうよう・にゅうじじろう

主な症状 肛門のはれ・うみ

こんな病気・症状
肛門周辺におできができる

下痢を繰り返したりして傷ついた肛門の周りの粘膜が細菌感染を起こし、おできができます。赤くはれ上がり、強い痛みがあります。繰り返すとうみの通り道ができ、肛門の内側から外側にトンネルのような穴が開く乳児痔瘻になります。

治療とケア
切開してうみを出す

はれがひどく、うみの出口がないときは切開してうみを出します。乳児痔瘻を何度も繰り返すようなら、症状のある部位を切除する手術をします。

245

骨・関節・筋肉の病気

発達途上なので、回復も早い

赤ちゃんの骨の特徴は、成長を続けているという点です。また骨の表面を覆う骨膜（こつまく）が厚く丈夫で、骨の質もやわらかく弾力性があります。そのため、大人よりも骨折しにくく、骨折した場合でも、早く回復します。赤ちゃんの骨の病気の多くは先天性のものですが、矯正（きょうせい）や手術で治るものもたくさんあります。

関節も発達途上で、関節周りの組織がやわらかくはずれやすくなっています。物理的な力が過剰（かじょう）に加わると、関節や関節周りの組織が損傷（そんしょう）しやすいのです。その他、関節の病気には、先天性のものや炎症（えんしょう）が起きる感染性のものがあります。

筋肉に関しては、生まれたばかりの赤ちゃんの骨格筋は弱く、全体的にやわらかくグニャリとしていますが、成長するにしたがい筋力がついて、自分で自分の体を支えられるようになっていきます。先天的な筋肉の病気がある場合は、首すわりが遅い、お座りができないなどの運動障害が現れます。

筋性斜頸
きんせいしゃけい

主な症状　しこり・向きぐせ

こんな病気・症状

同じほうばかり向く

耳の後ろから鎖骨（さこつ）に向かって走る胸鎖乳突筋（きょうさにゅうとつきん）にしこりができます。そのため筋肉が引っ張られ、しこりがないほうばかり向きます。

治療とケア

自然に消えるのを待つ

1才ごろまでに自然に消える場合がほとんどです。1才半を過ぎてもしこりが残っている場合は、手術が必要となります。

先天性股関節脱臼
せんてんせいこかんせつだっきゅう

主な症状　足の開きが悪い

こんな病気・症状

股関節が骨盤からはずれる

大腿骨（だいたいこつ）の先端が骨盤におさまらず、はずれた状態です。程度によって、脱臼、亜（あ）脱臼、臼蓋形成不全（きゅうがいけいせいふぜん）などがあります。あおむけでひざを開くと、股関節から音がしたり、またの開きが左右で違っていたりす。左右の足の長さも違います。

治療とケア

治療用のベルトで治療

軽度なら、またの部分を厚くしたおむつで自然な足の開きを保ち、股関節が発育して治ることもあります。治らなければ治療用のベルトをつけたり、牽引（けんいん）などの治療や手術を行います。

O脚・X脚
おーきゃく・えっくすきゃく

主な症状　足の形がおかしい

こんな病気・症状

ひざやくるぶしが開いている

両足をそろえて立ったとき、両ひざが大人の指で3本分以上あいている状態がO脚、ひざがついて左右のくるぶしが3本分以上あいている状態がX脚です。生まれてから3才ごろまではO脚がふつうです。その後、徐々にX脚になり、小学校入学ごろまでにまっすぐになります。O脚もX脚も、基本的に心配ありません。

治療とケア

目だたなくなるのを待つ

基本的に治療の必要はありません。骨の発育異常などでO脚になっている場合は、病気の治療をするほか、矯正のための装具を装着する治療を行うことも。

246

PART 10 赤ちゃんの病気

骨・関節・筋肉の病気

先天性内反足・内転足
せんてんせいないはんそく・ないてんそく

主な症状 足の変形

こんな病気・症状

足の裏が地面につかない

生まれつき骨や靭帯に異常があり、両足または片足の足首から下が変形しています。先天性内反足はくるぶしの先が内側に曲がり、立たせたときに足の裏が内側につきません。内転足は足の先端だけが内側に歪曲しています。

治療とケア

矯正用のギプスなどで治療

先天性内反足は、矯正用のギプスなどの装具をつけて固定し矯正します。手術を行うこともあります。内転足は、自然に治ることが多いのですが、変形の程度によっては装具で矯正します。

小児外反扁平足
しょうにがいはんへんぺいそく

主な症状 足が外側に向く

こんな病気・症状

足が外側に向き、転びやすい

土ふまずがなく足の裏が平らで、外側を向いています。長く歩くと疲れやすく、骨に負担がかかり痛むことがあります。転びやすいのも特徴です。

治療とケア

自然に治ることがほとんど

歩行に問題がない場合は、自然に治る場合がほとんど。変形が強い場合は、矯正用装具で治療することもあります。

ばね指
ばねゆび

主な症状 指が曲がっている

こんな病気・症状

指の関節を伸ばせない

手の指の関節が曲がっていて伸ばせません。無理に伸ばそうとすると関節が鳴ったり、手を離すと指がばねのように元に戻ります。親指に多く見られます。

治療とケア

矯正装具で治療することも

軽い場合は自然に治りますが、矯正装具で治療することも。治らない場合は、5〜6才になってから手術を行います。

肘内障
ちゅうないしょう

主な症状 腕の痛み・腕が動かない

こんな病気・症状

腕を動かせなくなる

手を急に引っ張られたときなどに、ひじの骨が靭帯からはずれかかり、腕全体がダブリとした状態になり、激しく痛みます。2才前後に多く見られます。

治療とケア

受診して骨を戻す

小児科か整形外科で、はずれかけている骨を戻します。一度なると繰り返しやすくなるので、腕を強く引っ張ったり、手を持ってぶら下げることは控えましょう。

漏斗胸
ろうときょう

主な症状 胸のへこみ

こんな病気・症状

胸郭が変形してへこんでいる

胸郭（胸椎、肋骨、胸骨）が生まれつき内側にへこんでいて、漏斗のような形をしています。へこみが極端に大きいと、まれに心臓や肺を圧迫することも。

治療とケア

気になる場合は手術も

心臓や呼吸に支障がある場合や外見上の問題が大きい場合は、手術を行います。

小児がん・その他の病気

早期治療で回復が期待できる子どものがん

人間の細胞は、規則正しく分裂・増殖を繰り返しています。このメカニズムに狂いが生じて、際限なく分裂・増殖を繰り返した細胞によってつくり出された腫瘍ががんです。がんは、周囲の健康な細胞や組織を破壊しながら増殖し、血管やリンパ管を通って体じゅうに広がります。そしてあらゆる臓器をむしばみます。

小児がんの特徴は、胎児のころの未成熟な細胞から発生するもの、脳腫瘍や横紋筋肉腫（おうもんきんにくしゅ）のような肉腫、そして血液のがんである白血病や悪性リンパ腫の発症頻度が高いという点です。

また、子どものがんは進行が極めて早く転移しやすいのも特徴です。しかし、化学療法、放射線療法の効果が期待できるので、大人のがんと比べて治癒率は比較にならないほど高く、7～8割は治ります。がんの克服には、早期の発見と早期の治療が不可欠です。原因不明の体調不良や発熱、しこりなどがあれば、早めに受診してください。

急性白血病
きゅうせいはっけつびょう

主な症状 微熱・貧血・出血

こんな病気・症状
白血球細胞が悪性化

骨髄で白血球細胞が悪性化して異常に増殖し、血液が正常につくられなくなります。食欲が落ちて顔色が悪くなり、疲れやすくなります。微熱が続き、貧血、皮下出血、鼻血、歯ぐきからの出血、リンパ節・肝臓・腎臓（じんぞう）のはれ、関節のはれや痛みが起きます。

治療とケア
化学療法や骨髄移植で治療

抗がん剤投与といった化学療法のほか、場合によっては骨髄移植や末梢血幹細胞（まっしょうけっかん）移植が行われます。

脳腫瘍
のうしゅよう

主な症状 頭痛・嘔吐（おうと）・まひ

こんな病気・症状
脳のさまざまな箇所に腫瘍が

脳にできる腫瘍で、発生部位はさまざまです。部位により頭痛や吐き気、ふらつきや歩行障害、眼球の揺れ、顔面神経まひ、眼球運動障害、眼底（がんてい）のはれ、半身まひなどが見られます。

治療とケア
腫瘍のタイプに応じて治療

手術で腫瘍を取り除きます。手術が難しい場合や手術で取りきれない場合は、抗がん剤による化学療法、放射線療法、免疫（めんえき）療法などを行います。

ウイルムス腫瘍
ういるむすしゅよう

主な症状 腹部のしこり・血尿・嘔吐・発熱

こんな病気・症状
腎臓にできる悪性の腫瘍

腎芽腫（じんがしゅ）とも呼ばれる腎臓にできる悪性の腫瘍で、1～4才ぐらいで発病する場合がほとんどです。片側の腎臓だけにできることが多く、早期に発見できれば腎臓の摘出（てきしゅつ）だけで完治することもあります。腹部のしこりで気がつき、腹痛、血尿、吐き気のほか、食欲低下、体重減少、下痢（げり）、便秘、発熱や高血圧といった症状も。

治療とケア
腫瘍を小さくして摘出

化学療法で腫瘍を小さくしてから、腫瘍の摘出手術を行います。医師とよく相談しましょう。

248

PART 10 赤ちゃんの病気

小児がん・その他の病気

神経芽細胞腫
しんけいがさいぼうしゅ

主な症状 腹部のしこり・食欲不振・腹痛

こんな病気・症状
交感神経のがん

交感神経細胞にできるがんで、副腎や背骨の両側に沿っている交感神経節に腫瘍が発生します。発熱、食欲不振、腹痛、腹部のしこりが見られます。発生部位によっては呼吸困難、下痢や嘔吐、頻尿、足のまひなどが現れることがあります。

治療とケア
早期の摘出手術が有効

早期に発見できれば、がん細胞の摘出手術だけで治癒することも。症状に合わせて化学療法、放射線療法も行われます。

網膜芽細胞腫
もうまくがさいぼうしゅ

主な症状 瞳が光る・斜視・視力障害

こんな病気・症状
網膜の腫瘍で、視力低下も

目の網膜に腫瘍ができます。ほとんどの場合、3才ごろまでに発病します。進行すると脳や骨に転移します。腫瘍が白いために瞳孔（黒目の部分）が光って見えるのが特徴です。斜視、視力低下、充血などの症状が現れることも。脳に転移すると、頭痛や嘔吐が見られます。

治療とケア
治療法を組み合わせて治療

最近では化学療法、放射線療法を組み合わせ、眼球を摘出せずに視力保持を図る治療法が行われています。

悪性リンパ腫
あくせいりんぱしゅ

主な症状 しこり・便秘・腹痛

こんな病気・症状
リンパ節の悪性腫瘍

全身のリンパ節、リンパ組織に悪性腫瘍細胞が分散してできます。症状は発生した部位で異なり、リンパ節にできるしこりができ、発熱し倦怠感や体重減少が見られます。腹部だと便秘、腹痛、おなかの張りが、胸部だと息苦しくなる、ものが飲み込みにくいといった症状が。

治療とケア
化学療法が中心

病気に効果がある抗がん剤による化学療法を行うほか、リンパ腫の種類によっては放射線療法を併用することも。

紫斑病
しはんびょう
［アレルギー性紫斑病・血小板減少性紫斑病］
［あれるぎーせいしはんびょう・けっしょうばんげんしょうせいしはんびょう］

主な症状 紫斑・出血

こんな病気・症状
出血しやすく、紫斑ができる

出血しやすく、打撲などで内出血を起こし、青紫色のあざ（紫斑）ができます。

アレルギー性紫斑病（血管性紫斑病）…細菌感染、アレルギー性の原因により、皮膚、関節、消化器、腎臓の血管が炎症を起こし、内出血する病気です。関節のはれや痛みが、また腹部の痛みも伴います。進むにつれ、血が止まりにくくなります。

血小板減少性紫斑病…血小板に対する抗体がつくられ、血小板がこわされて出血します。鼻血や歯ぐきからの出血、便や尿に血が混じることも。血小板の減少が進むにつれ、血が止まりにくくなります。

治療とケア
必要なら抗生物質の投与も

アレルギー性紫斑病は1カ月ほどで自然に快方へ。細菌感染には抗生物質を、腹痛にはステロイド剤を用います。

血小板減少性紫斑病は自然に治ることもありますが、血小板の減少がひどければ大量ガンマグロブリン療法やステロイド剤の使用も。

249

貧血 [てつけつぼうせいひんけつ・ようけつせいひんけつ・さいせいふりょうせいひんけつ]
【鉄欠乏性貧血・溶血性貧血・再生不良性貧血】

主な症状 顔色が悪い・食欲不振

こんな病気・症状
血液中の赤血球が減少する

赤血球が減る病気で、顔色が悪く食欲がなくなります。いくつかのタイプがあり、子どもに多いのは鉄欠乏性貧血です。

鉄欠乏性貧血…離乳食が順調に進まなかったり、偏食が原因で鉄分が不足すると起こります。ヘモグロビンが合成されず、酸素不足になって体の活動が低下。動悸やめまいを起こすこともあり、感染症にかかりやすくなります。まぶたの裏や唇やつめなどが白っぽくなるのも特徴です。

溶血性貧血…赤血球が早くこわれてしまう病気です。原因は赤血球の先天的な異常と、免疫抗体や血流の後天的な異常があります。

重症の場合は脾臓がはれます。

再生不良性貧血…骨髄の異常で起きる貧血です。血小板の減少で鼻血や歯ぐきからの出血が止まらなくなったり、白血球の減少のため感染症になりやすく、発熱を伴うことも。

治療とケア
原因に応じた治療を行う

鉄欠乏性貧血では鉄分を補給し、食事療法も行います。溶血性貧血では副腎皮質ホルモンや免疫抑制剤などで治療し、特別なものは、手術も行われます。再生不良性貧血では、多くの場合、輸血、副腎皮質ホルモンや抗生物質の投与が必要となります。免疫療法などでよくならないときは骨髄移植を行う場合もあります。

脳性まひ [のうせいまひ]

主な症状 まひ・筋緊張

こんな病気・症状
脳の障害でまひや知的障害が

脳の障害でまひや筋肉の緊張が強くなる病気です。原因は早産、新生児仮死、中枢神経系の先天異常のほか、高血圧症候群、頭蓋内出血、新生児期の髄膜炎、脳炎などの後遺症があげられます。

運動機能の発達の遅れ、全身または半身まひ（半身のまひ）の場合は、片身などの運動障害が見られます。症状が軽いと見過ごしてしまい、歩き始めるころになって気がつくケースもあります。手足の緊張が強く、体がかたくなったり、異常にそり返ったり、意志に反して手足が激しく動くこともあります。知的障害や言語障害を伴う場合も見られます。

治療とケア
専門機関で発達を促す訓練を

症状により、筋肉の硬直を緩和する筋弛緩剤や、抗けいれん剤などを用います。軽い場合は、成長に従ってまひが目だたなくなり、歩くこともできるようになります。重い場合は、早期に専門機関で発達を促す訓練を受けることが大切です。

水頭症 [すいとうしょう]

主な症状 頭囲が大きい

こんな病気・症状
髄液がたまり頭が大きくなる

髄液の循環の滞りにより、頭が異常に大きくなります。脳の成長が妨げられ、首すわりなどに遅れが出ることも。けいれんや嘔吐、知的障害が起きる場合も。

治療とケア
チューブで髄液の通り道を作る

脳からおなかへ細いチューブを通し、髄液を流すバイパスを作ります。髄膜炎や頭蓋内腫瘍などの病気が原因の場合は、根本的な治療が必要です。

ママの心の悩み
解決セラピー

子育てがつらい、自分の将来が不安、
夫が育児に非協力的、
などママならではの悩みがあります。
そんなとき、赤ちゃんとの暮らしをもっと楽しめるよう、
ママの気持ちがフッと軽くなるようなアドバイスです。

PART 11

[初めての育児のとまどいをスッキリ！] 育児についての悩み

子育てにストレスを感じたとき、どうしたらいいのでしょうか。

今は、昔と比べて子どもを育てにくい環境

昔は同居するおじいちゃん、おばあちゃんだけでなく、近所の人たちも子育てをするママを助けてくれたものですが、現代では近所付き合いも減り、人間関係が希薄になりつつあります。そんな中、「夫とふたりだけでがんばって育てなくてはいけない」という状況に、プレッシャーを感じるママが増えています。さらに、子どもが生まれるころのパパはちょうど働き盛りの年代。連日パパの帰宅が遅く、ママがほとんどひとりで子育てしなくてはいけない家庭も少なくないはずです。これでは、ママの悩みや不安がますます強くなるのも当然です。

また子育ては、そもそも自分の思うようにいかないものです。そんな状況をママはもどかしく感じることもあるでしょう。子育てはこうあらねばいけないという気持ちが強いと、育児にストレスを感じてしまい、子育てを楽しむ余裕がなくなってしまいます。

相談相手は身近な人だけではありません

子育てに悩んだとき、あなたはだれに相談しますか？　まずは身近な家族に相談する人が多いでしょう。でもパパは仕事で忙しくてなかなか相談できない、実母や義母などには話しにくい、という声がよく聞かれます。身近に頼れる人がいないときは、保健所や児童相談所など、公的な機関に相談してみてください。子育てに関する電話相談室もたくさんあります。これらの場所では、子育ての専門家が適切なアドバイスをしてくれます。たとえ問題が解決しないとしても、だれかに悩みを聞いてもらえるだけで気持ちが軽くなるものです。だからひとりで悩まずに、困ったときはSOSを出してみましょう。

赤ちゃんは日々成長しています。たとえば夜泣きでも、永遠に続くということはありません。また、泣くことが赤ちゃんのコミュニケーションの手段だと思えると、少し気が楽になります。

育児の 悩みスッキリ！3カ条

1 自分ひとりで抱えこまないで、家族や専門家に悩みを打ち明けてみましょう。

2 赤ちゃんは日々成長します。今の悩みがずっと続くわけではないことを忘れずに。

3 赤ちゃんにも自己主張や個性があると考えるようにしてみましょう。

P252～P256指導／臨床心理士　東北文教大学人間科学部こども教育学科教授　今泉岳雄先生

PART 11 ママの心の悩み 解決セラピー

こんなときどうする？ Q&A 育児の悩み

Q 何をしても泣きやみません。理由がわからず途方にくれてしまい、私まで泣きたくなります

A 無理に泣きやませなくても大丈夫です

赤ちゃんも人間ですから、なんとなく泣きたいときもあるでしょう。授乳やおむつ替えをしても泣くときは、なんとしても泣きやませようと思わず、赤ちゃんを抱っこし、声をかけながら付き合ってあげてください。ゆったりした気持ちで接すれば、赤ちゃんにもその気持ちが伝わり、いつのまにか泣きやみます。

Q 自分の育児の仕方でいいのか、自信が持てません。間違っていたらどうしよう…と不安になります

A 「育児には正解がない」と考え自分に自信を持ちましょう

子育ては、正解のない問題を、一つひとつ手探りで解いていくようなもの。間違っていたことに気づいたら、その時点ですぐに改善すれば大丈夫です。子どもをよく見てうまくいっていないと感じたら、親子でいっしょに乗り越えていけばいいのです。この試行錯誤が、親子の絆を深めていきます。

Q 子どもの成長が気になります。ついついほかの子と比べてしまい、「うちの子はおとっているの？」と心配になります

A 比べるなら、自分の子の「以前」と比べましょう

成長が気になるなら、まずは健診をしっかり受けて、自分の子どもの発達の状況を把握しましょう。小児科医や保健師さんが相談にのってくれ、何か問題があればきちんとサポートもしてくれます。赤ちゃんは一人ひとり発達の歩みは違います。ほかの子と比べるのではなく、その子なりの発達を見てあげてください。

Q 寝てくれない、食べてくれない、何でもイヤイヤ。全然言うことを聞かなくてイライラします

A 必然性のあることをするのが赤ちゃんです

育児についての悩み

赤ちゃんはママに反抗しているわけではなく、次の発達に必要なことを一生懸命しているだけだということを忘れないでください。たとえば、おむつを替えるときに寝返りしてしまうのも、寝返りがうまくなってハイハイへ進む準備をしているのだとわかっていれば、「赤ちゃんは思いどおりにならないもの」と割り切ってイライラせずにすみます。

ママ100人に聞きました
赤ちゃんのお世話の中で、特にどんなとき悩みやストレスを感じますか？

ママたちの悩みは、「寝てくれない」「泣きやまない」に集中。特に夜泣きが始まる7カ月前後のママたちは、その両方に悩んでいるようです。

- 寝てくれないとき **38%**
- 泣きやまないとき **32%**
- ずっと抱っこしていないといけないとき **14%**
- 夕暮れ泣きや後追いなどが激しくて家事ができないとき **11%**
- 離乳食を食べてくれないとき **5%**

253

周りの人との関係についての悩み

[パパ、親、ママ友とのお付き合いの悩みをスッキリ！]

赤ちゃん誕生で、パパや両親、義父母との関係が変化。ママ友との関係など、新たな悩みも出てくるようです。

男性は女性に比べて、親になった実感が薄いのです

おなかの中に赤ちゃんが宿ったときから、少しずつ心の準備を重ねてきた女性に比べ、男性はパパになった実感がなかなかわきにくいものです。出産後、赤ちゃんがママの実家でしばらく過ごしていたならなおさらのこと。スタートから出遅れたパパはどうしていいかわからず、ますます育児に参加しづらくなってしまいます。また、ママと赤ちゃんの絆が深まっていくにつれ、疎外感を感じるパパもいるかもしれません。

パパのそんな状況も理解しつつ、「赤ちゃんはふたりの子ども」という意識をパパに持ってもらいましょう。すべて自分でやってしまわず、少しずつでも赤ちゃんのお世話を任せて、うまくパパを育児に巻き込んでいきましょう。赤ちゃんにふれる時間が長くなればなるほど、父親の自覚も強まります。パパによき理解者になってもらうことができれば、もっと育児は楽しくなります。

子どもを介して周りとの人間関係に変化が

赤ちゃんが生まれたら、急に義父母や両親が育児に口を出してきて、関係がうまくいかなくなったという悩みをよく聞きます。何か言われると自分の信念も揺らぐのは当然です。自分の考えと違うことを言われたときは、「はぁそうですか、なるほど」と受け流し、後でじっくり考えてみましょう。それでもやっぱり自分の考え方が正しいと思ったら、さりげなく自分のペースで育児をするというような距離の取り方も大事です。

ママ友との付き合いも同様です。ママ友といっても、同じくらいの年齢の子どもがいるという共通点以外はそれぞれの家庭によって生活の背景も違いますし、考え方の違いが出てくるのは当然のことです。大きなトラブルを避けたいなら、ほどよい距離感を持って付き合うことも大切。自分だけ仲間外れにされるのが怖いからと周りに合わせるばかりではなく、時には「今日は用事があって」と離れる時間も必要です。

ママ友との付き合いも同様です。ママ友といっても、同じくらいの年齢の子どももいるという共通点以外はそれぞれの

周りの人との関係の
悩みスッキリ！3カ条

1 気持ちを思いやりながら、時にはお世話を任せて、パパを育児に巻き込みましょう。

2 じいじ・ばぁばの意見は、時には聞き流すくらいの余裕を持ちましょう。

3 ママ友とは、ほどよい距離感を持って付き合うことも大切です。

PART 11 ママの心の悩み 解決セラピー

こんなときどうする？ Q&A
周りの人との関係の悩み

Q パパは休日にひとりで外出。家にいたとしても育児を手伝ってくれません。ふたりの子どもなのに！

A 自分の気持ちを素直に伝えましょう

「あなたが～してくれない」という言葉でパパを責めるより、「パパといっしょに育児できないと寂しい」など、自分の気持ちを素直に話したほうがパパの心に響きます。責めたくなってしまったときは、深呼吸してみましょう。それでも感情的になってしまうときは、メールや手紙で伝えるのも効果的です。

Q 義母がやたらと育児に口を出し、困っています。聞こえないふりをしてるけど、内心ではムッとしています

A 自分のスタイルを作ってしまいましょう

義母にいろいろ言われるのがいやな人は多いでしょう。早く自分のスタイルを作ってしまい、「うちのお嫁さんはこういう人なんだ」と思わせてしまいましょう。いいお嫁さんになろうと思うから余計に

相手の期待が増し、いろいろと言われるのです。同居の場合は、子どもの用事を作って外に出かけるなど、少し距離をおくのも手です。

Q 頼りにできると思った実母と意見が合わずにイライラ。義母と違って遠慮がない分、ぶつかることもしばしばです

A 直接言うよりも、手紙を書いてみると冷静になれます

自分の母親だと、お互いにどうしても遠慮がなくなってしまいます。面と向かって話すとつい言い合いになってしまうなら、手紙を書いてみましょう。手紙だと冷静に自分の伝えたいことを書くことができます。うまくコミュニケーションをとって、いちばんの相談相手になってもらえるといいですね。

Q 子どもの遊び相手を見つけてあげたいけど、公園や児童館のママ友の輪に入るのが苦手です

A 公園や児童館以外にも友だち作りのチャンスが

自分から声をかけてほかのママの輪に

周りの人との関係についての悩み

入るのが苦手なら、自治体の行っている子育てサロンや、リーダーのいる育児グループに参加する方法もあります。リーダーが上手に場を作ってくれるので安心です。幼稚園や保育園に通うようになると、行事などで頻繁に顔を合わせる機会ができるので友だちもできます。

ママ100人に聞きました

だれとの関係にいちばんストレスを感じますか？

パパ、義母と答えたママからは、「パパが育児を手伝わない」、「義母と子育てに対する考え方が違う」といった声が。味方になってくれるはずのママ友や実母との関係に悩むママも。

- パパ 33%
- 義母 32%
- ママ友 23%
- 実母 10%
- その他 2%

自分についての悩み

[今と将来の自分自身への不安をスッキリ！]

いいママでいたいけど、自分自身のことも大事にしたい。そんな気持ちがつのります。

仕事をがんばっていたママほど、育児へのストレスが

初めての育児はわからないことだらけなので、どうしても構えてしまいがち。がんばり屋でまじめな人、出産前に仕事をバリバリこなしていた人ほど、うまくいかない子育てにストレスを感じ、あせったり、イライラしてしまうことも多いようです。

でも育児は仕事と違って、がんばっただけの見返りがすぐ目に見える形で出るものでも、自分のペースでできるものでもありません。また、「絶対にこれが正しい」という正解がないものです。完璧を目指そうと思って自分を追いつめなくていいのです。ほどほどに力を抜いて、「60％くらいできれば合格」くらいに思い、うまくできたら自分をほめてください。そうすれば心にゆとりを持って赤ちゃんに接することができるでしょう。

育児がたいへんな時期は家事だってがんばりすぎなくていいんです。赤ちゃんに手がかかる時期は、たった1～2年ほど。その間は、ゆったりした気持ちで赤ちゃんに接することだけを考えて過ごしてみましょう。

自分の時間も大切にしたいと思うのは、自然なこと

わが子がいくらかわいくても、だれだって自分だけのための時間が欲しいと思うものです。「子どもがいるから」と何もかもあきらめる必要はありません。パパの休日には赤ちゃんをお願いし、ひとりでヘアサロンやショッピング、英会話スクールにでも出かけていいのです。

パパが期待できないなら、保育園の一時保育や実家、ファミリーサポートセンター、託児付きのイベントなどの可能性を探ってみましょう。早朝や子どもが寝た後に時間を作る方法もあります。リフレッシュする時間を持って、「また育児をがんばろう！」と思えればしめたもの。気持ちが前向きだと、育児もどんどん楽しくなってきます。ママが笑顔でいると、子どもだってニコニコです。

ママもひとりの人間。自分の可能性を捨ててしまわず、いつまでも輝いていられるのはすてきなことです。自分自身の今と将来を大切にしましょう。

自分についての 悩みスッキリ！3カ条

1 100％を目指すのではなく、60％でいいと思えるようになるとラクです。

2 自分のための時間を持てると、子育てに余裕が出てきます。

3 たまには、がんばっている自分をほめて、甘やかしてあげましょう。

ワーキングママのための基礎知識

働くママたちの子育て環境は
少しずつよくなってきているといいますが、
現実はまだまだハード。
子どもを持っても働きたいと思っているママのための
知っておきたいお役立ち情報です。

PART 12

［ママが仕事を始めるまでの5ステップ］
仕事を開始するまでの流れ

「赤ちゃんが生まれたけど働きたい」そんなママに。今から知っておきたい大事なこと。

子どもがいても仕事をしたいママが増加中

育休明けに職場復帰の予定がある、あるいは退職したけれどいつかは働きたいと思っている……。そんなママが増えつつあります。

「社会とつながっていたい」「自分で収入を得て自立していたい」など理由はさまざま。職場に復帰、あるいは新たに仕事を開始するためには、まず、どんなことから始めたらいいのでしょうか。（育休後に職場復帰する方は、❷以降を見てください。）

❶ **自分に合った仕事を探す** 今の自分（年齢、状況、希望）に合う仕事は、どんな職業なのか？

❷ **子どもの預け先を探す** 働くためには、子どもを預ける必要があります。今すぐ？ どこに預けるのか？

❸ **生活リズムの改善** 仕事と家庭との時間のやりくりが大事になります。規則正しい生活リズムに。

❹ **周囲のサポートをあおぐ** 「ママが働く」ことをパパや親、会社などに理解してもらうことが大事です。特にパパと❷

❺ **家事のやりくりを考える** 家事や子どものお世話など、効率よくこなすにはどうしたらいい？

人で子どものこと、家事のこと、をどうするのかを事前に話し合うことが大切。

ステップ1
自分に合った仕事を探す

ママになった自分にできる仕事を探して

まずは、「なぜ働くのか？」をしっかり考えてみてください。「経済的な理由」「好きな仕事だから」「育児から離れた時間も欲しいから」「社会人として成長したいから」など。理由によって働くスタイルが変わってくるはずです。

産後の仕事探しは「新たな自分探し」でもあります。子どもがいる自分にできることは何か？ 今後どんな人生を歩んで行きたいのか？ 独身時代のように自由にならないこともありますが、今のあなただからこそできる、そんな仕事もあるはず。あせらず探してみてください。

ステップ2
子どもの預け先を探す

低年齢での保育園入園は厳しい。数時間保育なら実家派も

働くママの子どもは、保育園に預けられるケースが一般的です。とはいえ、いまだに待機児童が多く、特に低年齢での保育園入園は厳しいのが現実。また、子どもがまだ0〜1才代の場合は、実家にお願いしているケースも多いようです。子どもが2才、3才と成長するにつれ、保育園派が増えていきます。

預け先としては、認可保育園、認可外保育園、預かり保育のある幼稚園、認定こども園、保育ママ、ファミリーサポートセンター、NPOによる互助組織、ベビーシッターなどがあります。あるいは実母や義母など。預ける親にとっても、預けられる子どもにとっても安心できる、そして、経済的にも納得がいくところを見つけるようにしましょう。

（このような預け先の内容については260〜261ページを見てください。）

258

PART 12　ワーキングママのための基礎知識

仕事を開始するまでの流れ

ステップ3　生活リズムの改善

親子で規則正しく！早寝早起きを心がけて

ママが仕事を開始し、子どもを保育園に預けるようになると、一気に時間に追われる生活になります。登園、出社、退社、降園、帰宅後の子どものお世話に家事。赤ちゃんもママも、夜ふかしや朝寝坊は早いうちに正しておいて。また、保育園では指定の持ちものがあります。入園が決まったらすぐに準備を始めておくと安心です。

	0才児	1才児
AM 6:00		
8:00	順次登園　視診・検温	順次登園　視診
10:00	遊び　ミルク	遊び　牛乳
PM 0:00	離乳食　着替え 午睡	給食　着替え 午睡
2:00	目覚め　検温（離乳食） 遊び	目覚め　おやつ 遊び
4:00	ミルク　遊び 順次降園	順次降園

実際は、3才くらいになればみんなで同じプログラムをこなすようになりますが、0〜1才クラスでは、生活リズムを作っている最中のため、上記は参考程度のプログラムになっています。基本はベビーのペースに合わせた無理のないスケジュールで過ごします。（東京都のある園での例）

ステップ4　周囲のサポートをあおぐ

ひとりで抱えずにSOSを出せる環境を

ひとりで仕事と育児を両立させようとしても、必ず無理が出たりストレスがたまってしまいます。まずは働き始める前にパパときちんと話し合い、家事や育児の分担を考えて。親やママ友なども頼りになる存在です。また、勤務先の上司とのコミュニケーションを密に取り、環境を整えましょう。

パパ◎いちばん頼れる人です。自分ひとりの問題にせず、夫婦でしっかり話し合い、自分の思いを伝えておきましょう。助けてくれたら感謝する。その繰り返しできっとよい両立環境が整うはずです。

親・親戚◎近くに住んでいるならサポートをお願いしてみましょう。そのためにも、ふだんからいい関係を築いておきたいものです。

会社◎直属の上司に、自分の家庭状況を説明しておきましょう。また、職場のスタッフにも迷惑をかけるかもしれない旨を伝えておくと安心です。ただし、働けるときにはしっかり働いてフォローを。

その他◎お互いに助け合えるママ友や、世話好きな近所の方などと仲良くなっておきましょう。また、自治体によっては、時間が間に合わないときの送迎や二次保育をしてくれるファミリーサポートなどの支援システムがあります。

ステップ5　家事のやりくりを考える

カンペキを求めない。できるときにできることを

仕事以外の限られた時間の中で、家事と育児をカンペキを求めたらキリがありません。どっちが先？と悩んだときは、ぜひ子どもとのふれ合いタイムを優先してください。そのためにも家事タイムを短縮する工夫をすることも賢い選択です。

食事◎土日に買い出しした食材を使いやすく下ごしらえしてフリージングしておくのもおすすめです。また昼間に外干しできないことが多いので、大型の洗濯乾燥機が便利です。また、事前に食材を注文しておくと届けてくれる生協などの個人宅配も強い味方に。後片づけでは、食器洗い乾燥機が便利です。

洗濯・掃除◎家族3人分の洗濯量はかなりのものです。また昼間に外干しできないことが多いので、大型の洗濯乾燥機が便利です。掃除は昼間が留守のため、以前より家の中が汚れないからササッと簡単にすむようになるという声も聞かれました。

その他◎家事とは別に、親戚や友だち付き合いがあったり、保育園で、行事や指定の持ちものの準備などが発生することも。無理をしないでできることから、臨機応変に対応を。

259

子どもの預け先探し

[どこに預けたらいいのか、まずは預け先情報をチェック！]

どんな働き方をするのか、子どもにはどんな保育が合っているのかを考えましょう。

働く多くのママが利用するのが保育園

母親が専業主婦や母親の代わりに世話をしてくれる大人（祖父母など）がいる場合、子どもは3才くらいまで自宅で過ごし、その後、幼稚園に入園することが多いようです。

一方、母親が働く家では、多くが保育園を利用します。園によっては、生後43日から預かってくれるところもあり、そのまま小学校入学まで保育園を利用する家庭がほとんどです。つまり、保育園は親が働く子どもが幼少期を長く過ごす場所。納得のいく園を選ぶことが大切です。

住んでいる地域の預け先情報を収集して

保育園には、国の基準を満たし認定を受けている「認可保育園」をはじめ、それ以外の「認可外保育園」があります。認可保育園に申請しても入園できない待機児童が増え、希望どおりの保育園に預けられないことも。入園選考では、フルタイムで働いているほど点数が高いなど優先順位があります。市区町村が発行する保育園案内を入手したり、待機児童の多い地域なのかなど、調べておくといいでしょう。

ただ、保育園以外にも保育施設はありますし、また、施設ではなく、個別に子どもを預かる保育などもあるので、特性や違いをふまえて選びましょう。多種多様な預け先の情報収集をしておくと心強いものです。

保育園探しのポイント ❼

保育園によって、受け入れ年齢や人数、保育時間、設備などが異なります。また仕事の都合ばかりでなく、子どもにとってよい環境かなど、保育内容の充実度も要チェック。一般的に保育園に入りやすいタイミングは4月。これらを念頭において保育園探しをするといいでしょう。

ポイント 1 　自宅からの距離

毎日の送迎を想定して、自宅や利用駅から行きやすい、勤務先に近いなど、利便性を考えます。

ポイント 2 　受け入れ年齢

産休明けすぐからの園も多数。1才以上から受け入れのところや、3才までなど低年齢だけの園もあります。

ポイント 3 　受け入れ人数と入園状況

PART 12　ワーキングママのための基礎知識

子どもの預け先探し

施設

認可保育園（国が定めた設置基準を満たしていると認可された保育施設）	公立	市区町村が運営。ただし、民間に委託する園も増えています。
	私立	主に社会福祉法人が運営していますが、一部企業やNPOなどによるところも。
認可外保育園（認可保育園以外の保育施設）	自治体の助成を受けている保育施設	自治体が独自の基準を設けて補助金を出している保育施設。
	事業所内保育施設	企業や病院などにおいて、その従業員の乳幼児を対象とする保育施設。
	ベビーホテル など	公的な助成を受けていない保育施設。
預かり保育のある幼稚園		幼稚園が正規の活動時間の前後に子どもを預かる制度。
認定こども園		親の就労の有無にかかわらず入園できる施設。幼児教育と保育を提供する機能を持ちますが、サービス内容は多様です。

個別

保育ママ	自治体による運営。自治体が認定した保育者が自宅などで保育サービスを行うシステム。
ファミリーサポートセンター	自治体による運営。子どもを預かってくれる人と預けたい人が会員となって、自治体の斡旋によって子育てを助け合うシステム。
NPOによる互助組織 など	ファミリーサポートセンターと同じような子育て支援をNPOが行います。
ベビーシッター	民間のベビーシッター会社による運営。登録されたベビーシッターを依頼者宅に派遣して保育します。

ポイント4　保育時間
保育園や子どもの年齢によって受け入れ人数が違います。前年度の入園状況も確認しておくといいでしょう。
通勤時間や送迎にかかる時間も含めて、必要な時間預かってもらえるか確認します。延長保育が必要な場合は時間や延長料金のチェックもしておきましょう。

ポイント5　保育料金
認可保育園では所得により決まりますが、認可外の場合は園によって異なり、割高なことも。

ポイント6　保育内容
保育方針をはじめ、1日の保育の流れ、食事、行事などを確認します。できれば見学し保育士や園児のようす、全体の雰囲気を確かめましょう。私立や認可外では園長のカラーも要チェックポイント。

ポイント7　施設・設備
建物や設備、園庭の広さ、周辺環境などをチェック。

INDEX さくいん

50音順に並んでいます。

き

記憶力…39、57
着替え…22、55、57、107、170、181
気管支喘息…230
キーキー言う…162
利き手…58、165
きげん…204
着せ方…76、144
気道確保…202
亀頭包皮炎…151、244
キャンピロバクター腸炎…221
9〜10カ月健診…とじ込み②、178
吸引分娩…124
嗅覚…21
急性咽頭炎…207
急性嘔吐・下痢症(胃腸炎)…220
急性外耳炎…240
急性気管支炎…224
急性散在性脳脊髄炎(ADEM)…189
急性腎炎…243
急性中耳炎…240
急性脳炎…211
急性脳症…211
急性白血病…248
急性鼻炎…226
急性副鼻腔炎…226
急性扁桃炎…208
牛乳…153
胸囲…174
切り傷…201
キレない心…112
近視…239
筋性斜頸…246

く

薬…142、155、199
くせ(クセ)…58、141
口…20、130、174
口移し…149
靴…168
クッション…62
屈折異常…239
首…20
首すわり…とじ込み①、31、33、134、

おちんちん…151、170
おっぱい…23、62、138
音への反応…176、177、178
お友だち…53
おなか…20
お昼寝…75
おふろ…72、75、101〜105、106、129、147、150、159
おへそ…21、74、131、136、175
おぼれた…202
お宮参り…80
おむつ…23、68、169
おむつかぶれ…136、154、234
おやつ…88、96、167
おんぶ…144、159

か

外陰部膣炎…245
外気浴…78
階段を上る…とじ込み①、53、55、57
回復体位…202
海綿状血管腫…236
顔色…204
鵞口瘡…124、139、241
かぜ…151
ガーゼ…62、70
かぜ症候群(急性上気道炎)…207
ガーゼみがき…79、145
片づけ…57
かつお昆布だし…89
カバーオール…77
カフェインレス…135
カフェオレ斑…237
花粉症…135、231
紙おむつ…68、69
かみつく…168
髪の毛…21、74、142、151
ガラント反射…175
川崎病(MCLS)…218
感覚の発達…とじ込み①
眼瞼下垂…239
かんしゃく…55
感染症…36
浣腸…152
ガンマグロブリン…188

51、165
イヤイヤ…53、56、169
咽頭結膜熱(プール熱)…210
陰嚢水腫…244
インフルエンザ…とじ込み②、152、183、185、193、208

う

ウイルス性肺炎…225
ウイルムス腫瘍…248
ウエア…77
受け口…163
うつ乳…63
うつぶせ…33、35、141、153
産毛…124
うんち…68、101〜104、125、126、134、152、164、166、204
運動発達…とじ込み①、181
ウンナ母斑…237

え

栄養バランス…86
X脚…246
NICU(新生児集中治療室)…60
NPOによる互助組織…261
絵本…47、147
嚥下性肺炎…225
遠視…239

お

追いかけっこ…45
黄疸…175
O脚…246
太田母斑…236
お食い初め…31、80
奥歯…79
お七夜…22、80
おしっこ…134、142、148、204
おしり…175
おしりのふき方…69
お座り…とじ込み①、37、39、41、59、146、149、157、176、177、178
おたふくかぜ(流行性耳下腺炎)…とじ込み②、183、185、192、209
落ちた…201

あ

赤ちゃん・子どもの行事…80
赤ちゃんの心…110〜117
赤ちゃんの脳…118〜122
悪性リンパ腫…249
あざ…131、148、236
足…20
預かり保育のある幼稚園…261
アセトン血性嘔吐症(周期性嘔吐症)…222
あせも(汗疹)…137、155、234
遊び食べ…45
遊び飲み…137
頭…20
後追い…とじ込み①、43、45、58、158
アトピー性皮膚炎…160、229
アナフィラキシー…230
アフタ性口内炎…241
あやす…132、176
アレルギー…184、185
アレルギー性結膜炎…232
アレルギー性紫斑病(血管性紫斑病)…249
アレルギー性の下痢症…222
アレルギー性鼻炎…231
アレルギーの検査…232
アレルゲン…87
あんよ(歩く)…とじ込み①、49、51、53、59、166、167、180

い

いきむ…127
育児の悩み…252、253
異所性蒙古斑…131、236
いたずら…43、45、49、51、58、165
イチゴ状血管腫…148、236
一時保育…143
1カ月健診…とじ込み②、175
1才健診…とじ込み②、179
1才6カ月健診…とじ込み②、180
いないいないばぁ…39
いびき…147
異物を飲んだ…200
いぼ(尋常性疣贅)…235
意味のある言葉…とじ込み①、49、

262

54、56、161、174
心肺蘇生法…202
じんましん…231

す
水頭症…250
水分補給…140、147
髄膜炎…211
睡眠…204
スイミング…144
好き嫌い…156
スキップ…57
スキンシップ…27
頭血腫…206
ステロイド外用薬…229
ステロイド剤…163
砂場…162
すり傷…201
ずりばい…41

せ
生活習慣…106
生活リズム…100～105
性器…21、174
正期産…60、125
せき…148、155、197
せき・鼻水が出る病気…223
石けん…162
接触性皮膚炎…234
喘息様気管支炎…151
洗濯…129
先天歯…242
先天性股関節脱臼…246
先天性内反足・内転足…247
先天性の病気…175
先天性肥厚性幽門狭窄症…219
先天性鼻涙管閉塞（涙目）…238
先天白内障…239
先天緑内障…239

そ
早産（早産児）…60、194
鼠径ヘルニア…244
卒乳（おっぱいの卒業）…51、59
外遊び…78

斜視…130、176、177、178、238
しゃっくり…127
シャワー…129
シャンプー…162
集団健診…172、173
集団接種…182
10倍がゆ…89
出血…204
授乳…26、62、64、100、102～104、
　　126、128、135
小食…146
上唇小帯強直症…242
小児外反扁平足…247
小児結核…226
小児欠伸てんかん…228
小児用肺炎球菌…とじ込み②、183、
　　185、190
小児良性てんかん…228
上皮真珠…133、242
睫毛内反症（逆さまつげ）…238
食事…107、165
触診…174
食中毒…167、221
食物アレルギー…87、140、153、230
食欲…204
触覚…21
自立心…56
自立する心…116
耳ろう孔…133
シロップ…199
腎炎…243
神経芽細胞腫…249
人工呼吸…202
診察…174
心雑音…128
診察券…とじ込み②
滲出性中耳炎…241
新生児…20～24
新生児黄疸…205
新生児にきび（新生児痤瘡）
　　…127、233
新生児メレナ…202
心臓マッサージ…202
身体発育曲線（発育曲線）…18、60
身長…18、20、26、28、30、32、34、
　　36、38、40、42、44、46、48、50、52、

…114
転んだ…201
コンビ肌着…77
昆布だし…89

さ
臍炎…131、206
細気管支炎…151、224
細菌性髄膜炎…183、190、211
細菌性肺炎…224
臍周囲炎…206
再生不良性貧血…250
臍肉芽腫…206
臍ヘルニア…134、244
搾乳…63
刺し傷…201
サーモンパッチ…236
坐薬…199
サルモネラ腸炎…221
3語文…57
3才健診…とじ込み②、181
三種混合…186
3～4カ月健診…とじ込み②、176
産瘤…128、206

し
自我…52
視覚…21、179、180、181
しかり方…108、169
色素性母斑…237
自己主張…47、52、54、57
事故の応急処置…200～202
GCU（継続保育室）…60
脂腺母斑…237
七五三…80
室温…24
湿疹…136、158、160
湿度…24
紫斑病…249
ジフテリア…183、186
自分で…53、57
自分についての悩み…256
しもやけ…154
視野…33
弱視…238
斜頸…175、176

176
クラミジア肺炎…225
繰り返し音…とじ込み①、47
クループ…223

け
計測…174
けいれん…198、228
ケーキ…161
結核…183、187
血小板減少性紫斑病…249
ゲップ…62、64
結膜炎…240
月齢…18
解熱剤…161
下痢…157、199
ける…55
健康保険証…とじ込み②
原始反射…21、175
原始歩行…21、175
健診…とじ込み②、172～181
健診票…とじ込み②、173

こ
誤飲…50、155
好奇心…43、51、57
抗生物質…166
口内炎…204、241
肛門周囲膿瘍…245
五感…21
股関節…20
股関節脱臼…131、134、145、175、
　　176、177、178
呼吸…204
極低出生体重児…60、194
心の発達…とじ込み①、180、181
5才健診…181
ごっこ遊び…とじ込み①、55、181
言葉（言葉の発達）…とじ込み①、46、
　　52、59、178、179、180
子どもの預け先…260
粉薬…199
5倍がゆ…89
個別健診…172、173
個別接種…182
コミュニケーション力のある心

INDEX さくいん

熱中症…212
熱疲労…212
寝冷え…159
ネフローゼ症候群…243
眠り…75、143
ねんね…22、75、100、101〜104

の
膿胸…225
脳腫瘍…248
脳性まひ…250
のどに異物が詰まった…200
飲みムラ…65
乗り物酔い…164
ノンレム睡眠…143

は
歯…37、40、50、53、55、57、59、79、145、151、160、177、178、179、180、181
把握反射…21、27、129、175
肺炎…224
肺炎球菌感染症…183、190
ハイハイ…とじ込み①、41、43、45、59、158、178
吐かせ方…200
吐き気…204
吐く…131、197
白斑(白斑性母斑)…237
はげ…139
破傷風…183、186
場所見知り…とじ込み①
走る…とじ込み①、55
肌…20
肌着…77、129
初節句…80
初誕生…80
発熱…59
パーツのお手入れ…23、73
鼻…21、73
鼻吸い用スポイト…198
鼻血…170、201
鼻詰まり…133、154、198
鼻水…73、155、198
ばね指…247
歯ブラシ…79、145

188、191、192
なめる…33、143、149
喃語…とじ込み①、28、135
難聴…241
軟飯…89

に
握る…とじ込み①、31、37、
2語文…とじ込み①、55
ニプル…64、65、142
日本脳炎…とじ込み②、183、185、189
乳犬歯…79
乳歯…79
乳児湿疹…27、233
乳児痔瘻…245
乳児脂漏性湿疹…74、133、233
乳腺炎…63
乳糖不耐性下痢症…222
乳幼児健康診査…172
乳幼児突然死症候群(SIDS)…75、225
入浴…72
乳輪…62
尿…181
尿路感染症…209
任意接種…とじ込み②、182、190〜193
認可外保育園…261
認可保育園…261
認定こども園…261

ぬ
布おむつ…69
ぬり薬…199

ね
寝汗…150
寝返り…とじ込み①、35、37、59、146、177
寝ぐずり…150
寝相…159
熱…196
熱けいれん…212
熱射病…212
熱性けいれん…166、194、227

ツーウェイオール…77
つかまり立ち…とじ込み①、43、45、47、59、152、153、161、178、179
つかむ…33、34
伝い歩き…とじ込み①、45、47、49、179
ツベルクリン反応…187
つまむ…とじ込み①、43、45、49、178、179
積み木…とじ込み①、52
つめ…21、74、130、144、146、148

て
手…20、31
手足が冷たい…128
手足口病…216
手洗い…57、106
定期接種…とじ込み②、182、186〜189
低出生体重児…60
停留睾丸(停留精巣)…125、245
手づかみ…149
鉄欠乏性貧血…145、250
出べそ…134
手指の発達…とじ込み①、177、178、179、180、181
手を伸ばす…とじ込み①
てんかん…228
電磁波…141
転倒…50
点頭てんかん…228

と
トイレトレーニング…57、107
頭囲…174
道具…53
トキソイド…とじ込み②、183、186
突発性発疹症…164、213
とびひ(伝染性膿痂疹)…217
跳ぶ…55

な
泣く…とじ込み①、138、158
なぐり書きをする…とじ込み①
7倍がゆ…89
生ワクチン…とじ込み②、183、187、

た
体温…204
体重…18、20、26、28、30、32、34、36、38、40、42、44、46、48、50、52、54、56、174
帯状疱疹…192
大泉門…124、174
体内時計…132
高い高い…37
高ばい…45
抱き下ろす…67
抱き換え…67
たたく…169
立ち直り反射…176、177
抱っこ…22、31、66、138、168
立っち(立つ、ひとりで立つ)…とじ込み①、47、49、59、179
たて抱き…31、37、62、67
多動…168
タバコ…161
食べさせ方…90、92、94、96
食べムラ…45
単純性血管腫(ポートワインステイン)…237
単純性疱疹(単純ヘルペス)…215
炭水化物源…86
胆道閉鎖症…222
たんぱく質源…86

ち
乳首…62、126
地図状舌…241
中耳炎…136、240
肘内障…247
昼夜の区別…33
腸液…126
聴覚…21、179、180、181
腸重積症…219
聴診…174
超早産児…60
超低出生体重児…60
調乳…64

つ
追視…176

264

よこ抱き…62、66
予診表…とじ込み②、184
よだれ…139
四つんばい…41
夜泣き…40、150
予防接種…とじ込み②、146、182〜194
予防接種健康被害救済制度…185
四種混合(DPT-IPV)…とじ込み②、183、185、186

ら
ラグビー抱き…62
ラップアップ…77
乱視…239

り
離乳食…35、38、41、43、49、50、84〜96、103、104、140、141、147、153
りんご病(伝染性紅斑)…216

れ
裂肛…166、243
レム睡眠…143

ろ
漏斗胸…247
6〜7カ月健診…とじ込み②、177
ロタウイルス…とじ込み②、183、185、191
ロタウイルス感染症…183、191
ロタウイルス腸炎 (白色便性下痢症・冬季下痢症)…157、220
ロタテック…とじ込み②、183、191
ロタリックス…とじ込み②、183、191
ロンパース…77

わ
ワクチン…とじ込み②、183、194
笑う…とじ込み①、27、29、31、35、38、176

耳…20、74、130、160、174
ミルク…64、75、82、135

む
向きぐせ…139
無菌性髄膜炎…211
虫刺され…155、235
むし歯…79、149、154、156、242
胸…20

め
目…とじ込み①、20、73、127、157、175
目やに…136
免疫抑制剤軟膏…163

も
蒙古斑…131、236
網膜芽細胞腫…249
沐浴…23、70、102、126
沐浴布…70
持ち替える…とじ込み①、39、177
モロー反射…21、175
問診…174、184

や
薬害補償制度…185
やけどした…201
野菜スープ…89
やさしい心…110

ゆ
湯上がり…71
夕暮れ泣き…32、141
湯温計…70、72
揺さぶられっ子症候群…143
指…21
指さす…180
指しゃぶり…29、58、150、164、169
指をはさんだ…201

よ
溶血性貧血…250
幼児食…55、98
幼稚園…57
溶連菌感染症(猩紅熱)…217
浴室…202

ベビーオイル…136
ベビーシッター…261
ベビーソープ…70、72
ベビーバス…70
ベビー用クリーム…136
ベビーラック…128
部屋…24
ヘルパンギーナ…210
ヘルペス性口内炎…242
便秘…134、142、152
扁平母斑…237

ほ
保育ママ…261
包茎…245
歩行器…159
母子健康手帳…とじ込み②、18、60、173、184
保湿剤…163
発疹…196、204
ボディスーツ…77
母乳…62、82、128、132、135、167
哺乳びん…64
ポリオ…183、186

ま
マイコプラズマ肺炎…225
まくら…75
麻疹(はしか)…183、188、213
麻疹風疹混合(MR)…とじ込み②、183、185、188
まね…とじ込み①、43、45、46、49、51、55、59、156、179
周りの人との関係の悩み…254、255
慢性腎炎…243
慢性中耳炎…240
慢性の乳児下痢症…222
慢性扁桃炎…208

み
味覚…21
水いぼ(伝染性軟属腫)…235
水ぼうそう(水痘)…とじ込み②、163、183、185、192、215
ミトン…130

歯みがき…57、79、106、181
パラシュート反応…178
腹ばい…135
ハンカチテスト…177
反抗期…57

ひ
B型肝炎…とじ込み②、183、185、191
引き起こし反応…177
BCG…とじ込み②、137、183、185、187
非ステロイド剤…163
ビタミン&ミネラル源…86
左利き…165
引っ込み思案…170
人見知り…とじ込み①、37、58、153、156
ひとり遊び…40、162、180
ひとり寝…162
皮膚…124、160、174
Hib…とじ込み②、183、185、190
皮膚カンジダ症…154、234
肥満…149、164
百日ぜき…183、186、223
日焼け…236
病気のホームケア…196〜199
病原性大腸菌食中毒…221
貧血…145、250

ふ
ファーストシューズ…168
ファミリーサポートセンター…261
風疹(三日ばしか)…183、188、214
不活化ポリオワクチン…186
不活化ワクチン…とじ込み②、183、186、189、190、191、193
副反応…185、194
ブドウ球菌食中毒…221
ふとん…24、75
憤怒けいれん(泣き入りひきつけ)…158、228
噴門弛緩症(胃食道逆流症)…219

へ
平熱…157
ペットボトルの水…147

2013年●4月23日　第1刷発行

発行人●河上　清
編集人●澤田優子
編集長●姥　智子
発行所●株式会社　学研パブリッシング
　　　　〒141-8412　東京都品川区西五反田2-11-8
発売元●株式会社　学研マーケティング
　　　　〒141-8415　東京都品川区西五反田2-11-8
印刷所●大日本印刷株式会社

この本に関する各種のお問い合わせは、
次のところにお願いします。
【電話の場合】
●編集内容については
TEL 03-6431-1481(編集部直通)
●在庫、不良品(落丁、乱丁)については
TEL 03-6431-1250(販売部直通)
【文書の場合】
〒141-8418 東京都品川区西五反田2-11-8
学研お客様センター
『最新決定版　はじめての育児』係

この本以外の学研商品に関するお問い合わせは下記まで。
TEL 03-6431-1002(学研お客様センター)

©Gakken Publishing 2013 Printed in Japan

本書の無断転載、複製、複写(コピー)、翻訳を禁じます。
本書を代行業者などの第三者に依頼してスキャンや
デジタル化することは、たとえ個人や家庭内の利用であっても、
著作権法上、認められておりません。

複写(コピー)をご希望の場合は、下記までご連絡ください。
日本複製権センター
http://www.jrrc.or.jp E-mail:jrrc_info@jrrc.or.jp
TEL 03-3401-2382
Ⓡ〈日本複製権センター委託出版物〉

学研の書籍・雑誌についての新刊情報・詳細情報は、
下記をご覧ください。
学研出版サイト http://hon.gakken.jp/

暮らしの実用シリーズ
Mama&Baby
最新決定版
はじめての
育児